les maîtres de Dallas

BURT HIRSCHFELD
et LEE RAINTREE

ŒUVRES

DALLAS	*J'ai Lu* 1324****
LES MAÎTRES DE DALLAS	*J'ai Lu* 1387****
LES FEMMES DE DALLAS	*J'ai Lu* 1465****
LES HOMMES DE DALLAS	*J'ai Lu* 1550**** *(déc. 83)*

BURT HIRSCHFELD

les maîtres de Dallas

d'après le feuilleton original de David Jacobs et les téléfilms de Rena Down, D. C. Fontana, Richard Fontana, David Michael Jacobs, Leonard Katzman, Arthur Bernard Lewis, Barbara Searlcs, Worley Thorne et Jeff Young

traduit de l'américain par Françoise Lemoine

Éditions J'ai Lu

« Si j'étais propriétaire du Texas et de tout l'enfer, je louerais le Texas et j'irais vivre en enfer. »

Général Philip H. SHERIDAN.

« C'est un coin très particulier du domaine du Bon Dieu. »

Président Lyndon B. JOHNSON.

Ce roman a paru sous le titre original :

THE EWINGS OF DALLAS

PROLOGUE

La nuit tombait sur Dallas. C'était l'heure où les gens, après les cocktails donnés en début de soirée, se retrouvaient dans Main Street, un peu éméchés et bruyants. Parfois, on entendait un ivrogne gémir sur son sort ou bien se répandre en imprécations contre le monde, tandis que les banlieusards besogneux regagnaient leur maison préfabriquée à air conditionné. Certains feraient un vrai dîner, d'autres se contenteraient d'un plateau d'aliments surgelés avalés devant la télévision. Les rues de Dallas se vidaient peu à peu comme un puits de pétrole qui s'épuise. Au sommet de Reunion Tower, le restaurant panoramique tournait lentement sur lui-même et son éclairage psychédélique balayait la nuit, visible à plusieurs kilomètres.

Pour JR, ce paysage était devenu familier et il n'y prêtait pas attention. Machinalement, il se dirigea vers l'immeuble de l'Ewing Oil et gara la Mercedes devant la porte d'entrée. A cette heure, les bureaux vides étaient plongés dans l'obscurité et seules les lumières éclairant les extincteurs et les principaux couloirs restaient allumées toute la nuit par mesure de sécurité.

Il entra dans l'immeuble. Tout ça est à moi ou le sera un jour, songea-t-il avec orgueil. Tôt ou tard, tout lui reviendrait : l'immeuble, l'Ewing Oil et ses filiales, Southfork. Il eut un sourire suffisant : JR Ewing devenait de jour en jour plus important. Quant à ceux qui avaient encore l'audace de lui résister, il ne tarderait pas à les faire plier.

Il traversa rapidement le hall de marbre et de verre, remarquant au passage l'absence du gardien de nuit. Probablement en train de fumer une cigarette quelque part ou de piquer un somme dans l'un des bureaux. Il faudrait qu'il pense à faire virer ce type. Tous les employés de l'Ewing Oil étaient censés travailler avec le maximum d'efficacité. Sens du devoir, loyauté et engagement total, voilà les qualités qu'il exigeait de son personnel.

Il sortit de l'ascenseur. La salle de conférences était déserte et un silence pesant remplaçait l'habituel cliquetis des machines à écrire et les bavardages enjoués des dactylos. Jamais JR ne s'était senti aussi seul; il aurait donné n'importe quoi pour entendre un mot gentil ou être accueilli par un sourire chaleureux.

Il se secoua. Cette faiblesse ne lui ressemblait pas. Ce genre d'angoisse, c'était bon pour les autres, pas pour lui, JR Ewing.

Il entra dans son bureau, jeta son Stetson blanc sur une chaise, posa son attaché-case sur sa table de travail et en sortit un dossier. Il s'assit et commença à l'étudier. Soudain, il fronça les sourcils et secoua la tête avec impatience. JR n'était pas homme à tolérer longtemps de telles erreurs. Il relut le second paragraphe. Ce type a besoin d'une bonne leçon, se dit-il, et je me charge de la lui donner.

Il se leva. Il était grand et large d'épaules. Son visage aux traits réguliers avait une expression généralement affable, bien que dépourvue de sensibilité. Un étranger aurait pu le croire humain et accessible au raisonnement. Il n'en était rien.

JR Ewing avait une colonne vertébrale en acier et une âme en béton. Il ne s'intéressait vraiment qu'à ses propres intérêts et à ce qui risquait de les menacer. A Dallas, chacun le savait et personne n'aurait songé à prendre sa défense.

JR se dirigea vers le bar et se versa un scotch. Ce n'était pas la première fois qu'il se retrouvait seul, la nuit, dans son bureau, et pourtant il était mal à l'aise et ne pouvait se défendre du sentiment absurde d'être en train de commettre une lourde erreur.

Il examina de nouveau le dossier étalé sur sa table. Il s'occuperait de cela dès demain matin. Inutile d'en faire un plat, d'ailleurs. Un simple coup de téléphone réglerait le problème.

Une vague sensation de malaise le reprit, et il eut soudain envie d'une présence féminine à ses côtés. Il prit le téléphone et composa un numéro. Il laissa sonner une douzaine de fois puis raccrocha violemment. Qu'elle aille se faire foutre! Où était cette garce? Il jeta un coup d'œil à sa montre. Probablement en train de se faire tringler par un guignol quelconque! Bah, elle a ma bénédiction, se dit-il. En revanche, elle lui foutait la paix et il pouvait baiser qui il voulait. Dieu merci, d'ailleurs, car il payait assez cher pour ça! Il vida d'un trait le reste de son scotch et composa de nouveau son numéro de téléphone. Toujours pas de réponse.

Il feuilleta son répertoire d'adresses et fit un autre numéro. Cette fois-ci, une voix de femme répondit.

– Bonsoir, chérie. C'est JR.

– Oh, bonsoir, JR... comment va?

– Ecoute, je suis au bureau. Je te propose de mettre ton joli petit cul dans ta bagnole et de venir me rejoindre. Que dirais-tu d'un verre ou deux et d'une bonne partie de jambes en l'air à la texane?

Elle hésita.

– Je ne peux pas ce soir. J'ai un rendez-vous.

– Je vois, répondit-il avec froideur. C'est quelqu'un que je connais?

– Nous avons tous deux notre vie privée, JR. Ça fait partie de nos accords.

Il s'efforça de mettre une note de légèreté dans sa réponse :

– C'est vrai, mon chou. A bientôt. Je te rappellerai plus tard.

Il raccrocha et remplit de nouveau son verre, mais cette fois-ci, il garda la bouteille à portée de sa main. Le téléphone sonna et il se précipita pour décrocher.

– JR Ewing à l'appareil...

Il y eut un silence et, à l'autre bout du fil, on raccrocha.

– Bon Dieu! dit-il tout haut, les gens sont de plus en plus grossiers. C'est pourtant pas difficile de dire : « Excusez-moi, je me suis trompé de numéro! » Non, ils se contentent de vous raccrocher au nez!

Sa mauvaise humeur augmentait à chaque gorgée de scotch. Il remplit de nouveau son verre et refit son numéro. Personne. Il s'appuya contre le dossier de son fauteuil et contempla le plafond d'un air morne. Les gens étaient tous des salauds. JR était un être humain, bon Dieu! Pourquoi le traitaient-ils tous comme ça? Ce soir, il se sentait affreusement seul. Et bien entendu, dans ces moments-là, il ne trouvait jamais personne à qui parler et il restait seul avec ses craintes et ce sentiment d'insécurité.

Il se mit à rire. De quoi avait-il peur, au juste? Soudain, il entendit un bruit sourd dans le bureau voisin et il se leva brusquement.

– Hé! Il y a quelqu'un? cria-t-il.

N'entendant aucune réponse, il se laissa tomber lourdement dans son fauteuil. Comment osaient-ils le traiter comme ça, lui qui faisait tant pour les autres? Alors qu'ils auraient dû passer leur vie à chercher comment lui faire plaisir! Quelle ingratitude! Bon, c'était comme ça, et mieux valait être lucide. Ça l'aidait à bien mener sa barque dans cette navigation en eau trouble. Guère plus difficile que de conduire le bétail, en fait. Mais il ne fallait jamais oublier que les humains, comme les vaches, sont sauvages, facilement effrayés et pas idiots. Les hommes savent que vous n'êtes pas là pour leur bien mais pour le vôtre. L'important, c'était d'être constamment sur ses gardes pour pouvoir parer les coups.

Il entendit de nouveau un bruit. Ou bien son imagination lui jouait des tours, ou bien il y avait quelqu'un à côté. Probablement l'un des vigiles faisant sa ronde.

– Hé! s'écria-t-il d'une voix forte, ne vous inquiétez pas, c'est moi... JR Ewing. Est-ce que je peux faire quelque chose pour vous?

Pas de réponse. Au moment où il s'apprêtait à remplir une fois de plus son verre, il perçut distinctement un bruit de pas dans le bureau voisin. Bon Dieu, il y avait quelqu'un là-dedans! Il se précipita vers la porte et l'ouvrit en grand. Dans la pénombre, il distingua une silhouette.

– Que faites-vous là? demanda-t-il d'une voix coléreuse.

Pour toute réponse, il reçut deux balles en pleine poitrine, deux coups de feu qui résonnèrent étrangement dans les bureaux vides.

JR eut l'impression d'être renversé par un express lancé à toute vitesse. Il chancela et s'écroula sur le sol, en proie à une terreur folle, englouti dans un monde cotonneux dont il ne parvenait pas à s'échapper.

Quelques instants plus tard, il sombra dans le silence de la nuit éternelle.

PREMIÈRE PARTIE

LES EWING AUJOURD'HUI

1

Moins d'un mois auparavant, Jock et Ellie étaient assis dans le patio où soufflait une brise légère. Le soleil, bas sur l'horizon, éclairait encore les terres de Southfork à l'ouest.

Jock, dont l'épaisse chevelure blanche formait une auréole au-dessus de son visage buriné, enduisait de cire sa paire de bottes favorite. Ses mains fortes malaxaient le cuir fatigué d'un geste machinal.

Assise près de lui, sa femme était absorbée par sa lecture. C'était une jolie femme d'âge mûr mais encore fraîche. Miss Ellie, comme l'appelait Jock depuis des années, était parfaite en toutes circonstances, qu'elle arpentât les galeries d'art de la 57e Rue à New York ou le foyer de l'opéra de San Francisco, ou qu'elle dirigeât Southfork, l'un des plus gros ranches du Texas. Mais en observant plus attentivement le visage bien construit de miss Ellie, on découvrait vite la force peu commune qui l'habitait et cette intelligence de la vie développée au cours des années. On la sentait d'une trempe à faire face à toutes les épreuves qui jalonnent l'existence.

Elle leva les yeux.

– Tu veux que je t'aide, Jock?

– Non, merci, miss Ellie. Je m'en tire très bien tout seul, répondit-il en pétrissant ses bottes.

Elle lui sourit.

– Tu te tires toujours de tout, mon chéri. Ce n'est pas une raison pour que je ne t'aide pas.

Il la regarda et son regard s'adoucit.

– C'est vrai, mais j'ai presque fini. Merci, chérie.

Elle sourit et se replongea dans son livre tandis qu'il contemplait ses bottes avec satisfaction.

Quelques minutes plus tard, les pneus de la Mercedes crissèrent devant le garage et JR sortit de la voiture. Il se dirigea vers eux d'un pas vif, un sourire aimable sur le visage. Quelqu'un avait dit un jour que, chez JR, seule la bouche souriait, jamais les yeux. Et même en présence de ses parents, dans le giron rassurant de Southfork, ses yeux méfiants regardaient partout comme pour débusquer un ennemi caché.

– 'Soir, p'pa, 'soir, m'man, dit-il.

– Salut, JR, dit Jock fronçant les sourcils. Qu'y a-t-il? Tu veux me parler?

– Oh, papa, tu es incroyable! Je me demande quand tu vas enfin te décider à me faire confiance, répondit JR.

– Dès que tu me donneras une bonne raison de le faire.

Le regard de JR s'assombrit. Il allait répliquer, mais il surprit une expression de mise en garde sur le visage de sa mère. Il se contenta de reproduire son éternel sourire mécanique en posant son attaché-case sur la table du patio, puis il l'ouvrit et en sortit quelques feuillets qu'il tendit à son père.

– Eh bien, en voilà une, papa.

Jock prit les papiers et y jeta un bref coup d'œil.

– Qu'est-ce que c'est que ça?

– Les prêts bancaires pour les concessions d'Asie sont maintenant entièrement remboursés. Southfork est désormais libre de toute hypothèque.

Sans un mot, Jock se plongea dans les papiers. JR était déçu.

– Tu n'es pas content, papa?

Il avait constamment besoin de l'approbation de son père, mais Jock, peu expansif de nature, était avare de compliments. Il attendait le maximum des gens qui travaillaient pour lui et avait la critique plus facile que les louanges.

– Southfork n'est plus en danger, conclut JR.

Jock grogna doucement.

– Bobby est allé avec toi à la banque?

– Oui, bien sûr.

JR avait envie d'injurier son père, de lui réclamer une part de cette affection qu'il manifestait à son frère cadet Bobby. Mais il se contint et enchaîna d'un ton naturel :

– Tout a été fait dans les règles, papa. (Puis, impulsivement, comme incapable de refouler plus longtemps son dépit, il s'écria :) Bon Dieu, papa, tu pourrais tout de même me féliciter! Ces concessions en Asie ont fait de l'Ewing Oil l'une des plus grosses compagnies pétrolières des Etats-Unis.

– Ce n'est pas une raison pour jurer en présence de ta mère, observa Jock.

– Oh, Jock, c'est sans importance, soupira Ellie, agacée.

Jock avait levé les yeux sur son fils.

– Je ne peux pas oublier que nous avons failli perdre Southfork à cause de toi, JR.

– C'est une histoire réglée, papa. Tu ne vas pas me reprocher ça jusqu'à ta mort! Au moins, ça m'aura servi de leçon. Jamais plus l'Ewing Oil ou

Southfork ne seront en difficulté, je t'en donne ma parole!

– Eh bien, je suis heureux de t'entendre tenir ce langage. Continue comme ça, et tout ira bien.

Soudain, JR éclata de rire.

– C'était trop drôle! Si vous les aviez vus, tous, me suppliant de prendre leur argent! De leur vendre des actions! C'était vraiment à mourir de rire.

– Je ne vois pas ce qui te donne le droit de te moquer d'eux, JR, dit tranquillement Ellie.

– Je te rappelle, maman, que si ces types ne m'avaient pas lâché à la dernière minute quand j'ai fait appel à eux pour ces fameuses concessions, je n'aurais pas eu besoin d'hypothéquer Southfork. Tu aurais dû les voir, papa. Je te jure que ça valait le déplacement. Ils étaient là, comme une meute affamée, attendant que je veuille bien leur jeter un morceau de viande...

Jock sourit.

– Je te comprends. Il n'y a rien de plus plaisant qu'une affaire qui s'annonce juteuse pour vous quand on sait que l'idée de votre succès rend les autres fous de rage. (Il se leva, légèrement de travers, mais toujours grand et costaud avec un physique de héros de western.) Allez, fils, rentrons. On va boire un coup.

Ce soir-là, après le dîner, toute la famille se réunit dans le living-room. Pam Ewing, ravissante comme toujours avec ses traits légèrement exotiques et sa chevelure cuivrée, se tenait à l'écart, plongée dans ses pensées. Voyant sa belle-fille seule et songeuse, miss Ellie tenta de l'arracher à sa sombre méditation.

– Oh, Pam, j'ai oublié de vous dire que Harrison Page avait téléphoné, aujourd'hui.

– Merci, miss Ellie, c'est sans importance.

– Que voulait-il? demanda Bobby, fronçant les sourcils.

De quelques années plus jeune que son frère, Bobby Ewing était trapu, très brun avec un regard profond. La nature semblait lui avoir conféré une tranquille assurance qui le faisait se sentir à l'aise en toutes circonstances. Quelques mois auparavant, sa femme avait décidé de recommencer à travailler, mais Bobby n'était pas convaincu par la sagesse de cette décision et ce coup de téléphone du patron de Pamela renforçait ses réticences. Mais il aimait profondément sa femme, l'avait toujours approuvée et aidée dans le passé et il continuerait bien que cette fois-ci son approbation fût mitigée.

Pam haussa les épaules d'un air un peu trop dégagé, lui sembla-t-il.

– Il me rappelait. Je lui ai passé un coup de fil ce matin pour lui dire que je ne pourrais pas aller travailler aujourd'hui.

– Où es-tu allée? demanda Bobby, incapable de dissimuler son anxiété.

– Au cimetière.

Bobby resta silencieux. La mort de Digger Barnes, le père de Pam, avait affecté la jeune femme au delà de ce que Bobby aurait pu imaginer.

Sue Ellen, la femme de JR, se tenait près du bar, un verre à la main. Le sourire angélique qu'elle plaquait sur son joli visage la faisait ressembler à un masque. Elle ne bougeait pas mais jetait de temps à autre un coup d'œil vers la porte, semblant redouter l'arrivée d'un visiteur indésirable. Il arriva en la personne de JR qui saisit la bouteille de bourbon et la lui brandit sous le nez.

– J'ai eu l'impression que tu ne mangeais pas beaucoup, ce soir, Sue Ellen.

– Je n'avais pas faim, JR.

– C'est vrai, mon trésor, j'oubliais que l'alcool nourrit !

Elle lui tendit son verre.

– C'est de l'eau gazeuse sans une goutte d'alcool. Tu peux vérifier si tu veux.

– Ce n'est pas nécessaire, intervint miss Ellie.

JR fit une grimace.

– Ce que j'aimerais savoir, c'est ce que tu as bu cet après-midi, ma chère.

– Laisse tomber, JR, dit Bobby.

JR sentit renaître le vieil antagonisme qui l'opposait à son frère. Pour une raison qu'il n'arrivait pas à s'expliquer, il était incapable de se contrôler dans ses rapports avec Bobby.

– Qu'est-ce que tu dis ? demanda-t-il d'un air menaçant.

– J'ai dit : laisse tomber. Ce genre de scène est pénible et ne sert à rien.

– Bobby, le premier pas vers la guérison d'un alcoolique consiste à lui faire admettre qu'il boit, répliqua JR d'une voix coupante. J'essaie d'aider Sue Ellen en lui faisant prendre conscience du fait que c'est une foutue alcoolique, c'est tout !

Dix-huit ans, blonde et menue avec un visage sensuel et une expression provocante, Lucy rétorqua :

– Pourquoi veux-tu faire admettre à Sue Ellen quoi que ce soit ? Tu es prêt à admettre ce que tu es, toi ?

JR regarda fixement sa nièce, la fille de son frère Gary, celui qui, un beau jour, avait quitté Southfork pour n'y plus revenir.

– Lucy, cette histoire ne concerne que Sue Ellen et moi, dit-il d'un air glacial.

– Pas si tu l'attaques devant nous, dit Bobby.

Apparemment c'est une affaire que tu souhaites régler en famille.

JR se tourna vers son frère.

– Tu as bien assez de problèmes avec ta propre femme sans t'occuper de la mienne, dit-il d'un ton doucereux.

– Ne commence pas, JR...

Négligeant cette menace, JR enchaîna :

– Ta femme s'achemine à grands pas vers une dépression nerveuse, Bobby. Il n'y a que toi pour ne pas t'en rendre compte. Remarque, on la comprend. Ce pauvre type de Digger Barnes, son cher papa... Découvrir soudain que ce morceau de barbaque humaine et inutile n'était pas son vrai père, c'est un peu dur ! Et qui est son vrai père ? Un autre clodo, un voleur nommé Hutch McKinney. Quant à sa mère, elle était putain...

Pam eut un hoquet et se rua hors de la pièce. Oublieux de tout sauf de cette blessure que JR venait délibérément d'infliger à sa femme, Bobby lança son verre à la tête de son frère. Il le manqua, et le verre vint s'écraser contre la cheminée. Sans une hésitation, il se précipita sur JR et lui balança son droit sur la pommette. JR chancela, et Bobby se mit alors à le bourrer de coups jusqu'au moment où Jock finit par s'interposer, leur signifiant par sa présence imposante que le combat était terminé.

– Ça suffit, maintenant. Vous n'êtes pas dans un saloon, bon Dieu ! Bobby, recule ! Et toi, JR, ferme ta gueule, c'est compris ?

– Ouais, grommela JR, tripotant sa joue écarlate.

Sue Ellen se planta devant lui et le regarda droit dans les yeux.

– J'ai l'impression que c'est plutôt toi qui as besoin d'un verre, JR, et immédiatement !

Etouffant un juron, JR se précipita hors de la pièce et quitta la maison.

Lorsque Bobby entra dans sa chambre, il trouva Pamela assise sur le lit, le regard fixe. Il la prit dans ses bras et elle se blottit contre lui comme pour absorber un peu de sa force, de sa vitalité.

– Bobby, je crois que JR a raison, je suis en train de craquer!

– Mais non, en voilà une idée! JR dit n'importe quoi.

– Je me sens si seule, si paumée...

– Il y a peu de temps que ton père est mort. Tu as eu un grand choc; c'est normal que tu aies du mal à remonter la pente.

– Mais Digger n'était même pas mon père! Hutch McKinney! Il y a quelques jours, ce nom ne signifiait rien du tout pour moi. Et maintenant il faut que j'arrive à me mettre dans la tête que ce type est mon père. Un squelette avec une balle dans le crâne, un homme dont je n'ai jamais entendu parler, que ne n'ai jamais connu...

– Mais c'était Digger, ton père! Il vous a élevés, Cliff et toi! C'est cela qui fait d'un homme un père, voyons!

– Je ne me souviens même plus de ma mère. Dans les affaires de papa, il y avait un boîtier de montre avec une vieille photo à l'intérieur. Une femme, aussi floue que le souvenir que je garde d'elle. Je veux savoir ce qui lui est arrivé, Bobby.

– Qu'est-ce que ça changera?

– Je n'ai plus de racines, tu comprends? J'ai l'impression de marcher sur du sable mouvant... Comment puis-je m'y retrouver moi-même si je ne sais pas qui étaient mon père et ma mère? En ce moment, j'ai l'impression de n'être chez moi nulle part.

– Tu es chez toi ici, avec moi, Pam. Tu es ma femme et je t'aime.

Si Pam entendit ces derniers mots, elle n'en laissa rien paraître.

– Il faut que je sache, murmura-t-elle. J'ai besoin de savoir.

2

L'appartement de Kristin Shepard appartenait à l'Ewing Oil et la jeune fille vivait aussi luxueusement que sa sœur, Sue Ellen. Mais la générosité de JR n'était jamais gratuite. La précarité de sa situation n'échappait pas à Kristin qui, bien qu'encore très jeune, était dotée d'un solide bon sens. JR avait épousé Sue Ellen et fait de Kristin sa maîtresse. Cette situation scabreuse était loin de gêner Kristin. En tant que secrétaire de JR, elle gagnait très bien sa vie, faisait un travail intéressant et rencontrait une foule de gens riches et dans le coup. Mais, chose plus importante encore, comme belle-sœur du patron, elle en imposait à tous. A l'Ewing Oil, malgré son très jeune âge, elle prenait part à toutes les décisions importantes et avait accès aux dossiers secrets.

Elle savait qu'elle était belle et que les hommes la désiraient. Mais elle savait aussi que son prestige était rehaussé par le respect que lui témoignait JR en public et par ses liens familiaux avec les Ewing. Elle était encore adolescente que sa mère ne cessait de lui répéter : « Dans la vie, n'hésite pas à saisir tout ce qui est à ta portée, utilise toutes tes armes et dis-toi que tous les moyens sont bons. » La leçon avait fini par porter ses fruits. Kristin se débrouillait bien dans la vie.

Mais cette cage dorée avait ses servitudes, et la jeune fille était en train d'en faire l'expérience avec le banquier Vaughn Leland. JR avait besoin de lui. C'était un homme riche et puissant qui avait de gros intérêts dans diverses affaires, mais qui, physiquement, répugnait à Kristin. Quand elle était seule, il posait ses grosses pattes molles sur elle, lui caressait le bras, le cou, parfois même la naissance des seins. Kristin n'était pas farouche et se servait volontiers de son corps pour atteindre ses objectifs, mais coucher avec Leland, non, c'était au-dessus de ses forces. Il lui soulevait le cœur.

Elle tendit l'oreille : JR raccompagnait le banquier à la porte, échangeant quelques banalités avec son interlocuteur. Après avoir introduit le banquier dans le living-room, Kristin s'était éclipsée afin de laisser les deux hommes en tête à tête, mais, réfugiée dans sa chambre, elle avait tout écouté. Parfois JR demandait son aide, alors mieux valait être informée. Détenir l'information, c'était la clé du succès, de la puissance, pensait-elle.

Elle entendit JR faire une dernière recommandation à Leland.

– Tâtez le terrain, Vaughn, mais discrètement, n'est-ce pas? Voyez comment la chose est accueillie...

– Entendu, JR. J'en parlerai aux intéressés. Ne vous inquiétez pas, je ferai passer le message. Croyez-moi, ils ne vont pas se faire tirer l'oreille. Ils sont gourmands, tous!

Et il sortit, éclatant de rire comme s'il venait d'en entendre une bien bonne.

– Je ne peux pas blairer ce type, déclara Kristin, rejoignant JR dans le living-room.

Celui-ci enleva sa veste texane et la laissa tomber par terre. Puis il ôta sa cravate et passant devant Kristin, il entra dans la chambre.

– Je ne peux pas te donner tort, dit-il. S'il avait fait correctement son boulot dans l'affaire des concessions d'Asie, je n'aurais pas eu besoin d'hypothéquer Southfork.

Elle le suivit dans la chambre.

– Avant ton arrivée, il a essayé de me peloter, comme chaque fois que je suis seule, d'ailleurs! Ce type me dégoûte! Il se conduit comme un voyageur de commerce, tout banquier qu'il est. Je déteste le contact de ses pattes froides et molles sur moi.

JR s'étendit sur le lit et tendit sa jambe vers Kristin. Elle tira sur une botte, puis sur la seconde. Il se releva ensuite et enleva son pantalon.

– Attends une minute, JR, protesta-t-elle, je suis en train de te parler.

– Eh bien, vas-y, chérie. Je ne t'en empêche pas.

– Si tu n'étais pas entré tout à l'heure, j'aurais été obligée de me battre pour défendre ma vertu.

Il eut un rire insultant.

– Parce qu'elle est encore à défendre?

– Parfaitement! Remets ton pantalon, je n'ai pas envie de faire l'amour.

– Viens ici, chérie...

– Merde! J'en ai marre. Tu ne viens ici que pour coucher avec moi.

– Pourquoi voudrais-tu que je vienne?

– Je suis désolée, mais je ne suis pas à ta disposition, JR. Je suis un être humain et j'ai des droits. Nous avons conclu un marché, tu l'as oublié? Je n'ai plus l'intention de coucher avec toi à moins que tu ne te décides à quitter Sue Ellen et à m'épouser. C'est une alcoolique, tout le monde le sait. Tôt ou tard, tu vas être obligé de la faire interner. Tu as besoin d'une femme qui te connaisse et te comprenne, une femme qui partage avec toi autre chose que ton lit.

Il essaya de l'attraper par le bras, mais elle recula.

– Que dirait ta mère si tu étais mêlée à un scandale? demanda-t-il.

– Un scandale? Quel scandale?

– Qu'est-ce que tu crois? Sue Ellen saura vite que c'est pour toi que je divorce et ton nom sera mêlé à tout ça.

– Pourquoi le saurait-elle?

– Parce que tout finit par se savoir.

– Tu crois qu'elle s'en doute?

– C'est possible, je n'en sais rien. (Il ôta son caleçon.) Allez, Kristin, amène-toi vite, je suis pressé.

Elle secoua la tête.

– Même ce gros porc de Leland n'oserait pas me traiter comme tu le fais.

– Eh bien, si tu veux le vérifier, tu as ma bénédiction.

– Tu penses vraiment ce que tu dis, JR? Ça ne te fait rien que tous tes amis essaient de coucher avec moi?

– Prends-le comme un compliment, chérie. Après tout, c'est plutôt flatteur. Bon Dieu, Kristin, comment veux-tu qu'il en soit autrement? Tu es belle, désirable et en plus tu es libre.

– Libre! Tu oses me dire que je suis libre!

– Ces derniers temps, tu me reprochais de n'être jamais là!

– Tu veux que je couche avec d'autres hommes? C'est ça que tu es en train de me dire?

– Je ne veux pas que tu t'ennuies, chérie, c'est tout. Et puis, on ne sait jamais. Les hommes sont parfois bavards sur l'oreiller... Ça pourrait nous être utile.

– Tu suggères que je baise à droite et à gauche pour te rapporter des informations, c'est bien ça?

– Je veux que tu profites de la vie, c'est tout.

Cette fois, il parvint à lui saisir un bras et à l'attirer vers le lit. Il écrasa sa bouche contre la sienne, prit ses seins à pleines mains. Un moment, elle se représenta faisant l'amour avec Vaughn Leland ou avec un autre. D'autres lèvres que celles de JR, un autre corps, une autre voix. Peu à peu, ce fantasme l'excita. Elle sentit que JR lui arrachait ses vêtements, l'entraînait hors du lit et lui donnait des ordres en termes crus. Il la plaça dans la position qu'il préférait, à genoux à ses pieds, et, dans l'univers brûlant de ses fantasmes, c'est exactement comme ça qu'elle avait envie d'être traitée, c'est ça qu'elle voulait, tout au moins pour le moment.

Le téléphone sonna. Dans l'obscurité, Kristin grogna et tendit une main vers l'appareil.

– Allô? dit-elle d'une voix ensommeillée, puis elle s'assit brusquement et secoua JR : C'est Hank Johnson! Il appelle d'Asie.

JR se réveilla instantanément et saisit le téléphone. Johnson était responsable des concessions pétrolières en Asie.

– Allô... Allô? C'est vous, Hank? Qu'est-ce qui se passe, mon vieux? Vous savez que je n'aime pas beaucoup traiter nos affaires par téléphone.

La voix de Hank, venant du Sud-Est asiatique, semblait tour à tour proche puis lointaine.

– Ça ne peut pas attendre, JR. Désolé.
– Bon, de quoi s'agit-il?
– Il se passe ici quelque chose de très ennuyeux pour nous, dit Hank, criant dans le téléphone. Mon contact au gouvernement vient de m'annoncer une très mauvaise nouvelle.
– Je vous écoute.
– Il semblerait qu'il y ait de l'assassinat dans l'air.
– C'est Honcho qui est visé?
– Exactement. JR, il y a une révolution qui chauffe, ici.
– A votre avis, quels sont les risques qu'elle éclate?
– De gros risques, d'après mes informateurs, et, dans ce cas, ce sera un beau merdier!
– Vous pensez que les rebelles peuvent gagner?
– Ça m'en a tout l'air. Et s'ils gagnent, JR, la première chose qu'ils feront, ce sera de nationaliser les puits.
– Bon Dieu, ils ne vont pas me faire ça!
– Ils prendront tout, JR – le stock, le moindre baril de pétrole, tout.
JR se creusait la tête.
– Vous êtes sûr de votre informateur?
– Ecoutez, patron, dit Hank, avec son accent traînant de Texan, l'une des raisons pour lesquelles vous me payez bien, c'est que mes sources sont sûres. Dans ce pays, tout est en train de foutre le camp, et dans ce coin-là plus qu'ailleurs. Ce n'est plus qu'une question de jours. Dès que les rebelles passeront à l'offensive, ils prendront le pays en huit jours, peut-être moins. Et vous pourrez dire adieu à vos puits de pétrole.
– Il y a beaucoup d'intérêts en jeu, Hank, dit JR d'une voix hésitante.

Il se rappelait sa récente conversation avec Vaughn Leland.

– Oui, je sais que c'est un très gros morceau pour vous.

JR réalisait que cette affaire risquait de lui faire perdre la confiance de son père qu'il avait eu tant de mal à regagner, et le privilège de diriger l'Ewing Oil comme il l'entendait.

– Pouvez-vous entrer en contact avec les dirigeants de la rébellion, Hank?

– Quel intérêt ça présente?

– Les discussions d'argent sont comprises dans toutes les langues.

– Les acheter? Aucune chance, JR. Ces types-là sont des fanatiques.

– On va essayer quand même. Demain matin, je vous expédie par le premier avion un type avec une valise bourrée de dollars. Dans tous ces groupes de fanatiques, on trouve toujours un gars plus raisonnable que les autres. Dénichez-le, Hank, et démerdez-vous pour lui faire comprendre ce qu'est la bonne vie. Dépensez, soudoyez, faites le nécessaire. Je ne suis pas encore disposé à perdre ces puits.

– Sans garantie, JR, mais je ferai de mon mieux.

– D'accord, Hank, je compte sur vous. Et surtout, tenez-moi au courant.

3

Lorsque JR rentra à Southfork le lendemain matin, il fut surpris de voir le coffre de la voiture de ses parents bourré de valises.

– Hé, cria-t-il avec une jovialité forcée, où allez-vous comme ça? Ce n'est tout de même pas à cause de la scène d'hier soir? Ecoutez, je reconnais que j'ai un peu perdu les pédales. Pardonnez-moi et oublions tout ça, d'accord?

– Tu accordes trop d'importance à ta personne, répondit Jock, sèchement. Ta mère et moi, nous avons tout simplement décidé de prendre quelques jours de vacances dans le Colorado. J'en profiterai pour régler quelques affaires personnelles.

– Nous ne partons que quelques jours, JR, dit miss Ellie.

– Et nous emmenons Bobby et Pam, dit Jock. Je te charge de veiller sur Southfork, et j'espère trouver l'Ewing Oil et le ranch en bon état quand nous reviendrons.

Brusquement soulagé et impatient de les voir partir, JR leur fit un sourire destiné à les rassurer mais qui, en fait, ne rassura personne.

– Ne te fais aucun souci, papa. Tu peux compter sur moi.

Sur ces entrefaites, Pamela et Bobby sortirent de la maison au moment précis où le téléphone se mettait à sonner. Bobby hésita, mais Jock lui cria :

– Dépêche-toi, Bobby, on n'est pas en avance!

Lucy apparut sur le seuil de la porte, fit un geste d'adieu à ses grands-parents et cria :

– JR! Téléphone...

Il prit congé de sa famille, entra dans le bureau et prit le téléphone, tournant le dos à la porte comme pour décourager les oreilles indiscrètes.

– Allô? JR Ewing à l'appareil...

– JR?

La voix familière de Hank lui parvint.

– Ah! salut Hank. Alors, comment marche notre affaire?

– Mal. Le poisson refuse l'hameçon et les choses s'aggravent d'heure en heure. Nous serons encerclés dans quarante-huit heures, à moins d'un miracle.

– Ça ne me laisse pas beaucoup de temps pour trouver une solution.

– Je ne vais pas pouvoir rester ici plus de vingt-quatre heures, JR. Ça prend trop mauvaise tournure.

– Bon, faites au mieux et rappelez-moi dès que vous aurez pris une décision.

– Entendu.

JR coupa avec son doigt et composa immédiatement un numéro. Une secrétaire répondit.

– Bonjour, JR Ewing à l'appareil. Il est là?

– Un instant, monsieur.

Trois secondes plus tard, il entendit la voix de Leland.

– Allô, JR? Comment allez-vous par ce beau temps?

– Bien, Vaughn, et vous-même?

– En pleine forme, mon vieux. J'ai tâté le terrain, comme vous me l'aviez demandé, et les nouvelles sont bonnes. Nos gaillards sont tous d'accord. Ils piaffent, même, et ils ont déjà le carnet de chèques en main.

– Ah, bravo! J'aime ce langage. Voici ce que je vous propose, Vaughn : rassemblez-moi tous ces bambins et amenez-les-moi dans deux heures à mon bureau. J'entre en réunion dans cinq minutes, mais dans deux heures, j'aurai fini. Ça vous va?

– Parfaitement. A tout à l'heure.

– A tout à l'heure, dit JR en raccrochant.

Il se retourna et aperçut Sue Ellen sur le seuil de la porte, une expression méprisante sur le visage.

– Tu ne changeras jamais, n'est-ce pas, JR? Tes

parents n'ont pas plutôt tourné le dos que tu prends tes airs de conspirateur.

Il n'eut pas le temps de répondre; elle avait déjà disparu.

Une heure plus tard, rasé, douché et vêtu de son costume texan en gabardine bleue, JR arriva à son bureau. Il était chaussé d'une paire de bottes neuves en kangourou, souples comme des gants, faites à la main selon un modèle mexicain. Kristin frappa à la porte et entra, une tasse de café à la main.

– Veux-tu autre chose, JR?

Elle était encore furieuse de la façon dont il l'avait traitée la veille, mais n'en laissa rien paraître. Elle jouait parfaitement le rôle de la secrétaire obéissante, dévouée et même un tantinet servile. Mais Kristin était patiente, car elle savait que son heure n'allait pas tarder à sonner.

– Merci, chérie. C'est parfait.

– Alan Beam est arrivé, dit-elle.

– Beam? Qu'attends-tu pour le faire entrer?

Elle ouvrit la porte et gratifia l'homme d'un sourire qui se voulait chaleureux.

– Entrez, Alan. JR va vous recevoir immédiatement.

Il passa devant elle. C'était un homme fluet, aux cheveux bruns, au visage étroit. Il avait un regard sombre, attentif, et une expression tendue qui le faisait paraître constamment mal à l'aise, comme projeté dans un autre milieu que le sien, mais décidé à tout prix à jouer le jeu pour s'y intégrer.

– Bonjour, JR. Que se passe-t-il pour que vous me demandiez de passer vous voir aux heures de bureau?

– Il est très tôt, Alan. Il y a peu de risques qu'on

remarque votre présence. Kristin, je sonnerai si j'ai besoin de toi.

Elle fit la moue et sortit en refermant la porte derrière elle.

– Quelle jolie fille! dit Alan avec un sourire complice.

Les relations de JR avec sa belle-sœur n'étaient plus un secret pour personne et défrayaient la chronique de Dallas. Barnes en parlait ouvertement dans les couloirs du Congrès où Beam passait une grande partie de son temps.

– Et excellente photographe, comme en témoigne cette photo, ajouta JR qui farfouillait dans son bureau. (Il tendit un cliché à Beam.) Qu'en pensez-vous, Alan?

L'avocat rougit jusqu'à la racine des cheveux et lutta pour se ressaisir.

– Je vais vous expliquer, JR. Ce n'est pas ce que vous croyez.

– Qu'est-ce que je crois, Alan?

– Que je... que votre nièce Lucy et moi... Oh, bon Dieu, JR, nous sommes tombés l'un sur l'autre et...

JR sortit de son tiroir une douzaine d'autres photos et les étala sur son bureau.

– Et l'un sous l'autre, mon cher Alan, à en juger par ces clichés. Et voici des positions tout à fait inhabituelles! Je n'ose pas imaginer la tête que ferait mon père s'il tombait là-dessus...

– JR, je vais vous dire la vérité. Lucy et moi, nous sortons ensemble depuis un certain temps déjà. Nous nous aimons.

– Vous, amoureux? Epargnez-moi ce mélo, Alan.

– Mais ça n'a rien d'extraordinaire! Lucy est ravissante, intelligente et...

– Et riche, termina JR.

Un instant, Beam faillit abandonner, mais il se reprit.

– Je me fous de son argent, JR, comme du vôtre, d'ailleurs.

JR lui sourit.

– Vous êtes un menteur, Alan, dit-il doucement.

Beam respira profondément. Il ne s'attendait pas à ce que JR crût à son histoire. A sa place, il se serait montré tout aussi sceptique. D'une certaine façon, JR et lui se ressemblaient, mais lui avait encore un long chemin à parcourir avant de l'égaler en puissance et en richesse.

– J'aime Lucy, insista-t-il, et je veux l'épouser. Si vous songiez à m'acheter, JR, c'est foutu.

– Vous acheter! Oh, la vilaine expression!

Beam eut l'impression désagréable que JR jouait avec lui comme le chat avec la souris.

– Quel que soit le prix, je ne suis pas à vendre, dit-il décontenancé.

– Eh bien, je vous en félicite. Soyez assuré que je ne chercherai pas à décourager cette noble résolution. Je n'ai pas l'intention de vous acheter.

– Ah bon? Pourtant...

– Vous vous trompez. Au contraire, ça me fait chaud au cœur de penser que Lucy est enfin tombée sur un homme de valeur. Mes félicitations, Alan.

– Vous voulez dire que nous avons votre bénédiction? demanda Alan d'un air incrédule.

– Mais oui. Rien ne pourrait me faire plus plaisir. Et le jour où vous épouserez Lucy, Alan, je vous installerai votre propre cabinet d'avocat. Terminée, cette vie de petit clerc. Désormais vous serez votre propre patron. Ce sera mon cadeau de mariage.

N'osant croire à sa chance, flairant quelque coup

fourré dans cette générosité inattendue, Beam bredouilla :

– Vous êtes sincère, JR? Je... peux compter sur vous?

– Mais bien sûr! Combien vous faut-il pour vous installer correctement? Deux cent cinquante mille dollars?

– Pour une installation correcte, il faut compter le double!

– Ah, je vous retrouve, Alan. Je vous préfère dans ce registre! Un demi-million, donc. Eh bien, c'est d'accord. Vous aurez le bureau d'avocat le plus luxueux de Chicago.

– De Chicago?

– Oui, Alan, de Chicago.

– Mais je ne veux pas m'installer à Chicago! J'aime Dallas, j'y ai toujours vécu...

– Je vous comprends, Alan, mais vous irez tout de même à Chicago. L'héritage de Lucy et ses rentes ont été fixés une fois pour toutes. Pour vous deux, vivre à Dallas ou à Chicago, c'est pareil. Par contre, pour moi, ça change tout.

– Je ne comprends pas.

– Je vais vous expliquer ça brièvement. Le père de Lucy, mon frère Gary, a quitté un beau jour Southfork pour n'y plus revenir. C'est un faible, incapable de faire face à ses responsabilités et de porter sa part du fardeau familial. La seule raison qu'il aurait de revenir au sein de la famille et de réclamer sa part de Southfork, ce serait sa fille, Lucy. Elle partie, il n'aura plus de raisons de rentrer à Southfork. Mais si elle reste à Dallas, Alan, si elle reste au ranch, vous ne la reverrez jamais et vous pourrez dire adieu à votre cabinet d'avocat. C'est clair?

– On ne peut plus clair!

– Bien. Je compte sur vous pour ne pas faire traîner les fiançailles, Alan.

L'avocat se dirigea vers la porte et, la main sur la poignée, se retourna :

– Et si elle refuse de m'épouser?

JR désigna du doigt les clichés étalés sur son bureau.

– Qu'est-ce qui fait courir le monde, Alan? L'amour et le sexe. Faites-lui un numéro de charme. A en juger par ces photos, vous ne paraissez manquer ni d'imagination ni d'expérience.

– Je vois ce que vous voulez dire, JR.

Et il sortit en souriant, beaucoup plus heureux que lorsqu'il était entré une demi-heure auparavant.

4

Quelques hommes entrèrent dans le bureau de JR. C'était un groupe disparate : certains étaient vêtus d'un costume de bonne coupe, d'autres portaient des vestes en soie noire brillante. L'un d'entre eux s'était contenté d'enfiler un vieux jean et des bottes qui, à en juger par leur état, devaient dater de sa jeunesse. Mais tous avaient un trait commun : derrière leur camaraderie, leurs plaisanteries et leurs rires, derrière ce personnage de brave type qu'ils cultivaient avec soin se cachaient une dureté et une ambition forcenées.

Toute leur vie, ces hommes s'étaient battus pour conquérir puissance, richesse et prestige. Ils semblaient insatiables : toujours plus de bétail, de pétrole, de puissance et d'argent. C'était leur unique motivation et la raison pour laquelle ils se trouvaient dans le bureau de JR aujourd'hui.

JR avait fait apporter des chaises en cuir et les hommes prirent place autour de son bureau comme des cow-boys autour d'un feu de camp, impatients de recevoir leur ration de haricots. Mais la faim dont souffraient ces hommes ne pouvait être apaisée par une assiette de haricots.

– Ce n'est pas une plaisanterie, au moins, JR? demanda Jordan Lee, porte-parole du cartel.

Il avait le visage franc, l'expression ouverte du Texan bon teint.

– Je ne plaisante jamais sur ce genre de chose, messieurs.

Vaughn Leland se tortilla sur sa chaise. C'était un banquier, pas un pétrolier. Un homme habitué à traiter les affaires sur le papier, avec des interlocuteurs propres et sentant bon. Il n'avait jamais eu besoin de se gratter la peau pour en ôter la poussière incrustée dans les pores, ou d'essayer en vain de se débarrasser de l'odeur d'un millier de vaches beuglantes imprégnant ses vêtements. Il ignorait le désespoir du foreur qui tombe toujours sur des puits secs et ne découvre jamais la formidable nappe qui transformera son destin. Vaughn Leland s'était toujours arrangé pour laisser le dur travail aux autres. Mais l'intérêt de cette affaire – si toutefois JR tenait parole – justifiait largement sa présence ici aujourd'hui.

– Vous comprenez, JR, vous avez toujours tenu à garder pour vous seul les gisements d'Asie et voici soudain que vous changez d'avis. Avouez qu'il y a de quoi être surpris! expliqua Leland.

JR lui fit un large sourire, découvrant une double rangée de dents parfaites et abattit sa main sur un dossier posé devant lui.

– Tout est là, messieurs, écrit noir sur blanc. Les faits, les chiffres, l'analyse géologique, l'estimation des réserves. Tout est là, en bonne et due forme.

Le type en Levi's, grand et maigre, le visage taillé à coups de serpe, demanda sans lever les yeux :

– Ce que j'aimerais comprendre, c'est pourquoi vous vous décidez soudain à faire appel à nous?

– Nous nous posons tous cette question, renchérit l'un des types à la veste de soie noire. Il n'y a pas de secrets dans les affaires de pétrole. Nous savons, à un dollar près, ce que valent ces gisements.

– J'en suis persuadé, Bradley. Jetez un coup d'œil sur ces courbes et vous constaterez probablement que mes chiffres sont les mêmes, ou en tout cas, très proches des vôtres. Voyons, messieurs, cette méfiance est absurde. Nous avons tous d'excellents comptables et nos cerveaux fonctionnent bien. Notre présence ici aujourd'hui le prouve.

Il y eut un murmure approbateur dans l'assemblée.

– Vous n'avez toujours pas répondu à ma question, insista Stone, les yeux fixés sur le bout râpé de ses bottes.

– Eh bien, nous dirons que c'est par gratitude, répondit JR.

– Voyons, JR, soyons sérieux! s'exclama l'homme qui enchaîna de sa voix lente : Toute ma vie, je me suis occupé de vaches et de chevaux. Je connais l'odeur de la merde, mais je connais aussi celle du parfum. Aujourd'hui ici, ça sentirait plutôt la merde!

Tous s'esclaffèrent. Lorsque le calme fut revenu, JR poursuivit tranquillement :

– Je ne plaisante pas. Je vous suis reconnaissant de votre loyauté envers moi. Lorsque l'Ewing Oil a été en difficulté et que j'ai fait appel à vous, vous m'avez apporté votre soutien financier; je ne l'ai jamais oublié. Mais, bien sûr, ceux qui me connaissent soupçonnent autre chose derrière ma proposition.

Cette fois, personne ne rit.

– On a fait à l'Ewing Oil deux propositions intéressantes ces derniers jours. Je ne peux pas encore vous en parler, mais il s'agit de deux gros coups. Deux très gros coups. Les choses vont vite, si vite qu'il faut dégager des sommes importantes le plus rapidement possible.

Il se tut un instant pour observer les visages attentifs autour de lui. Les hommes comprenaient. Ils savaient qu'on peut avoir le besoin urgent d'une grosse somme pour saisir une opportunité et conclure une affaire. Chacun s'était déjà trouvé dans une situation semblable et s'y retrouverait tôt ou tard.

– Bon, dit Jordan Lee, ça tient debout. Mais quel rapport avec les concessions d'Asie?

– C'est très simple. Nous sommes prêts à vendre soixante-quinze pour cent de ces concessions pour pouvoir conclure ces deux affaires dont je viens de vous parler.

Vaughn Leland posa la question qui était sur toutes les lèvres :

– Combien, JR?

– Dix millions le tout.

Quelqu'un siffla.

– Ce n'est pas donné, JR!

– Ça les vaut.

Seth Stone jeta un coup d'œil à Leland.

– Qu'en pense le banquier?

– A mon avis, c'est une bonne affaire.

Jordan Lee se tourna brusquement vers JR :

– Où est le traquenard?

Tous éclatèrent de rire, même JR. La confiance

aveugle n'était pas leur fort! Mais JR le savait et s'en servait. Ils étaient si méfiants et si cyniques qu'ils ne pouvaient imaginer que quelqu'un essayât de les avoir, et surtout pas l'un des leurs.

– Vous avez les comptes, messieurs. Mon offre n'est pas excessive. Le pétrole ne demande qu'à jaillir de ces puits et les cours ne cessent de s'élever. Nous n'avons pas à lever le petit doigt pour les faire grimper, ce sont les Arabes qui s'en chargent.

Il hésita et répondit avec un léger sourire :

– Mais..., messieurs, vous avez raison, il y a effectivement un loup. L'Ewing Oil veut toucher vingt-cinq pour cent de royalties sur chaque baril produit.

Un concert de protestations s'éleva dans l'assemblée et JR comprit alors qu'il avait gagné. Ils avaient mordu à l'hameçon. Il n'avait plus qu'à tirer d'un coup sec sur la ligne pour bien les ferrer. Et il était très habile à ce petit jeu.

– Ça me paraît équitable, messieurs. Après tout, c'est nous qui avons acquis ces concessions et fourni le capital initial nécessaire au forage. C'est l'Ewing Oil qui a pris le risque. Vous, vous arrivez comme les carabiniers, quand tout est fini et que l'affaire est devenue juteuse. Il y a des réserves énormes de pétrole dans ces gisements. On en a la preuve. Vous le savez aussi bien que moi. Vous n'avez plus qu'à vous pointer là-bas et le mettre en barils. Ces concessions valent de l'or.

– C'est vrai, JR, concéda Stone.

– La raison pour laquelle je m'adresse à vous en priorité, messieurs, c'est que je suis coincé. Vous seuls pouvez me procurer très rapidement la somme dont j'ai besoin. La question est « quand ? ».

Il regarda les visages graves tournés vers lui.

– Le temps de faire un saut à la banque, dit Leland.

Les autres rirent et approuvèrent.

– Vous pensez pouvoir tenir la tête hors de l'eau pendant deux heures, JR?

– Blague à part, je vous donne deux heures maximum. Après, il faut que j'aille me jeter dans la gueule de ces requins de New York. J'ai besoin de ce fric maintenant ou pas du tout.

La résidence Ludlowe était située non loin de Stemmons Expressway, en direction de l'aéroport. C'était pratique pour Alan Beam. Il était très vite dans le centre de Dallas et l'endroit était calme. En outre, la résidence était équipée de trois piscines, ce qui lui permettait de lever de temps à autre une jolie fille sans avoir à sortir de chez lui. Alan était satisfait de sa vie. Et, grâce à JR, elle allait s'améliorer encore.

Alan était au téléphone lorsque la sonnette de la porte retentit. Il expédia son interlocuteur et alla ouvrir. Très rétro dans son chemisier blanc en dentelle et sa jupe large, Lucy lui sourit.

– Bonjour, chéri.

Elle lui mit les bras autour de la taille et se pressa contre lui. Ses seins ronds, ses hanches pleines le firent réagir immédiatement. Il se demandait si JR et les autres membres de cette puissante famille se rendaient compte de ce qu'était réellement la petite Lucy. Savaient-ils qu'au lieu de se rendre à ses cours à l'université Southern Methodist, elle passait le plus clair de son temps dans le lit d'Alan Beam? Dans combien de lits la jeune Lucy s'était-elle déjà glissée? Il se souvenait de leur première nuit d'amour. C'était fabuleux! Il s'attendait à prendre dans ses bras une jeune fille un peu godiche et il avait découvert une tigresse qui griffait, mordait, n'en avait jamais assez, et qu'aucun geste ne rebutait. Elle lui avait donné plus qu'aucune autre femme. Lui-même ne manquait pas d'expérience dans ce domaine, mais jamais il n'avait possédé de femme aussi imaginative et sensuelle que Lucy Ewing.

– Lucy? Je ne t'attendais pas ce matin.

Elle laissa glisser ses mains le long des hanches d'Alan et agrippa fermement ses fesses maigres et musclées.

– Aurais-tu oublié notre déjeuner?

– Mais il n'est que 10 heures!

Se souvenant des injonctions de JR, il tenta de se dégager afin de s'en tenir à la stratégie qu'il venait d'élaborer.

– Je ne peux pas attendre. Je te veux maintenant.

Elle commença à déboutonner la chemise d'Alan.

– Lucy... attends...

– Je ne peux pas!

Elle posa ses lèvres sur la poitrine du garçon tout en défaisant sa ceinture.

– Je veux te parler, dit-il.

– Parle, chéri, j'adore ça. Tout ce que tu me dis m'excite...

– J'ai du travail.

– Oh, s'écria-t-elle, en descendant son pantalon et son caleçon, regarde ce que je viens de trouver!

– Je ne peux pas faire l'amour maintenant, Lucy. J'ai un travail urgent.

– Je veux sentir ce gros truc en moi...

– Ecoute, Lucy...

– Oui?

Il recula en se rhabillant.
– Qu'est-ce qui t'arrive? dit-elle, stupéfaite.
– Je viens de te le dire. J'ai un travail fou.
– Tu es fâché contre moi?
– Non.
– C'est à cause de l'autre soir? Je reconnais que j'ai été garce avec toi... viens, je vais me faire pardonner.
– Je ne suis pas fâché, Lucy. C'est autre chose...
– Quoi, alors?
Il lui tourna le dos.
– Eh bien, je... Oh merde, Lucy, je t'aime, voilà, dit-il en se retournant.
Elle éclata de rire.
– C'est tout? Mais moi aussi, je t'aime. Ça ne m'empêche pas de faire l'amour! Viens, chéri...
– Non, je ne veux plus de ça.
– Je ne comprends pas.
– Lucy, nous ne sommes plus des enfants et j'en ai marre de baiser au vol. Que comptes-tu faire?
– Mais... et toi?
– Je pense que nous devrions nous marier.
– Nous marier!
Elle était à la fois contente et troublée.
– Je ne savais pas que tu avais ce genre d'idée en tête.
– Eh bien, maintenant, tu le sais. Mais je vois que tu n'as pas l'air emballée par ma proposition. Désolé, mais moi, je ne veux pas continuer dans ces conditions. J'ai passé l'âge de ces gamineries. Je t'aime et faire l'amour avec toi ne me suffit plus. Je veux vivre avec toi.
– Tu veux dire que tu ne feras pas l'amour avec moi tant que je n'aurai pas dit oui? demanda Lucy, incrédule.
– Exactement. Je pense qu'il vaut mieux cesser de

nous voir. Je ne veux pas te faire souffrir, Lucy, mais je ne veux pas souffrir non plus.

– Donne-moi le temps d'y réfléchir, Alan.

– D'accord, réfléchis-y, répondit-il, en la conduisant à la porte. Mais en attendant...

– Alan, c'est ridicule! Je te promets d'envisager sérieusement la question. Laisse-moi rester...

Il ouvrit la porte.

– Au revoir, Lucy.

Elle hésita, franchit le seuil, puis se retourna pour plaider de nouveau sa cause, mais Alan avait déjà refermé la porte. Elle enfouit son visage dans ses mains et se mit à pleurer, en proie à des émotions contradictoires qu'elle ne parvenait pas à analyser.

De l'autre côté de la porte, Alan Beam eut un sourire satisfait. Il était fier de lui. Il avait la situation bien en main et était certain que son plan allait réussir.

Moins de dix minutes plus tard, Alan eut une seconde visite, celle-ci encore plus surprenante – Kristin Shepard. Et pourtant, à mieux y réfléchir, se dit-il tout en tendant une tasse de café à la jeune fille assise dans son confortable living-room, sa présence ici n'a rien d'extraordinaire. En tant que belle-sœur et secrétaire personnelle de JR, Kristin était au courant de presque tout à l'Ewing Oil. Elle connaissait toutes les affaires et toutes les manigances de JR. Soudain, une pensée lui fit froid dans le dos : et si elle était venue pour négocier ce qu'elle savait sur Lucy et sur lui? Mais sa peur ne dura qu'un instant. Il n'avait aucune raison de céder à un chantage dans la mesure où il était décidé à épouser Lucy et à partir pour Chicago avec elle. Elle ne pouvait rien contre lui. Et, au fond, c'était une bonne solution. Chicago était la cité des grosses affaires. Il pourrait y faire une brillante carrière, montrer à tous de quoi il était capable.

– Vous vous demandez pourquoi je suis ici, dit Kristin.

Sa phrase était plus une constatation qu'une question.

– Quelle qu'en soit la raison, j'en suis ravi, répondit-il avec un sourire charmeur.

Elle eut une moue désapprobatrice. Pourquoi se comportait-il comme un adolescent et essayait-il d'introduire une note sentimentale dans leurs rapports ?

– Vous êtes un homme séduisant, Alan, répondit-elle, et je suis sûre que beaucoup de femmes y sont sensibles. Gardez donc votre numéro de charme pour elles. Je suis ici pour parler affaires.

Il s'assit en face d'elle, attentif et impatient d'entendre la suite.

– Je vous écoute, Kristin.

– Nous appartenons tous deux à JR, vous le savez.

– Le terme me paraît un peu excessif. Disons que je travaille pour lui.

– Ça va beaucoup plus loin que ça. Il vous a acheté, insista-t-elle.

Il sentit la colère monter en lui.

– Ne me mettez pas dans le même bain que vous, répliqua-t-il, glacial.

Elle ne se vexa pas et lui sourit tranquillement.

– Alan, vous savez très bien que vous vous prostituez avec JR tout autant que moi.

– Je ne me prostitue pas ! lança Alan, fou de rage.

Mais, au fond de lui-même, il savait qu'elle avait raison et il se sentait faible et désarmé.

– Vous vous apprêtez à épouser Lucy parce que

JR vous l'a ordonné, poursuivit-elle. Vous allez prendre l'argent qu'il vous a promis, parce que l'argent compte plus pour vous que votre propre estime, plus que votre fierté. Vous irez vous enterrer à Chicago, vous deviendrez modérément riche, modérément célèbre, en vous croyant libéré de lui. Vous ne le serez jamais. Tôt ou tard, il vous demandera de renvoyer l'ascenseur. Il fera claquer ses doigts et vous accourrez.

– Non, ça ne me ressemble pas.

– Bien sûr que si! Vous, tout comme moi. A moins qu'on ne joigne nos efforts, tous les deux...

– Vous le détestez à ce point? demanda Alan.

– Je le hais. Je ferai tout pour le détruire.

– Je ne comprends pas pourquoi. Jusqu'à présent, il vous a toujours bien traitée. Un bon job, un appartement superbe, des vêtements luxueux... Qu'est-ce qui ne va pas?

– Il m'a eue, dit-elle d'une voix sourde. Mais je lui garde un chien de ma chienne à ce salaud!

Effrayé par la haine et la dureté qu'il sentait chez cette femme, Alan se tut. Kristin Shepard était quelqu'un de redoutable.

– Qu'a-t-il fait, exactement? demanda-t-il d'une voix hésitante.

– Vous voulez dire en dehors du fait qu'il me traite comme un chien? Ça fait des mois qu'il couche avec moi en me promettant de quitter Sue Ellen, de demander le divorce et de m'épouser. Et maintenant...

Elle s'interrompit.

Il attendit.

– Sa dernière trouvaille, c'est de me faire coucher avec ses amis, de me transformer en putain.

– Mais... pourquoi?

– Pour leur soutirer des informations sur l'oreiller. Elégant, non?

– De tout autre, ça semblerait difficile à croire, mais de JR, rien ne m'étonne. C'est un homme foncièrement mauvais et perverti.

– C'est mon avis. Bref, j'ai l'intention de lui rendre la monnaie de sa pièce.

– Comment comptez-vous vous y prendre?

– C'est pour cela que je suis ici, Alan. Avez-vous une idée sur la manière de procéder?

Il hésita un instant.

– Oui... je crois que nous pourrions le coincer. Au cours de l'enquête qu'a menée Cliff Barnes pour le Congrès, j'ai gardé la trace de tous les tours de salaud que JR m'a ordonné de jouer. J'ai gardé des traces de tous les pots-de-vin qu'il a distribués, de chaque dollar versé.

– Eh bien, nous le tenons, alors! s'exclama-t-elle, tout excitée.

– Non, c'est trop tôt. Ecoutez, Kristin, ne le lâchez pas d'un pouce pendant quelque temps; ouvrez vos yeux et vos oreilles. JR est toujours sur la brèche, et je suis certain qu'avec un peu de patience il va nous fournir toutes les armes dont nous avons besoin. Plus tout ce que j'ai déjà accumulé contre lui, ça nous fera un dossier en béton.

– Vous avez raison, Alan. Il est sur un coup, en ce moment. Ce matin, il a réuni les membres du cartel. Vaughn Leland était là également. J'ai essayé de rester mais il m'a virée du bureau. D'après ce que j'ai compris, il est en train d'essayer de truander tous ces braves gens! Je crois qu'ils ont prévu une seconde réunion qui doit être actuellement sur le point de se terminer, dit-elle en jetant un coup d'œil à sa montre. J'ai une idée! Si je faisais semblant de marcher dans le projet de JR? Que je sorte avec ces types pour leur soutirer des informations? Je n'aurai pas grand mal à séduire tous ces vieux chevaux sur le retour. Ils boivent comme des trous et, quand je suis dans les parages, ils ont les yeux en patrouille et la main baladeuse.

– Oui, ça peut marcher.

– C'est certain. Mon cher Alan, nous aurons un dossier en béton, comme vous dites.

– Oui. On peut faire confiance à JR à cet égard. Quand commençons-nous?

– Tout de suite, répondit Kristin, le visage rayonnant.

Et elle prit le téléphone.

JR prit congé des membres du cartel et remercia chacun personnellement.

– Messieurs, conclut-il, je vous promets que vous ne regretterez jamais cette transaction.

Sur le seuil de la porte, Vaughn Leland se retourna pour parler à JR, mais à ce moment précis le téléphone sonna. JR retourna à son bureau et s'assit dans son confortable fauteuil pivotant en cuir fauve.

– Oui, Connie?

– Vous avez Kristin sur la seconde, JR.

– Kristin?

Il pressa le bouton de la ligne correspondante.

– Qu'est-ce qu'il y a, Kristin? Je suis occupé.

– Je n'en ai pas pour longtemps, JR. Je voulais juste te dire que j'ai réfléchi à notre discussion sur mes activités personnelles. Et puis, je voulais m'excuser pour l'autre jour... Je me rends compte que j'ai été vraiment odieuse.

– N'en parlons plus. Abrège, Kristin, je suis pressé.

– Je voulais que tu saches que je suis prête à

t'aider de toutes les façons, JR... si tu vois ce que je veux dire.

Il fit signe à Leland de rester.

– C'est très gentil, chérie, vraiment gentil.

– Je pensais passer un coup de fil à Jordan Lee. Il me tanne depuis des mois pour que je sorte avec lui. Qu'en penses-tu? J'espère tout de même qu'il ne va pas me sauter dessus.

– Tu es de taille à te défendre, chérie. Oui, c'est une bonne idée. Jordan est tout seul en ce moment. Sa femme est partie je ne sais où. Il sera ravi de passer une soirée en ta gracieuse compagnie. Mais sois sage, hein? (Il raccrocha et se tourna vers Leland avec un large sourire.) Vaughn, tout a marché comme sur des roulettes, dit-il.

– Vous avez l'air d'un chat qui vient de choper un canari.

JR s'étrangla de rire.

– Je ne sais pas si j'ai l'air d'un chat, mais eux, ce sont de drôles d'oiseaux. Plutôt coriaces comme volatiles!

– Je voulais vous remercier d'avoir tout de suite pensé à moi dans cette affaire. Pour moi, aucun profit n'est à négliger.

– Mais ça a été une surprise pour moi, Vaughn. Je ne pensais pas que vous étiez homme à prendre le moindre risque en affaires. D'habitude, vous laissez plutôt cela aux autres, non?

Leland ricana.

– Mais comme vous l'avez souligné, le risque est minime, n'est-ce pas? Par contre, ça peut rapporter gros. Ce n'est pas si souvent qu'un homme se voit proposer une affaire aussi juteuse. J'aurais été fou de la laisser échapper. Je me suis débrouillé pour me faire prêter personnellement un million de dollars par l'un de mes amis – un fieffé ivrogne qui cherche toujours à vous rouler – et j'ai fait verser cette somme sur une autre banque pour plus de discrétion. Bien sûr, une affaire comporte toujours une part de risque, mais dans le cas présent, il est pratiquement nul, n'est-ce pas, JR?

JR le regardait d'un air impassible.

– Pratiquement nul, Vaughn, répéta-t-il. Et, après tout ce que vous avez fait pour moi, il est bien normal que je vous renvoie un peu l'ascenseur.

– Eh bien, merci encore, JR.

– C'est moi qui vous remercie. A bientôt, Vaughn.

Une fois seul, JR se laissa aller contre le dossier de son fauteuil et ferma les yeux. Il tremblait. Il prenait vraiment trop de risques, ça finirait mal. Jusqu'à présent, il était toujours retombé sur ses pieds, mais il jouait avec le feu.

Quand il repensait à la façon dont il avait frôlé la catastrophe quelques mois auparavant, il en avait des sueurs froides. Catastrophe financière et échec professionnel qui l'auraient définitivement coulé aux yeux de son père.

Tout ça à cause de ce petit salaud de Bobby! Ce morveux était devenu une véritable calamité, exclusivement occupé à essayer de coincer JR, à saper sa position auprès de Jock pour prendre sa place à la tête de l'Ewing Oil. Mais Bobby ne perdait rien pour attendre. Un de ces jours, JR lui ferait payer tout ça très cher!

Il songeait à cette fameuse nuit, un peu plus d'un an auparavant. Southfork était plongé dans l'obscurité et lorsque JR arriva au ranch, il ne remarqua pas Bobby, assis dans le patio.

– JR, j'ai quelque chose à te dire, lui dit Bobby d'un ton glacial.

JR était toujours prêt à se battre, mais sur son

propre terrain et au moment choisi par lui.

– Il est tard, Bobby. Je vais me coucher, dit-il, passant devant son frère.

Bobby lui agrippa l'épaule et le fit virevolter.

– Du calme, petit frère, dit JR.

– J'ai dit que je voulais te parler, répliqua Bobby, fou de rage.

– Mais, bon Dieu, qu'est-ce que c'est que cette histoire? (Lorsqu'il n'était pas sûr de lui, JR passait systématiquement à l'attaque.) J'ai une journée très chargée demain, et il faut que je me lève de bonne heure. Je m'occupe des intérêts de l'Ewing Oil, moi, figure-toi!

– JR, quand tu as essayé de transformer Southfork en champs pétroliers, l'année dernière, j'ai pensé que tu ne pourrais jamais descendre plus bas dans l'abjection. Eh bien, je m'aperçois que je me suis trompé.

– Ce projet de forages à Southfork est abandonné depuis longtemps. J'ai donné ma parole qu'il ne verrait jamais le jour. Que veux-tu de plus?

– Ta parole, ce n'est rien, JR, du vent!

– Bon, c'est tout ce que tu as à me dire? Je vais me coucher.

– Pas avant de m'avoir fourni quelques explications, dit Bobby, d'un ton venimeux.

– T'expliquer quoi? C'est plutôt toi qui devrais t'expliquer, toi qui ne cesses de rôder autour de mon bureau, de fouiller dans mes papiers! L'autre jour, Kristin était en larmes. C'est ma secrétaire, nom de Dieu! Elle est responsable de ce qui se passe dans mon bureau. Une fois pour toutes, mes affaires ne te regardent pas, Bobby.

Bobby saisit un dossier posé sur la table en fer.

– Sais-tu ce que ce dossier contient, JR? Les photocopies de l'hypothèque de Southfork. Je les ai fait faire moi-même au bureau d'enregistrement.

JR sentit ses tripes se nouer. Il respira à fond et s'apprêta à mentir.

L'air douloureusement surpris que son frère pût lui reprocher une chose aussi insignifiante, il sourit et tendit ses paumes ouvertes vers Bobby.

– Mais voyons, Bobby, c'est une simple formalité !

– Une formalité ! Hypothéquer Southfork, c'est une formalité pour toi ?

– Mais tu ne comprends pas...

A cet instant, Jock et miss Ellie firent irruption en robe de chambre. Ellie semblait inquiète, presque effrayée, et Jock était visiblement furieux.

– Qu'est-ce que c'est que ce bordel, nom de Dieu ? Il n'y a pas moyen de dormir dans cette maison ! Vous ne pouvez pas vous disputer ailleurs que sous nos fenêtres ?

– Il est près de minuit, fit observer miss Ellie d'un ton conciliant.

– Depuis que vous êtes enfants, vous ne cessez de vous chamailler, tous les deux, dit Jock. L'un veut toujours ce qu'a l'autre. C'est insupportable, à la fin. J'ai été obligé de vous séparer je ne sais combien de fois et j'ai même pris un pain en pleine gueule, un jour ! Bobby, en général tu gagnes le combat, mais JR n'en continue pas moins à faire ce qu'il veut, alors, à quoi ça rime ? Qu'est-ce qu'il y a encore ?

Bobby regarda fixement JR.

– Tu vas leur dire ou veux-tu que je m'en charge ?

– Que se passe-t-il, JR ? demanda Ellie.

– Mais rien, maman ; nous parlons affaires, c'est tout.

– Pourquoi mens-tu ? éclata Bobby. Ils le sauront, de toute façon.

– Ils ne l'auraient jamais su si tu ne t'étais pas mis à gueuler comme un putois! cria JR. J'aurais sauvé l'Ewing Oil et tous les biens de la famille sans que papa et maman en perdent le sommeil, pauvre imbécile!

– Mais de quoi s'agit-il, à la fin? demanda Jock en fronçant les sourcils.

JR reconnut le ton comminatoire de son père, mais, incapable de proférer une parole, il se tut.

– Cliff Barnes a dit à Pamela qu'il aimerait bien coincer l'Ewing Oil, ne serait-ce que pour l'empêcher d'étendre ses activités dans le Sud-Est asiatique, annonça Bobby.

– Dans le Sud-Est asiatique! s'exclama Jock. JR, qu'est-ce que c'est que cette histoire? Tu m'avais dit qu'il n'était pas question que tu te fourres là-dedans!

– C'est ce que j'essayais d'expliquer à Bobby avant que tu n'arrives, papa. Finalement, c'est une excellente affaire et ça valait vraiment le coup...

– Tu avais donné ta parole, JR, intervint miss Ellie.

Jock fit un geste pour attirer l'attention de chacun sur lui.

– Où diable as-tu déniché le fric des concessions?

– Il a pris une hypothèque d'environ cent millions de dollars, expliqua Bobby.

– Cent millions de dollars, répéta Jock, pétrifié. (Dans la pénombre, le visage de Jock était dur comme de la pierre. Avec sa haute taille, ses jambes écartées et son silence éloquent, il était vraiment impressionnant.) Qu'as-tu hypothéqué? demanda-t-il enfin.

– Papa, je n'avais pas le choix, dit nerveusement JR. Tu en aurais fait autant à ma place.

– Comment as-tu obtenu une hypothèque de cent millions?
– Nous avons pas mal de biens, papa.
– Nous n'avons que Southfork.
D'un geste de la main, Bobby désigna les papiers sur la table.
– Qu'est-ce que c'est que ça, Bobby? demanda Jock en prenant les papiers.
– Photocopies de l'hypothèque, répondit brièvement Bobby.
– Il a hypothéqué Southfork!
– Je t'en supplie, papa, essaie de comprendre, dit JR.
Miss Ellie pressa sa main contre ses lèvres.
– Tu as hypothéqué Southfork! dit-elle, horrifiée.
Pendant un moment, ils se turent, accablés.
– Le pétrole ne va pas tarder à jaillir et l'hypothèque sera levée, reprit JR. Ne vous inquiétez pas.
– Quand recevras-tu l'argent correspondant? demanda Jock d'une voix sourde.
– La semaine prochaine, papa.
– Comment as-tu pu faire cela sans m'en parler, JR? Comment as-tu osé hypothéquer Southfork?
– Papa, je ne voulais pas t'inquiéter. Maman et toi vous avez vos propres problèmes, votre santé...
– Notre santé! Tu te fous de moi ou quoi? Oser hypothéquer Southfork!
– C'est toi qui m'a mis à la tête de l'Ewing Oil, non? Il fallait prendre une décision, je l'ai prise. Cette affaire valait le coup! J'ai pris le risque, c'est tout. Un risque calculé.
– Notre maison, un risque calculé! s'écria miss Ellie. Tu te rends compte de ce que tu dis, JR?
– Maman, tu n'as aucune raison de t'inquiéter. Il

s'agit d'une affaire, d'une simple affaire. Inutile d'en faire un drame.

– Pour toi, il s'agit peut-être d'une simple affaire, comme tu dis. Mais pour moi, il s'agit de ma maison, répondit miss Ellie d'un ton glacial.

– Excuse-moi, maman, ce n'est pas ce que je voulais dire... Papa, reprit-il, regardant son père d'un air suppliant, j'ai l'affaire bien en main. Il n'y a pas de problème.

Il plaidait presque, luttant pour regagner l'estime et la confiance de ses parents.

Jock grogna, cherchant déjà comment éviter la catastrophe.

– Est-ce que ce pétrole a une chance de voir le jour avant que le remboursement du prêt vienne à échéance, JR?

– Avant l'échéance, peut-être pas, mais peu après, oui.

– Combien de temps après?

– Très peu de temps. Ils ont eu mauvais temps, là-bas..., dit-il d'un air hésitant.

– Un typhon a ravagé le pays, précisa Bobby.

– Bon, eh bien, autant dire que c'est foutu, conclut Jock d'un air dramatique. (Il prit la main d'Ellie.) Southfork a survécu à plusieurs générations, a tenu contre les voleurs de terres, les Indiens, les bandits, les escrocs du pétrole, pour finir hypothéqué! C'est toi qui nous auras donné le coup de grâce, JR!

– Papa, maman, donnez-moi ma chance, cria JR, tandis que ses parents tournaient les talons et rentraient dans la maison. (Fou de rage, il cria à Bobby :) Tu me paieras ça, mon petit vieux! Je te jure que tu me paieras ça!

Sans même se donner la peine de répondre à son frère, Bobby suivit ses parents à l'intérieur.

Mais maintenant, tout ira bien, songea JR, confortablement installé dans son fauteuil de cuir. Lorsque Jock réaliserait ce que JR avait accompli avec cette dernière affaire, ce qu'il avait fait de l'Ewing Oil, il ne regretterait plus d'avoir confié les rênes à son fils aîné. JR était un vrai Ewing. Il méritait le respect de son père.

Lucy ne parvenait pas à oublier sa dernière discussion avec Alan Beam. Elle était restée éveillée toute la nuit, s'en voulant de s'être si mal débrouillée avec Alan, de n'avoir pas été assez femme pour l'entortiller et le faire revenir sur sa décision.

Il voulait l'épouser! Quelle sorte d'épouse il aurait là! Une petite fille effrayée, incapable de tenir ce rôle.

Elle se tourna et se retourna dans son lit toute la nuit sans parvenir à fermer l'œil. Finalement, elle se leva, alluma un joint et, vêtue de sa chemise de nuit ultra-courte et transparente, elle descendit l'escalier, traversa le living-room comme un petit fantôme et, pieds nus, se dirigea vers l'écurie.

– Qui est là?

La voix rude la fit tressaillir et elle s'arrêta, interdite. Dans l'obscurité, elle distingua une silhouette longue et mince qui venait vers elle : Ray Krebs, le régisseur du domaine.

– Lucy! Que fais-tu là en pleine nuit?

La pointe des seins de la jeune fille dessinait un cercle sombre, visible sous le tissu léger, et Ray ne pouvait en détacher son regard.

Elle leva la tête vers lui en souriant. Qu'il regarde! Elle en avait envie, elle voulait qu'il la regarde. Au diable Alan Beam et ses manières policées de citadin, ses retraits, ses mensonges et sa demande en mariage qui la troublait et l'effrayait. Il cherchait à la ligoter et Lucy ne permettrait à aucun homme de faire ça. Le mariage était une prison. Très vite, les hommes se comportaient en pays conquis, prenaient des libertés et puis filaient un beau jour sans un mot d'explication, foutant en l'air leur ménage, leur famille et la vie de leurs enfants.

Non, ce truc-là n'était pas pour Lucy Ewing!

– Je pourrais te poser la même question, répondit-elle en lui tendant son joint.

– Je n'arrivais pas à dormir, dit-il en secouant la tête.

– Si tu me racontes tes mauvais rêves, je te raconterai les miens, fredonna-t-elle.

Et elle prit une longue bouffée de son joint.

– Viens, dit-il en la prenant par l'épaule. Je vais te ramener chez toi.

Elle se dégagea et se pressa contre lui.

– Mmmn, tu sens bon, Ray...

– Je vais te ramener, Lucy. Viens.

– Je n'ai pas envie de rentrer. Pourquoi ne m'emmènes-tu pas quelque part?

– Je suis crevé, Lucy. Je vais me coucher.

– Je viens avec toi, dit-elle, tirant sur son joint.

– Pas question, Lucy. Chacun à sa place : toi dans la grande maison, moi chez moi.

– Tu n'as pas envie de moi, Ray? dit-elle en reculant.

– Il ne s'agit pas de ça, tu le sais bien.

– Regarde-moi.

Il la regarda droit dans les yeux, le cow-boy de western, carré, pur et dur. Mais moins entreprenant que la moyenne des cow-boys.

– Allez, bonsoir, Lucy. Rentre vite chez toi.

Et il s'éloigna dans la nuit.

Lucy resta seule, décontenancée, frissonnant dans l'obscurité. Une fois de plus, on la rejetait. Tout le monde la rejetait. Sa famille, ses amis, ses amants. Rien ne marchait jamais vraiment comme elle l'aurait voulu.

A quinze ans, elle avait décidé qu'il était temps pour elle de perdre sa virginité. Mais la décision était plus facile à prendre qu'à mettre à exécution. Tous les garçons sur lesquels elle jetait son dévolu étaient réticents, sinon franchement hostiles à ses propositions. Il y avait trop de risques et ils se dégonflaient tous. Et puis, ils étaient aussi inexpérimentés et effrayés qu'elle.

Il lui fallait trouver un garçon plus vieux qu'elle et aussi résolu qu'un taureau qui course une vache à la saison des amours. Waite Walker répondait à cette définition. Il avait vingt-cinq ans, de larges épaules, des bras musclés et un balancement de hanches tout à fait prometteur.

Le résultat fut catastrophique. Il prit le culot de Lucy pour de l'expérience, sa façon de flirter comme la promesse d'une sexualité épanouie et son corps d'adolescente pour un corps de femme. Il l'entraîna derrière le silo dans la ferme de son père et la prit comme un hussard. Lorsque tout fut consommé, elle se retrouva avec des marques de dents sur les fesses, des bleus sur les seins et les bras, et du sang séché entre les cuisses.

Plus tard, en y repensant, elle trouva, comme toujours, le moyen de se rendre responsable de cet échec. Un homme de vingt-cinq ans savait tout sur le sexe, ça devait probablement se passer toujours plus ou moins de cette manière, et elle avait été naïve et stupide de s'attendre à autre chose qu'à cet accouplement rudimentaire.

C'est ainsi qu'elle en vint à attendre très peu des hommes et n'en reçut guère plus. Elle couchait avec n'importe qui et ses partenaires occasionnels n'avaient aucune estime pour elle. Ils l'utilisaient et la jetaient quand ils en avaient marre. Ils se moquaient d'elle et l'humiliaient. Mais après tout, son père et sa mère ne l'avaient pas mieux traitée, alors pourquoi espérer plus de la part d'étrangers ?

5

Kristin et Jordan Lee levèrent leur verre de vin au même instant et la lumière douce des bougies s'y refléta. Ils burent et Jordan remplit de nouveau leurs verres.

– Ce vin est merveilleux, Jordan, dit Kristin d'un air langoureux.

Elle s'était habillée avec le plus grand soin : une jupe noire, longue et souple, et un chemisier en dentelle sous lequel, de toute évidence, elle ne portait pas de soutien-gorge. Pendant tout le dîner, Jordan n'avait pu détacher son regard de la jeune fille. Elle était vraiment ravissante et la vue de ses seins lourds mais fermes le rendait fou.

– Oui, c'est un bon cru, répondit-il, laissant filtrer un regard sensuel à travers ses paupières mi-closes. (Il se leva.) Merci pour ce délicieux dîner, Kristin. Vous faites très bien la cuisine, comme tout ce que vous faites, d'ailleurs.

– J'essaye, Jordan, j'essaye.

Il lui offrit sa main et elle la prit. Elle était maintenant debout, tout contre lui. Ses yeux étaient presque à la hauteur des siens et son parfum capiteux le troublait comme un collégien. Jordan était surpris que ce genre de chose pût encore lui arriver. Il n'avait encore ni touché ni même embrassé Kristin, mais une chose était certaine, elle le rendait fou. Il décida de ne rien brusquer et de la séduire en douceur.

– C'est gentil, Kristin, de m'avoir invité à dîner, dit-il en la conduisant vers le canapé. Votre appartement est superbe.

– JR m'a dit que votre femme et vos enfants n'étaient pas là en ce moment. J'ai pensé qu'un peu de cuisine maison vous ferait plaisir, Jordan.

Il prit sa main et la frôla de ses lèvres.

– Chez moi, la cuisine maison n'est pas fameuse.

Kristin éclata d'un rire un peu forcé tandis que Jordan mordillait doucement les doigts de la jeune femme.

– Que dirait votre femme si elle vous entendait?

– Qui dois-je remercier pour cette délicieuse soirée, Kristin? JR ou vous?

– JR, bien sûr.

– Un seigneur, n'est-ce pas?

Elle s'assit au centre du canapé de façon à être tout près de lui, quel que soit l'endroit où il choisirait de s'asseoir. Croisant ses longues jambes, elle arrangea les plis de sa jupe, ôta ses chaussures et, tapotant le coussin, elle lui fit signe de venir à côté d'elle.

– Vous savez, JR a toujours été extrêmement gentil avec moi. Et puis, c'est mon beau-frère. Je l'aime bien...

– Bien? Rien de plus, Kristin?

Elle eut un sourire énigmatique.

– Ce n'est déjà pas mal! En général, il n'attire guère les gens, vous savez.

– Il est même cordialement détesté à Dallas, dit-il en se rapprochant d'elle.

– Jordan, c'est vrai ce qu'on raconte à propos de JR? Qu'il est malhonnête, qu'il joue des tours de salaud à ses associés, etc.?

Il passa son bras derrière elle sur le dossier du canapé. Aussitôt, elle se laissa aller en arrière, et il sentit le contact soyeux de ses cheveux bruns contre son poignet.

– C'est possible. Mais JR n'est pas assez fou pour essayer de me faire un enfant dans le dos, pas plus qu'aux autres membres du cartel. Il ne faut pas avoir un gramme de bon sens ou ne pas tenir à la vie pour se frotter à Jordan Lee.

Elle eut une moue et Jordan se pencha pour l'embrasser. Elle resta un instant sans réaction puis ses lèvres s'entrouvrirent, molles et chaudes. Il glissa sa langue entre les dents de la jeune femme et chercha la sienne. Jordan avait l'impression de revivre. Depuis combien de temps n'avait-il pas éprouvé un désir aussi intense? Kristin se mit à gémir, à l'embrasser passionnément, à se coller à lui. Il passa la main sous son chemisier, prit ses seins à pleines mains. Fou de désir, il glissa une main sous sa jupe, caressa l'intérieur de ses cuisses et s'aperçut qu'elle ne portait pas de slip. Il caressa les fesses rondes, le sexe humide.

– Arrêtez, Jordan, murmura-t-elle.

– Vous êtes si belle!

– Je ne veux pas... ne faites pas ça.

Il se redressa et elle tenta de s'asseoir, mais il la repoussa contre les coussins d'une main ferme.

– Pourquoi faites-vous tout ce cinéma? demanda-t-il, irrité.

– Ce n'est pas du cinéma, Jordan. Je ne suis pas si facile à avoir, c'est tout. J'aime être avec vous, j'ai envie de vous connaître, et qui sait... peut-être un jour...

– Ah non, arrête ce numéro, espèce d'allumeuse!

Il se laissa retomber lourdement sur elle et, la clouant sur le canapé, il chercha à lui écarter les cuisses.

Elle tenta de le repousser.

– Laissez-moi! Ne me touchez pas là!

– Tu l'as bien cherché!

– Vous ne comprenez rien!

Il eut un rire déplaisant et tira brutalement sur le chemisier de Kristin :

– Splendide, dit-il.

Ignorant ses protestations, il lui suça un téton, puis l'autre. Ses lèvres étaient comme des ventouses sur ses seins. Elle se débattit et il la gifla à toute volée. Elle se mit à pleurer. Il la lâcha un instant et elle crut qu'il renonçait à la prendre.

Mais en se redressant, elle vit qu'il enlevait son pantalon puis son caleçon. D'un bond, elle fut debout mais il la saisit par le bras, la jeta sur le sol et la gifla. Elle cria et, terrifiée, ne bougea plus.

Il releva sa jupe et lui ordonna d'écarter les jambes. Elle croisa aussitôt ses chevilles. Il la gifla de nouveau et elle se décida à obéir.

– Ah, la jolie petite chatte, murmura-t-il. Voilà le dessert que ce bon vieux Jordan attendait.

Il la prit brutalement, tout en la caressant comme jamais aucun homme ne l'avait caressée. En dépit de la haine qu'elle ressentait à son égard, elle commença à réagir. Elle se collait à lui, relevait les cuisses pour qu'il la prît au plus profond d'elle-même, lui enserrant la tête, le suppliant d'attendre, de continuer...

Il se redressa, s'appuya sur les coudes et elle se tendit vers lui, haletante. Soudés l'un à l'autre, en sueur, ils crièrent ensemble.

Ils restèrent un long moment allongés sur le sol, comme deux gisants, leur rage et leur sensualité apaisées. Ils ne se touchaient pas, ne s'embrassaient pas, comme si cet acte n'eût créé aucune intimité entre eux. Soudain, Jordan s'assit et se mit à rire doucement.

– Qu'est-ce qui vous fait rire? interrogea Kristin, inquiète, se demandant ce qu'il lui réservait encore.

– JR est un véritable ami, un seigneur! Il m'a fait deux bonnes surprises, aujourd'hui. Bon Dieu, quelle fabuleuse partie de jambes en l'air!

– Et l'autre surprise, qu'est-ce que c'est? demanda distraitement Kristin.

– Il m'a branché sur la meilleure affaire de pétrole de toute ma carrière.

Kristin fut instantanément en alerte : il fallait absolument savoir de quoi il s'agissait. Peut-être tenait-elle là sa vengeance.

– Ah oui? dit-elle. Racontez-moi ça, Jordan. Ce genre de chose m'intéresse toujours.

Ce soir-là, JR retourna à son bureau. Au moment où Kristin et Jordan Lee se levaient de table, JR s'asseyait à sa table et, à l'instant précis où elle cédait à Jordan, il passait en revue ses diverses activités de la journée. J'ai déjà fait beaucoup pour cette société, se dit-il avec satisfaction, et j'en ferai encore plus dans les années à venir. Ce n'était pas uniquement dans son intérêt personnel qu'il faisait des affaires, mais dans l'intérêt de l'Ewing Oil, de la famille, de Southfork. Il baignait dans l'euphorie, songeant au respect qu'allaient enfin lui manifester ses parents lorsqu'ils seraient au courant de cette brillante transaction. Son père allait être fier de lui, comprendre enfin que JR était le noyau central autour duquel se rassemblaient tous les intérêts de la famille. Et un jour JR prendrait la place de Jock.

Cette perspective l'excitait et le terrifiait tout à la fois. Prendre la place de Jock, chausser ses bottes, se couler dans sa peau... Il n'aspirait à rien d'autre. Ce serait l'apothéose, le couronnement de sa carrière.

– Je t'adore, papa, dit-il à haute voix.

Il songea au jour où Jock l'avait emmené avec lui pour choisir des taureaux. C'était si vieux, tout ça! Il leur fallait deux beaux taureaux pour couvrir les vaches de Southfork. JR avait douze ans et c'était la première fois qu'il franchissait les limites du ranch. Ils étaient sortis d'Amarillo et s'étaient dirigés vers le nord. Au delà de White Deer, la région était âpre, désolée.

A l'aube, sur des chevaux loués, le père et le fils s'étaient dirigés vers une petite lumière vacillante qui trouait le ciel encore sombre à l'est. Peu de temps après, ils tombèrent sur un groupe de cow-boys – une douzaine de types – qui engloutissaient un petit déjeuner consistant autour d'un feu de camp. Jock et JR mirent pied à terre et les cow-boys les invitèrent à partager leurs œufs au bacon, leur pain et leur café. Jock demanda au régisseur s'il avait des taureaux à vendre. Oui, il en avait deux.

La conversation technique sur le rapport entre le poids et le prix du taureau ennuya rapidement JR et il se glissa jusqu'au corral où deux gamins essayaient de prendre un cheval au lasso.

Ils aperçurent JR, mais ne dirent rien et continuèrent leurs efforts dans l'aube naissante. Finalement, ils parvinrent à attraper le cheval que l'un des deux tint d'une main ferme, tandis que l'autre le sellait puis le montait. Les yeux hors de la tête, le cheval se raidit instantanément, rua comme un fou, hennit de façon inquiétante et éjecta son cavalier en quelques secondes. Les deux jeunes cow-boys se précipitèrent vers la clôture et regardèrent JR.

– Tu veux essayer de monter Buster?

JR regarda le cheval qui caracolait, ivre de sa liberté retrouvée. Soudain, l'animal s'immobilisa au centre du corral, en hennissant et en soufflant comme un damné. Il paraissait gigantesque. JR était bon cavalier, mais dresser un cheval, c'était tout autre chose. A Southfork, seuls les cow-boys expérimentés se chargeaient de ce travail et l'idée de grimper sur cet animal à demi fou de peur le remplissait d'une terreur égale à celle du canasson.

– Non, merci, répondit-il avec un sourire aimable destiné à les amadouer.

Mais les deux garçons avaient flairé une victime et n'étaient pas décidés à la lâcher.

– T'as peur? demanda le plus petit.

– Ben, j' comprends ça, dit l'autre. Moi aussi, j'ai la trouille. N'empêche que j' l'ai bien monté une dizaine de fois déjà.

– Ouais, mais toi, t'as des couilles, dit le petit. Tandis que c' mec-là, y'a qu'à l' regarder pour voir que c'est un trouillard!

JR se raidit sous l'insulte.

– Pauvre con! Trouillard toi-même! gronda-t-il.

Les deux garçons se mirent à rire.

Mal à l'aise, JR se retourna et aperçut son père et quelques-uns des cow-boys qui le regardaient, dix mètres derrière.

– D'accord, dit-il en entrant dans le corral, je vais monter votre saloperie de cheval!

Il s'approcha doucement de Buster en lui parlant pour ne pas l'effrayer, mais l'animal racla son sabot sur le sol et JR fit un bond en arrière comme si on l'avait frappé.

Tremblant, il essaya de saisir la bride, mais Buster redressa brusquement la tête en hennissant et JR recula de nouveau.

Il tenta une dernière fois de s'approcher du cheval, parvint à saisir la bride et, la main sur la crinière, mit son pied dans l'étrier. Frémissant, Buster agita sa queue et montra les dents. Dégageant son pied à la hâte, JR perdit l'équilibre et roula dans la poussière. Buster hennit, rua et JR se précipita vers la clôture sous les lazzis des deux gamins. JR secoua ses vêtements couverts de poussière et resta là, ulcéré, souhaitant être mort.

Une fois rentrés à Southfork, il dit à son pèrc :

– Je suis désolé pour tout à l'heure, papa. Ce cheval m'a foutu une peur bleue.

Jock le regarda fixement. Son visage tanné par le soleil était impassible.

– Personne ne t'a forcé à entrer dans ce corral, JR. Tu t'y es fourré toi-même.

– Les deux garçons m'avaient traité de trouillard, dit JR.

– Eh bien, ce n'est pas en te regardant qu'ils ont dû changer d'avis, répliqua Jock.

– Je ne suis pas un trouillard, papa, s'écria JR désespéré.

– Eh bien, prouve-le-moi, JR. Fais-nous oublier à tous les deux ce qui s'est passé dans ce corral.

Et Jock s'éloigna à grands pas.

– Papa, papa... attends-moi, cria l'enfant au bord des larmes.

L'Ace Bar était une cave sombre et bruyante qui empestait le tabac et l'alcool. D'un vieux juke-box sortait un rock joué sans conviction. Une danseuse, seins nus, jerkait et twistait sur la petite estrade derrière le bar. Le sourire forcé qu'elle plaquait sur son visage angoissé la faisait ressembler à un clown triste. Quelques types lui lançaient des pièces en ricanant, comme on lance des cacahuètes à un singe.

Deux buveurs solitaires tournaient le dos à l'estrade, et, près de la sortie de secours, un costaud en bottes et Stetson s'acharnait sur un flipper. A l'extrémité du bar, Sue Ellen vida son verre, se retourna et fit signe au barman de lui en servir un second. Il la resservit et prit le billet qu'elle lui tendait.

Sue Ellen leva soudain les yeux vers la danseuse et fut prise d'une immense compassion. Pauvre créature, si fanée, si dérisoire! Mais Sue Ellen ne valait guère mieux. Elle était aussi dépourvue de vitalité et de courage que cette malheureuse. La seule différence, c'est que Sue Ellen n'était pas obligée de se tortiller à moitié nue dans un bar sordide. Sa richesse et sa position sociale lui épargnaient ce genre de dégradation. Dieu merci, elle était une Ewing.

Elle eut un rire sans joie et, à l'autre extrémité du bar, un cow-boy lui jeta un coup d'œil puis la regarda soudain avec attention.

Sue Ellen avala son whisky d'un trait et demanda la même chose. Il y avait une limite à ce qu'un être humain pouvait endurer. Une limite à la souffrance et à la frustration. Tout le monde, ici bas, avait droit à un peu d'affection, sinon d'amour, tout le monde sauf la pauvre Sue Ellen.

Ce salaud de JR couchait avec Kristin! Ça, c'était vraiment le comble! Sa petite sœur qu'elle adorait! Mais c'était sa faute. Elle avait échoué sur toute la ligne, comme femme, comme épouse et comme mère.

Sue Ellen descendit de son tabouret et faillit tomber. Elle chancela, heurta quelqu'un et lâcha son sac. Merde! Un sac superbe qui lui avait coûté une fortune! S'agenouillant dans la demi-obscurité, elle chercha son sac à tâtons.

– C'est ça que vous cherchez, ma p'tite dame?

Sue Ellen aperçut une paire de bottes et leva le nez : un cow-boy grand et mince lui tendait son sac. Il l'aida à se relever et lui mit le sac sur l'épaule.

– Merci, cher monsieur, dit-elle en gloussant.

Elle le regarda : un visage long et osseux, l'esquisse d'un sourire sur des lèvres minces, des yeux très clairs, presque décolorés dans la lumière anémique de l'Ace Bar.

– Dusty? dit-elle d'un ton hésitant. C'est toi, Dusty?

– Qu'est-ce que ça peut bien faire?

– Mais si... c'est important. Enfin, pas tant que ça! Si vous n'êtes pas Dusty, qui êtes-vous?

– J' m'appelle Josh, ma p'tite dame.

– Ah bon... Vous ressemblez à Dusty.

– J'espère que vous n'êtes pas trop déçue? Vous voulez boire quelque chose avec moi? Y'a une banquette libre, là-bas.

Il la prit fermement par l'épaule et lui fit traverser la piste de danse. Sur la banquette en question, deux cow-boys vidaient leur quatrième Lone Star en bavardant.

D'un geste discret de la main, Josh leur fit signe de décamper et ils obtempérèrent, laissant sur la table toute une rangée de verres vides. Une serveuse apparut.

– Qu'est-ce que vous voulez boire? demanda Josh.

– Du bourbon et de l'eau de Seltz. Très peu d'eau... mettez-la à part, dit Sue Ellen.

– Et un demi, pour moi.

Sue Ellen le regardait fixement.

– C'est toi Dusty, n'est-ce pas?

– Je m'appelle Josh. Et vous, comment que vous vous appelez?

– Tu sais bien que je m'appelle Sue Ellen, Dusty.

Josh lui sourit et lui prit la main.

– Tu es de plus en plus belle, Sue Ellen.

– Merci, Dusty. C'est gentil...

La barmaid apporta les verres, les posa sur la table et hésita :

– Ça va, madame? Vous n'avez pas l'air bien...

– De quoi qu' tu te mêles? dit le cow-boy entre ses dents. Fais ton boulot et tire-toi!

– J' voudrais pas que cette dame soit malade, c'est tout, répondit la barmaid, battant prudemment en retraite.

Josh vida la moitié de son verre.

– A la tienne, dit-il, tendant à Sue Ellen l'autre verre.

Elle but et secoua la tête d'un air incrédule.

– Je ne peux pas le croire... ce n'est pas possible.

Josh lui mit un bras autour des épaules et l'attira contre lui. C'était la plus jolie femme qu'il eût jamais vue. Non seulement elle était ravissante, mais elle avait de la classe. Des vêtements chouettes, une gracieuse chaîne en or autour du cou, une bague magnifique au doigt. De la classe et du pognon. Cette fois-ci, il était sur un bon coup. Il tourna doucement le visage de Sue Ellen vers lui et l'embrassa avec avidité.

– Oh là là! Dusty... tu m'étouffes...

Les deux autres cow-boys, maintenant installés à une autre table face à eux, jetaient à Sue Ellen des coups d'œil furtifs.

– Hé, mec, tu nous donnes le mot de passe?

– Laissez tomber, les gars. Chasse gardée, répondit-il avec une absence évidente d'humour.

– Allez, Josh, faut partager les bonnes choses, quoi!

– Y'en a d'autres, mon pote. Y'en a plein. Pas besoin de chasser sur mes terres.

– Dusty, murmura-t-elle, je croyais que tu ne reviendrais jamais.

– Mais bon Dieu, pourquoi qu'elle cause tout le temps de Dusty? Qui c'est Dusty? demanda l'un des cow-boys.

– C'est moi, grogna Josh. Je suis là, chéric, je suis revenu.

Il enfouit son visage dans les cheveux de Sue Ellen, ses lèvres frôlèrent son cou, tandis qu'il glissait une main sous sa jupe.

– Ah, Dusty, il ne faut pas..., bredouilla Sue Ellen, l'œil vague, perdue dans un brouillard de souvenirs. Il ne faut pas... pas devant tes amis... il ne faut pas.

Le barman entra dans la petite salle attenante à l'Ace Bar et décrocha le téléphone.

– Allô? Je suis chez M. Ewing? demanda-t-il.

Ce fut Bobby qui répondit.

– Mais oui. Bobby Ewing à l'appareil. Qui demandez-vous?

– J' suis le tenancier de l'Ace Bar, monsieur Ewing. Je vous appelle parce que j' veux pas d'ennuis dans mon établissement.

– Des ennuis? De quoi s'agit-il? Expliquez-vous!

– C'est au sujet de Mme Ewing...

– Mme Ewing! (Un instant, Bobby crut qu'il s'agissait de Pamela.) Que lui est-il arrivé?
– J' vous appelle de Braddock...
– Oui, je sais. Je connais l'Ace Bar. Que s'est-il passé?
– Ecoutez, Mme Ewing est ici. Elle a pas mal éclusé et elle sait plus très bien où elle en est. M'est avis qu'elle va avoir besoin d'un coup de main.
– Mais il y a plusieurs Mme Ewing. De laquelle s'agit-il?
Mais le tenancier avait déjà raccroché.

6

Tandis que Sue Ellen buvait avec Josh, le cowboy, Pam Ewing rendait visite à son frère, Cliff Barnes. Il lui dit à peine bonjour tant il était excité.
– J'ai de bonnes nouvelles pour toi, dit-il en l'embrassant. Des nouvelles fantastiques, même.
– Tu as découvert quelque chose à propos de maman?
– Non. Il ne s'agit pas de maman. C'est quelque chose de beaucoup plus important.
– Ah bon! dit-elle, perdant aussitôt tout intérêt pour la chose.
Elle se laissa tomber dans un fauteuil et le regarda d'un air morne.
– J'ai essayé de te joindre dans le Colorado...
– Nous avons beaucoup bougé, là-bas.
– Bon, l'essentiel, c'est que tu sois enfin rentrée. Ecoute-moi, Pam, c'est très important. J'ai fait vérifier toutes les signatures. L'acte est parfaitement

légal, dit-il en ouvrant un tiroir de son bureau.
– Tu parles de quoi, au juste? Du certificat de décès de papa?
Il secoua la tête avec impatience.
– Mais non, il ne s'agit pas de cela. Je parle du contrat légal, authentique, exécutoire...
– Mais quel contrat? De quoi parles-tu, Cliff?
– Tiens, le voilà. Tu te souviens du jour où nous avons fouillé dans les affaires de papa? Eh bien, j'ai retrouvé ce papier dans l'une de ses vieilles malles.
– Je pensais que tu voulais me voir pour me parler de maman. Pourquoi perds-tu ton temps avec de vieux contrats qui ne nous serons d'aucune utilité? demanda-t-elle, agacée.
Il la regarda avec stupeur. Elle n'avait vraiment rien compris. Il reprit patiemment :
– Petite sœur, écoute-moi avec attention. Ce papier – qui te paraît tellement dénué d'intérêt – j'en ai rêvé pendant des mois. C'est la pièce à conviction avec laquelle je vais enfin pouvoir coincer les Ewing et venger papa. Je vais enfin avoir JR Ewing, et même ce vieux requin de Jock Ewing!
– Il y a une chose que tu sembles, une fois de plus, oublier, petit frère, dit-elle, les yeux brillants de colère, c'est que moi aussi je suis une Ewing. Et j'ai l'intention de le rester. En les frappant, c'est moi que tu atteindras.
– Ne t'excite pas, Pam. Laisse-moi t'expliquer jusqu'au bout.
– Montre-moi ce papier...
– Je vais te le lire... Cet acte certifie que tous les revenus et profits retirés de la concession pétrolière dite "Ewing 23" seront partagés à égalité entre Jock Ewing et Willard Barnes ou leurs héritiers si l'un d'eux vient à décéder.

– Et alors?

– Et alors! Mais tu es bouchée, ma parole! Cet acte est daté du 26 février 1936 et signé par Jock Ewing et par Digger.

– Mais... en quoi est-ce que ça nous concerne, toi et moi?

Il resta un instant silencieux, le cœur battant, essayant de maîtriser son émotion.

– Ça veut dire que nous n'aurons plus à passer par la porte de service, le chapeau à la main. Voilà ce que ça veut dire! Ça signifie que les Barnes sont à égalité avec les Ewing. Associés... en tout cas dans cette affaire qui doit rapporter un bon demi-million de dollars par an. Imagine la tête de JR quand je vais lui agiter ce papier sous le nez!

Elle était loin de partager son enthousiasme.

– Si ce contrat est valable, explique-moi pourquoi il est resté si longtemps au fond de cette vieille malle?

– Je n'en sais rien, moi! Tu connais Digger. Il devait être bourré le jour où il a signé ce papier... Il l'aura foutu dans un coin et oublié. Et je ne serais pas autrement surpris si j'apprenais qu'Ewing l'a saoulé pour l'aider à oublier...

– Oh, Cliff, tu es ridicule!

– Tout est possible de la part de Jock Ewing!

– Tu crois qu'il s'en souvient?

– Peut-être, mais ce n'est pas sûr. Ce contrat a été signé il y a plus de quarante ans. Il a pu l'oublier, mais en supposant que ce ne soit pas le cas, il s'est bien gardé d'en parler. Digger est mort et enterré. Les morts ne vous demandent pas de comptes.

– Mais toi, tu vas lui en demander.

– Et comment! Pour Digger et pour nous.

– Méfie-toi de JR, il est dangereux. S'il te prend dans son collimateur...

Cliff eut un sourire triomphant.

– Qu'il essaie! Ne t'inquiète pas, je les tiens. J'ai promis à papa de le venger et je vais le faire. Sa vie n'aura pas été un gâchis sur toute la ligne.

Il y avait maintenant beaucoup de bruit à l'Ace Bar. De nombreux buveurs s'étaient agglutinés au comptoir et presque toutes les tables étaient occupées. Même le rock sortant du juke-box semblait plus dynamique que tout à l'heure. La danseuse continuait à se trémousser sur son estrade, mais jamais en mesure. De toute façon, c'était sans importance car personne ne la regardait.

Personne ne remarqua non plus Sue Ellen que Josh et ses copains poussaient en douceur vers la porte de derrière. Echcvelée, le chemisier déboutonné et l'œil vague, elle titubait et gloussait. Deux autres cow-boys se joignirent au groupe qui gagnait lentement la sortie et Josh les laissa faire.

– Où allons-nous? demanda distraitement Sue Ellen.

– On va faire la fête, ma beauté. T'aimes bien faire la fête, non?

– J'adore ça, répondit-elle d'une voix pâteuse. Toujours aimé ça. Vous me plaisez tous... vous danserez tous avec Sue Ellen, n'est-ce pas?

Ils sortirent et se dirigèrent vers une voiture garée à cinq mètres de là. Au même moment, Bobby et Ray entrèrent dans le bar par la porte principale. Le barman les aperçut et leur montra du doigt la porte de service. Se frayant rapidement un chemin à travers la foule des poivrots, Bobby et Ray sortirent à leur tour et se séparèrent sans un mot. Bobby contourna le groupe et se retrouva face aux cow-boys tandis que Ray se plaçait derrière eux.

Bobby leva la main.

– Attendez un peu, les gars.

– Qu'est-ce que tu veux? grogna Josh, faisant passer Sue Ellen derrière lui. De quoi qu' tu te mêles, cow-boy?

Il se mit en posture de combat, jambes écartées, et regarda Bobby d'un air mauvais.

– Cette dame est ma belle-sœur, mon vieux. Fous-lui la paix.

– Bobby! C'est toi, Bobby?

– Viens, Sue Ellen, je vais te ramener à la maison.

– Tu ramènes personne, dit Josh d'un ton menaçant.

– Viens, Sue Ellen. Dépêche-toi, insista Bobby.

Elle secoua la tête.

– Non... je ne peux pas. Je viens juste de le retrouver.

Bobby la regarda, interloqué.

– Tu connais cet homme?

– Tu ne le reconnais pas? C'est Dusty Farlow.

– Ah, je vois, répondit Bobby. (Il desserra les poings, ouvrit ses mains puissantes.) Ecoute, mon vieux, je n'ai pas envie de me mettre en colère, mais si tu veux ta dérouillée, je suis à ta disposition.

– T'as entendu ce qu'a dit la dame, non? Elle veut pas rentrer avec toi, dit Josh.

– Je ne veux pas perdre mon temps à discuter...

– Elle reste avec nous, s'obstina Josh.

– C'est ma belle-sœur et...

Josh fonça brusquement sur Bobby et lui expédia un crochet du droit que celui-ci esquiva. Bobby décocha alors un direct dans les côtes du type puis, du tranchant de la main, il le frappa à l'estomac. Le cow-boy se plia en deux. Bobby lui assena un dernier coup sur la nuque. Josh chancela et tomba évanoui sur le sol.

Sue Ellen gémit, désespérée.

– Oh, mon Dieu, qu'as-tu fait à Dusty?

– Alors, les mecs, aucun de vous ne veut venger son petit copain?

Sans un mot, ils reculèrent et Ray s'écarta pour les laisser passer.

Sue Ellen se mit à pleurer.

– Il est blessé...

– Mais non, il n'a rien, ne t'inquiète pas, répondit Bobby en l'emmenant. Tout va bien, Sue Ellen, calme-toi.

– Pourquoi l'as-tu frappé? cria-t-elle. Tu n'avais aucune raison de le frapper!

Le lendemain matin, JR se leva le premier. Vêtu dc sa robe de chambre, les pieds dans des pantoufles, il descendit à la cuisine, se fit du café et entra dans le bureau. C'était l'heure de la première édition du journal et il alluma la télévision.

« Trois compagnies de sapeurs-pompiers ont lutté toute la nuit contre l'incendie dont ils ne sont venus à bout que vers 5 heures du matin. Les dégâts matériels sont estimés à... »

JR sortit du bureau, poursuivi par la voix du speaker. Dans le patio, il regarda au delà de la piscine, vers les champs, l'air préoccupé.

– Salut, JR!

– Salut, petit frère.

– Comment va Sue Ellen?

– Elle cuve, en bonne ivrogne qu'elle est.

– Ne sois pas dur avec elle, JR. C'est une fille dépressive, elle n'y peut rien.

– Elle a tout ce qu'une femme peut désirer au monde. Que lui faut-il de plus?

– Demande-le-lui. Peut-être la réponse te surprendra-t-elle.

– Je le lui demanderai peut-être. Ou peut-être pas. De toute façon, merci de l'avoir tirée de là, Bobby.

– C'est normal, c'est ma belle-sœur et j'ai le sens de la famille.

JR grogna.

– Où vas-tu de si bonne heure?

– Il y a encore une clôture tombée aux Two Sticks. Ray veut que j'y jette un coup d'œil. Il dit que ça a été coupé net.

– Encore les voleurs de bétail?

– Sais pas. Je vais voir ça. Salut!

JR hocha la tête et regarda Bobby se diriger vers l'écurie. Quelques secondes plus tard, le téléphone sonna et il se précipita pour répondre.

– JR Ewing à l'appareil...

C'était un appel longue distance. Le cœur battant, il se servit une seconde tasse de café d'une main tremblante.

– Mon Dieu, faites que cette affaire marche, pria-t-il. Faites que ça marche!

La voix, à l'autre bout du fil, était faible :

– Allô, allô? C'est vous, JR?

– Salut, Hank. Vous m'entendez?

La voix de Hank fut soudain plus nette.

– Ah, je vous entends mieux, JR. Ça fait des heures que j'essaie de vous joindre. C'est un bordel inimaginable, ici...

– Que se passe-t-il, mon vieux? (Il reposa la cafetière sur la table avec précaution et essuya sa paume moite contre sa robe de chambre.) Alors, où en êtes-vous?

– Ça se déroule comme prévu, JR. C'est un foutoir invraisemblable! Ça tire de tous les côtés et, Américains ou pas, on en prend plein la gueule!

– Qu'avez-vous fait de votre personnel?

– Je les ai tous expédiés de l'autre côté de la frontière...

– Et vous, que comptez-vous faire?

– Me tirer à toute pompe. Je voulais juste vous dire que, bien entendu, tous nos puits ont été nationalisés. Les puits, les plates-formes de forage, les bateaux... tout le saint-frusquin! Navré, JR, mais je n'ai vraiment rien pu faire.

– Je m'en doute, Hank. Vous n'y êtes pour rien. Filez en vitesse, hein? Je ne tiens pas à avoir votre mort sur la conscience. Sortez vos fesses de ce foutu pays. Merci d'avoir appelé, Hank. Vous avez fait du bon boulot; ça mérite un bonus...

– Un bonus! s'exclama Hank Thomson, stupéfait.

Mais JR avait déjà raccroché. Tout marchc au poil, se dit-il. Et il se mit à fredonner.

Il reprit une tasse de café et entra dans le bureau où Jock, debout et blanc comme un linge, regardait la télévision.

« Le porte-parole de la Maison-Blanche, Jody Powel, a déclaré qu'une telle réaction serait prématurée et injustifiable. Il insiste pour que chacun garde son calme. La compagnie pétrolière la plus touchée par ces nationalisations est l'Ewing Oil qui a investi des millions de dollars dans l'exploration et les forages dans le Sud-Est asiatique. C'est par millions de dollars que risquent de se chiffrer les pertes subies par cette compagnie et il se peut que cette catastrophe sonne le glas de l'une des plus grosses affaires de Dallas. L'Ewing Oil a vu le jour il y a maintenant... »

JR éteignit la télévision et sourit à son père. Jock s'affala dans un fauteuil.

– C'est vrai, JR?

– La nationalisation? Oui, papa. Mais...

– Alors, nous sommes foutus.

Un sentiment d'incertitude gagna JR. Et si son père condamnait la façon impulsive dont il avait agi? S'il le critiquait pour avoir joué les loups solitaires? Cependant, c'était bien comme cela que Jock avait commencé, que tous avaient commencé... en faisant cavalier seul, en piétinant tout ce qui se mettait en travers de leur route... Ça, c'était des hommes! JR avait toujours rêvé de leur ressembler. Et aujourd'hui... aujourd'hui...

– Tout va bien, papa.

– Combien avons-nous perdu?

JR passa sa langue sur ses lèvres sèches et respira à fond.

– Du temps, rien de plus.

DEUXIÈME PARTIE

LES EWING HIER

Rien n'est plus beau que l'aube lorsque le soleil éclaire les prés et le sommet des collines et dissipe lentement la rosée qui fait briller les champs. En ville, le néon s'éteint. Les ivrognes braillards se taisent et cuvent leur bière, tandis que les prostituées disparaissent, fuyant le jour avec la même terreur que Dracula. Les troupeaux s'agitent, les vaches beuglent, les cow-boys s'extirpent de leurs sacs de couchage et, encore titubants de sommeil, avalent un grand bol de café arrosé de whisky pour se réconforter.

A Southfork, Bobby Ewing rentra au galop à l'écurie et sauta à terre dans un nuage de poussière.

– Quel panache, Bobby! s'exclama en riant Ray Krebs.

– Ray, j'ai fait le tour des terres à l'est du ranch. Les Brahmas sont superbes, lisses comme de la soie.

– Vous voilà poète, à présent, plaisanta le régisseur.

– Ah, mon vieux Ray, quelle chance tu as de faire ce boulot! Après tout, ça ne demande qu'un peu de jugeote et une bonne santé.

– Oh, pour sûr, m'sieur Ewing. J'ai de la chance

puisque vous le dites, répondit Ray avec un large sourire sur son visage émacié.

Un lien très solide, dépassant la simple camaraderie, unissait les deux hommes. Il y avait entre eux de la compréhension, de l'amitié, un sentiment viril et profond dont les employés du ranch ne parlaient jamais entre eux.

– Bon, si je comprends bien, je n'ai pas besoin de me précipiter là-bas?

– Non. Prends donc ta matinée et repose-toi.

– C'est pas de refus, Bobby. Je dirai à votre père que vous me l'avez ordonné.

Bobby lui fit un signe de la main et se dirigea vers la grande maison. Dans le patio, son père et sa mère prenaient leur petit déjeuner et il se servit une tasse de café.

– Où sont les autres? Personne ne prend de petit déjeuner, ce matin?

– Pam n'est pas encore descendue, répondit sa mère. Quant à JR, il est parti pour l'aéroport avec Sue Ellen.

– Ah, c'est ce matin qu'arrivent la mère et la sœur de Sue Ellen? J'avais complètement oublié.

– Dis donc, Bobby, c'est aujourd'hui que tu as rendez-vous avec le sénateur Mulligan? demanda Jock.

– Oui, dans une heure exactement.

– Sois très dur avec lui, Bobby, rappelle-lui tout ce qu'il nous doit. Il est grand temps de donner une bonne leçon à ce salaud de Cliff Barnes!

– C'est le frère de ma femme, papa.

– Malheureusement! répliqua Jock, sèchement. J'aime beaucoup Pam, mais je ne peux vraiment pas encadrer son frère. (Il fit une grimace.) Ce type s'acharne comme un malade contre nous depuis des années.

– Je vais voir ce que je peux faire, papa.

Il termina son café, se leva et monta voir sa femme.

Pam était dans la chambre d'enfant, penchée au-dessus du berceau. Elle jouait avec John Ross Ewing III, et le bébé la regardait avec de grands yeux graves en agitant ses petites mains.

– Tu vas finir par rendre cet enfant capricieux, dit-il sur le seuil de la porte.

– Tous les bébés devraient être choyés comme celui-ci, répondit-elle.

– Et les maris? On ne pourrait pas les choyer aussi? dit-il en s'avançant vers elle.

– Oh, toi, je te pourris littéralement, dit-elle en riant.

Il la prit par la taille et l'attira contre lui.

– Regarde-toi, murmura-t-il contre sa joue. Au lieu de partir au boulot, tu joues avec un enfant qui n'est même pas le tien. Tu crois que c'est sérieux? Et si tu te fais virer, comment mangerons-nous, nous autres pauvres Ewing?

Elle se retourna vers lui.

– Tu sais, Bobby, c'est curieux, mais travailler ne me paraît plus si important, maintenant.

Il lui fit un clin d'œil et répondit :

– Depuis que ce marmot est né, hein? Crois-tu vraiment que tu aurais une telle passion pour cet enfant si tu n'étais pas persuadée que c'est celui de ton frère?

– Je ne suis pas responsable de la conduite de mon frère. Mais si Sue Ellen aimait son gosse et s'occupait de lui, il me semble que je supporterais mieux cette histoire. Mais elle s'en fout complètement.

– Sue Ellen traverse une crise. Il faut attendre

qu'elle s'en sorte. Mais ce qui s'est passé entre Cliff et elle ne te regarde pas. Et tu ne peux pas te substituer à la mère de cet enfant, Pam.

– Je le sais. (Elle leva la tête vers lui. Elle n'a jamais été plus belle qu'en ce moment, pensa-t-il.) Bobby, je crois que j'aimerais bien qu'on en ait un à nous, maintenant.

Un sourire malicieux éclaira le visage de Bobby.

– Il me semble que je fais tout ce qu'il faut pour cela, non? Tu n'as peut-être rien remarqué?

Elle rit et lui caressa tendrement les lèvres :

– Je sais que je suis distraite, mais pas à ce point-là!

L'énorme labyrinthe qu'est Regional Airport est situé près de l'autoroute 114, entre Dallas et Fort Worth. Le plus grand aéroport du monde, lit-on sur les panneaux publicitaires, et les Texans n'en sont pas peu fiers. A quinze kilomètres du centre de Dallas, il dessert onze comtés – ce qui représente quelque trois millions de citoyens – et rend littéralement fous, par sa complexité, les malheureux voyageurs qui y transitent.

JR et Sue Ellen entrèrent dans la salle d'attente des premières. Peu de monde, mais du beau linge : des gens riches, élégants, arborant l'expression sereine que confère l'argent.

JR s'assit et se mit à lire son journal, tout en marmonnant de temps à autre jusqu'au moment où, exaspéré, il se tourna vers Sue Ellen en flanquant une tape rageuse sur la première page du quotidien.

– Ecoute ça! Cliff Barnes a été élu « l'homme de l'année ». Elle n'est pas mauvaise, celle-là! Les gens ont vraiment de curieux critères, de nos jours. Cliff Barnes, l'homme de l'année! Les bras m'en tombent!

L'air abruti, Sue Ellen tourna paresseusement la tête vers lui.

– Que dis-tu, JR? Tu me parlais?

Il la regarda fixement, stupéfait par tant d'indifférence et de froideur. Enfin, bon Dieu, c'était bien elle qui avait couché avec Barnes, s'était retrouvée enceinte et avait décidé de garder son enfant! Comment pouvait-elle s'en désintéresser à ce point? Mais peut-être continuait-elle à voir Cliff Barnes en cachette et essayait-elle de donner le change par son impassibilité? Pourquoi pas? Elle l'avait bien trompé une fois, elle était assez stupide pour recommencer. Il se dit qu'il allait la faire suivre afin d'en avoir le cœur net. Seigneur, comme il haïssait Cliff Barnes et sa saloperie de famille! Y compris cette petite conne de Pamela, l'épouse pure et sans tache de Bobby. Quelle bande d'escrocs minables, à commencer par le vieux Digger! Mais la descendance n'était pas mal non plus! A la première occasion, il se débarrasserait d'eux, une bonne fois pour toutes.

Il plaqua un large sourire sur son visage et prit la main de Sue Ellen. Elle la retira vivement mais il ne s'en offusqua pas.

– L'avion de ta mère a du retard, mon cher cœur. (Elle lui retourna son sourire mécanique.) Ils viennent de l'annoncer.

– Tu le détestes, n'est-ce pas?

– Qui ça, chérie?

– Cliff Barnes.

– Je n'ai pas une passion pour lui, mais je ne déteste aucun être humain.

– Qui aurait pu penser qu'un petit homme insignifiant comme Cliff Barnes causerait tant d'ennuis au tout-puissant JR Ewing? murmura-t-elle d'un ton rêveur.

– A peu près autant qu'une mouche en cause à un cheval, ma chère.

– Eh bien, je me réjouis que tu prennes les choses ainsi, dit-elle.

– Sais-tu ce que fait un cheval à une mouche qui l'importune? Il l'écrase, tout simplement.

Elle ne répondit pas et détourna son regard.

– Ah, voilà Kristin et maman!

Digger Barnes émergea de la passerelle, ressemblant exactement à ce qu'il était : un vieux foreur fatigué. Vêtu d'un costume terne et froissé, la cravate de travers, le col déboutonné, il marchait vite, selon son habitude, mais avec l'expression d'un homme qui n'est pas très sûr de ce qui l'attend. Il regarda autour de lui, cherchant dans la foule un visage familier.

– Hé, papa! Digger!

Digger aperçut son fils Cliff, trop propre, trop soigné, comme un homme dont la réussite sociale est récente. Ils se précipitèrent l'un vers l'autre et s'étreignirent, jusqu'au moment où, conscient de se donner en spectacle, Digger se dégagea.

– Tu as une mine magnifique, papa.

– Je me sens en pleine forme. Mais pourrais-tu me dire pourquoi tu m'as fait venir? J'étais parfaitement heureux en Californie, tu sais.

– J'ai une surprise pour toi.

– Tu aurais tout de même pu m'écrire ou me téléphoner au lieu de m'envoyer un télégramme.

– Pas question! Je voulais voir ta tête, quand tu sauras...

– Quand je saurai quoi?
– Allons chercher tes bagages.
Digger lui montra le sac qu'il portait à la main.
– Je n'ai rien d'autre. Allons-y.
Ils se dirigèrent vers le parking et montèrent dans la voiture de Cliff.
– Dis donc, c'est une sacrée bagnole! Elle en jette! Tu as fait fortune, ou quoi? dit Digger.
– Je ne me plains pas. Les choses vont plutôt bien pour moi, comme tu vas le voir.
– Qu'est-ce que tu veux dire?
Cliff fouilla dans sa poche et en sortit quelques chèques.
– Tiens, ça c'est à toi.
– Qu'est-ce que c'est que ça?
– Les royalties de l'Ewing Oil.
– Je ne comprends pas.
– Ces chèques sont à ton nom. Willard Barnes.
– Et signés par JR Ewing! s'exclama Digger, stupéfait.
– Tous les deux mois, l'Ewing Oil verse à Digger Barnes les royalties qui lui reviennent. Comment te sens-tu, à présent?
Digger Barnes lança à son fils un coup d'œil furtif.
– Comment t'es-tu débrouillé pour leur faire cracher ça?
– Disons que j'ai maintenant un certain poids à Dallas, papa. Je dirige le B.C.P., le Bureau des concessions pétrolières. C'est l'organisme qui donne ou refuse le feu vert aux pétroliers texans. Personne, au Texas, ne peut forer un puits sans nous en demander préalablement l'autorisation.
– Tout ça est très impressionnant, mais ça n'explique pas les chèques.

– J'ai complètement coincé les Ewing. Actuellement, la seule parcelle de terrain que je leur laisse forer, c'est Palo Seco et je me suis arrangé pour que tu en aies un bout. C'est un bout modeste, bien sûr, mais ce n'est qu'un début.

Un large sourire éclaira le visage barbu de Digger.

– Evidemment... je ne peux pas dire que je regrette le voyage!

– Je te le répète, ce n'est qu'un début, papa. Les Ewing sont foutus. Je vais les réduire en charpie et, quand j'en aurai fini avec eux, il n'en restera rien!

Digger fronça les sourcils.

– Je ne t'en demande pas tant!

– Je le sais, mais comme j'ai les moyens de le faire, je ne vais pas me gêner, crois-moi! JR a tout essayé pour me couler, mais il n'y est jamais parvenu. Dieu sait qu'il a déployé de l'imagination, pourtant! En ce moment, il semble à court d'inspiration, d'ailleurs.

Digger tourna vers son fils ses yeux délavés, enfoncés dans leurs orbites. Cliff avait une expression satanique déplaisante. Digger le sentait taraudé par le démon de la vengeance.

– Je n'ai jamais cherché à les écraser..., dit-il, inquiet. Jamais cherché à briser Jock Ewing. Je veux récupérer ce qui m'appartient, ce que j'ai gagné honnêtement, c'est tout.

– J'ai l'intention d'aller un peu plus loin, papa. De faire payer à Jock Ewing la façon dont il t'a traité. Œil pour œil, dent pour dent.

Digger se sentit soudain épuisé.

– Sortons de ce parking, Cliff.

– Tu n'es pas content, papa? Tu n'es pas fier de moi?

– J'ai toujours été fier de toi, fiston. Et de Pam aussi. Et je voudrais continuer à l'être. Ne va pas trop loin, Cliff, ça risquerait de te retomber sur le nez. Maintenant, je voudrais me reposer. Ce voyage m'a crevé.

JR conduisait la Mercedes avec sa précision et sa prudence habituelles. Assise à côté de lui, Sue Ellen, à demi tournée, bavardait avec sa mère et sa sœur installées à l'arrière. Patricia Shepard ne paraissait pas son âge et ses vêtements de voyage, simples et confortables, la rajeunissaient encore. On avait du mal à croire qu'elle avait deux filles adultes. Elle était mince, nerveuse, avec un regard aigu qui enregistrait tout. Jolie femme, bon genre, mais avec quelque chose de froid et de sec qui éloignait d'elle d'éventuels compagnons de son âge. Mais Patricia Shepard ne s'en souciait pas : les hommes étaient un problème secondaire pour elle. L'objet de toute son attention, de tous ses soucis, c'était Kristin, sa fille cadette encore célibataire.

Si Sue Ellen, beauté mûrissante, avait une personnalité fragile que trahissaient son regard tourmenté et son expression tendue, Kristin, elle, était encore plus déphasée. Incapable de livrer quoi que ce soit d'elle-même, elle ne vous regardait jamais droit dans les yeux et semblait fuir tout contact humain un peu profond.

Elle avait un corps ravissant avec de longues jambes, des seins fermes, plantés haut et un visage aux traits fins et réguliers. C'était une superbe énigme, un mystère insondable pour tout le monde sauf pour JR qui lisait en elle comme dans un livre ouvert.

– Je te trouve une mine superbe, Sue Ellen. La

maternité te réussit, dit Mme Shepard. Tu ne trouves pas, Kristin?

Le sourire de Kristin était crispé, proche de la grimace.

– Nous étions terriblement excitées par cette nouvelle, Sue Ellen, dit-elle.

– Vous aussi, JR, vous avez l'air en pleine forme, continua Mme Shepard. Le portrait type de l'heureux père, fier de son rejeton.

– Je le suis. Nous sommes ravis de vous accueillir à Dallas, mesdames. Bienvenue dans notre bonne vieille ville!

– Merci, JR, vous êtes un gendre parfait. Il m'en faudrait un second comme vous pour Kristin. J'espère qu'elle finira par le dénicher, soupira-t-elle.

– Mais bien sûr, maman, répondit calmement Sue Ellen. Tu y veilleras, n'est-ce pas?

Avant que Patricia ait pu répondre, ils avaient franchi la grille de Southfork.

– Nous voici arrivés, mesdames, dit JR d'un ton légèrement emphatique.

– Oh, c'est merveilleux d'être de nouveau ici, dit Kristin. J'adore ce ranch!

Jock et miss Ellie les attendaient et les accueillirent avec de grandes effusions. Les domestiques, discrets et efficaces, s'emparèrent des bagages et disparurent. On prit un verre dans le living-room tout en bavardant.

– Comment marchent vos études d'architecture, Kristin? s'enquit Jock. Vous étudiez à l'U.S.C., n'est-ce pas?

Kristin lui fit un sourire charmeur. Elle savait que les hommes ne résistaient pas longtemps à ce sourire et elle tenait à mettre Jock dans sa poche.

Qui sait ce que lui réservait l'avenir? Mieux valait être prudente.

– Je ne peux pas suivre les cours qui m'intéressent avant le trimestre prochain, expliqua-t-elle.

– Eh bien, cela nous donne le plaisir de vous avoir ici avec votre maman, n'est-ce pas, JR?

– Kristin sait qu'elle est toujours la bienvenue. Si tu as besoin de quelque chose, Kristin, n'hésite pas à le demander.

– Entendu, JR, mais on ne manque jamais de rien, ici.

Au bout d'un moment, les deux femmes montèrent pour voir le bébé de Sue Ellen. Un seul regard suffit à jeter Patricia dans l'extase.

– Mais regarde-moi cet enfant! C'est un bébé magnifique, Sue Ellen. Je m'attendais à voir un avorton, comme sont la plupart des enfants prématurés. Je t'avoue que je n'étais pas très rassurée. Il est vraiment superbe!

– Il a maintenant un poids normal, dit miss Ellie. Il a bon appétit, n'est-ce pas, Sue Ellen?

– Oui, très bon appétit, miss Ellie, répondit Sue Ellen d'un air distrait.

Patricia tendit les bras vers lui.

– Je peux le prendre, Sue Ellen?

– Mais oui, maman.

Elle prit le nourrisson dans ses bras et le berça doucement.

– John Ross Ewing III. Il est vraiment adorable, Sue Ellen. Tu veux le prendre?

– Non, maman, garde-le, je suis fatiguée. Je crois que je vais aller me reposer un peu.

– C'est le portrait craché de JR, Sue Ellen, tu ne trouves pas?

– Oui... peut-être... je ne sais pas.

– Va te reposer, chérie. Rien n'est plus fatigant que les premiers mois qui suivent un accouchement. Je me souviens de ma fatigue après ta naissance. Je tenais à peine debout!

Miss Ellie suivit Sue Ellen d'un regard soucieux puis son visage s'éclaira :

– C'est l'heure de son biberon. Allons dans la pièce à côté, nous serons mieux installées pour le lui donner. Voulez-vous vous en charger, Patricia?

– Oh oui, volontiers! Viens, Kristin, allons à côté. (Aucune réponse ne vint.) Kristin... tu as envie de voir John prendre son biberon, n'est-ce pas? insista Patricia d'un ton sec.

– Oui, maman, je viens, répondit distraitement la jeune fille, songeant une fois de plus au mari de sa sœur.

Bobby, JR et Jock entrèrent dans le bureau de JR. Lorsque tous trois furent assis, Jock se tourna vers Bobby :

– Alors, fiston? Qu'a donné ton entretien avec le sénateur Mulligan? Il est avec nous ou contre nous?

– Il ne demande qu'à nous aider, répondit Bobby.

– Eh bien, c'est encore heureux, tonna JR, après tout ce que nous avons fait pour lui! Ce vieux schnock doit beaucoup aux Ewing, beaucoup plus qu'il ne le prétend.

Jock le calma d'un geste.

– Continue, Bobby.

– Il circule des rumeurs selon lesquelles Cliff Barnes ne serait plus tout à fait le croisé pur et dur qu'il prétend être...

– Que veux-tu dire? Il touche des pots-de-vin? demanda Jock.

– J'en étais sûr! exulta JR. Ce petit salopard! Ça fait des années qu'il joue les incorruptibles! Cette fois-ci, j'espère qu'on va clouer son cul à la porte de la grange! Qu'est-ce que Mulligan compte faire?

– La première chose à faire est de décider le Sénat à former une commission d'enquête...

– Combien de temps ça va prendre? demanda Jock.

Bobby fronça les sourcils.

– Tu sais comment ça se passe, à Austin, papa. Ces politiciens sont tous très lents...

– Eh bien, il faut leur allumer une mèche sous le cul!

– Je ferai de mon mieux, dit Bobby.

JR jura.

– On va perdre un temps fou! L'Ewing Oil sera depuis longtemps transformée en un monument historique de plus avant que ces dinosaures de la Chambre législative n'agissent. Non, il faut intervenir tout de suite, couler le B.C.P. C'est le bon moment.

– Pourquoi le bon moment? Il y a quelque chose de nouveau?

– Au B.C.P., il y a actuellement toute une équipe de types qui cherche à nous emmerder avec nos puits près de la frontière. Ils prétendent qu'on déverse trop d'eau salée.

– Ils veulent nous faire fermer ceux-là aussi?

– Si Barnes les appuie, ils le feront, dit JR d'un ton aigre. Ton salopard de beau-frère va bien finir par arriver à couler l'Ewing Oil, Bobby.

– Ecoute, JR, ne dramatisons pas. Mulligan m'a promis d'agir très vite...

– Non, il faut régler ça nous-mêmes, déclara JR avec un sourire inquiétant.

– Voyons, JR, nous ne sommes pas des mafiosi, protesta Bobby.

– Ne t'inquiète pas, petit frère. Il n'y aura aucune violence. Je ne voudrais surtout pas heurter ta nature délicate. Voyons les choses en face : tous les hommes ont leurs faiblesses et Cliff Barnes, apparemment, ne fait pas exception à la règle, n'est-ce pas, papa?

– C'est probable, dit Jock.

– Eh bien, il n'y a qu'à chercher la fissure chez ce preux chevalier et s'y engouffrer.

En arrivant chez Cliff, Digger se sentit épuisé, les membres engourdis, la tête prise dans un étau. Souvent, ces derniers temps, il s'était senti au bord du malaise sans que rien ne justifiât pareille fatigue. Mais il n'était pas homme à s'écouter. Il ne se plaignait jamais, ne consultait jamais un médecin et avait décidé que ces malaises passeraient tout seuls. C'était ça, le style de Digger.

« J'ai toujours eu une santé de fer jusqu'à présent », se dit-il. Jeune, il débordait d'énergie et était déterminé à se faire une place au soleil. Il n'avait peur de rien. Avec l'aide de son nouvel associé, un rude Texan nommé Jock Ewing, il avait pris une option sur un terrain au nord-ouest de Dallas et ils avaient commencé à forer. C'était un sacré boulot! Il avait fallu se débrouiller pour trouver les fonds nécessaires à l'achat du matériel de forage et à la construction du derrick... Le boulot le plus dur, c'est eux qui se le tapaient. Mais Digger et Jock s'y étaient attelés comme deux bêtes de somme et ils avaient tenu le coup jusqu'au jour où la catastrophe était arrivée. Digger mettait en place des tubes de forage de sept mètres quand, soudain, les cordes s'étaient emmêlées, et les tubes étaient restés suspendus à quinze mètres du sol, se balançant dans le vent. Ça coinçait quelque part au sommet du derrick, et Jock grimpa pour essayer de débloquer le matériel. Digger essaya de remettre les tubes en bonne position et dut, pour cela, s'avancer sous le chargement. Soudain, de façon imprévisible, les tubes se mirent à se décrocher et à glisser vers le sol.

– Digger! Fais gaffe! hurla Jock.

Digger lâcha la corde et sauta sur le côté, mais trop tard, et il vit avec horreur les tubes glisser l'un après l'autre.

– Tire-toi, Digger, bon Dieu! gueula Jock.

Digger plongea sur le côté, buta contre une pierre et s'étala de tout son long. Frénétiquement, il se releva et détala, glissant et manquant à chaque instant se casser la gueule sur le sable. Il était presque sauvé lorsque l'un des tubes, après avoir rebondi sur le sol, heurta son bras gauche au-dessous de l'épaule. Il crut qu'il avait le bras arraché, hurla de douleur et s'évanouit.

Il se réveilla à l'hôpital, le bras dans le plâtre. Penché sur lui, Jock Ewing le regardait d'un air soucieux.

Digger cligna des paupières.

– Qu'est-ce que tu fous là? demanda-t-il d'un ton rogue. Tu ferais mieux de filer et de grimper sur ce foutu derrick. Y'a un puits à creuser et du pétrole à trouver. C'est pas à l'hôpital que tu trouveras un million de dollars.

Jock ébaucha un rictus méprisant.

– Tu es vraiment un type décevant, Barnes, dit-il

d'un ton glacial. Blessé comme tu l'es, tu trouves encore le moyen de te comporter comme un salaud. Tu me dégoûtes! Et comment, je vais aller bosser! Je n'ai pas l'intention de te tenir la main. Après tout, on ne peut pas être deux à se la couler douce, pas vrai?

– Je serai au forage demain matin.

– Tu parles! Le médecin dit que tu en as au moins pour quatre mois à être plâtré. Et ton bras sera tellement faible après ça que tu ne pourras pas t'en servir avant un an. Faut que je trouve un type pour te remplacer.

– Avec quoi tu le paieras? On n'a pas un rond, ni l'un ni l'autre. Je serai là demain, après le petit déjeuner.

– Tu es cinglé, Digger.

– Je suis plus capable de travailler avec un seul bras que la plupart avec deux. I'sera jamais dit que Digger Barnes laisse tomber un boulot. Personne n'a jamais dit ça de moi, t'entends?

Oui, il était bougrement costaud à cette époque. En entrant dans l'appartement de son fils, il se sentit au bord du malaise : ses jambes tremblaient et il regardait les objets flotter autour de lui.

– C'est un chouette appartement, dit-il, pressant sa main contre sa tempe.

– Oui, il est bien, n'est-ce pas? dit Cliff.

– Qu'est-ce qu'ils te paient comme directeur de... de quoi, déjà? J'arrive plus à m'en souvenir.

– Bureau des concessions pétrolières. Ils me paient très bien.

– Suffisamment pour te payer cet appartement luxueux et cette grosse bagnole?

– Tu sais, papa, ce sont mes seuls luxes. J'ai un train de vie relativement modeste.

– Possible, mais ça doit douiller, quand même! J'ai comme l'impression que tu as d'autres ressources que ton salaire. Tu ne toucherais pas de pots-de-vin, par hasard?

Cliff jeta un rapide coup d'œil à son père et détourna son regard. Physiquement, Digger commençait à accuser le coup. Il avait le visage marqué et prématurément vieilli des hommes qui ont travaillé comme des bêtes toute leur vie, mais il était encore futé et ne s'en laissait pas facilement conter.

– Papa, si je touchais des pots-de-vin, tu serais mon complice puisque je t'associe à mes affaires. Et je ne voudrais en aucun cas que tu aies des ennuis...

– Des ennuis! Mais je n'ai eu que ça toute ma vie, mon garçon. Et je suis toujours là. Je ne courais pas après, bien sûr, mais je ne les fuyais pas non plus. Alors, ce n'est pas maintenant que je vais commencer.

– Eh bien, tu as assez à faire avec tes propres ennuis, laisse-moi m'occuper des miens. Dis donc, papa, que dirais-tu d'un verre? Tu n'as pas faim? On pourrait casser une petite graine.

– Non, fiston, merci. Je voudrais me reposer d'abord. Je ne me sens pas dans mon assiette.

– Ça ne va pas? Tu veux que j'appelle un toubib?

– Non, penses-tu! Je vais me reposer dix minutes et ça ira très bien. Où est ta chambre?

– La porte en face, papa. Tu ne veux vraiment pas un bol de soupe, quelque chose de chaud?

– Non, rien du tout, Cliff, merci.

Digger fit quelques pas vers la chambre puis s'écroula. Cliff se précipita vers lui en criant son nom. Mais Digger ne lui répondit pas. Ses paupières à demi closes laissaient filtrer un regard vitreux et sa respiration était imperceptible. Digger Barnes n'était plus qu'un vieil homme au bout du rouleau.

Vêtue d'une élégante robe d'intérieur et maquillée avec un soin extrême, Sue Ellen était ravissante et avait l'air d'une toute jeune femme. Son visage fin, bien construit, ne reflétait aucune anxiété, aucune tension, mais ses mains étaient crispées sur ses genoux, comme prêtes à frapper. Le regard fixe, elle ne pensait à rien, ne sentait rien.

Elle ne remarqua même pas la présence de sa sœur qui venait d'entrer dans la pièce.

– Salut! dit Kristin. Jc ne te dérange pas, j'espère? (Elle ne reçut aucune réponse.) Sue Ellen! Ça ne va pas?

Lentement, Sue Ellen revint sur terre. Clignant des paupières, elle tourna vers sa sœur un visage endormi.

– Oh, c'est toi, Kristin?

– Je suis venue bavarder un peu avec toi. Ça fait des mois que nous n'avons pas eu l'occasion de le faire. Tu as l'air bien, maintenant, Sue Ellen. Tu sais, quand maman et moi avons appris que tu avais eu un accident...

– Je n'aime pas parler de ça, l'interrompit vivement Sue Ellen. J'essaie d'oublier cet accident. C'était ma faute. Je n'ai pas vu le stop et la voiture a surgi soudain... D'habitude, je conduis très prudemment.

– Mais maintenant, tu vas tout à fait bien? demanda Kristin, regardant sa sœur avec insistance.

– Mais oui, ça se voit, non?

– Oui... tu as très bonne mine. Ce séjour a dû être une épreuve, dit-elle, l'air songeur.

Sue Ellen la regarda d'un air surpris et Kristin détourna les yeux.

– De quoi parles-tu, Kristin? Quel séjour?

– Je parle de ton séjour en maison de santé, bien sûr!

Sue Ellen éclata d'un rire hystérique qui dégénéra en quinte de toux. Kristin se précipita dans la salle de bains et en revint avec un verre d'eau. Sue Ellen en but une gorgée et sa toux s'apaisa.

– Merci, dit-elle, posant le verre sur la table. La maison de santé était fantastique, enchaîna-t-elle avec un entrain excessif. Les soins, la nourriture, tout était formidable!

– Ecoute, Sue Ellen, nous n'avons jamais abordé le sujet, toi et moi, mais miss Ellie en a parlé à maman. Pourquoi t'es-tu mise à boire comme cela?

– Bah, tout le monde boit dans cette famille. Bon, assez parlé de moi. Et toi? Raconte-moi comment c'était, la Californie.

Kristin se redressa.

– C'était plutôt bien. Nous habitions une suite dans un hôtel avec piscine, parc, etc., superluxueux. Le seul problème, c'était les hommes...

– Ah, les hommes... c'est toujours ton problème...

– Tous ceux que j'ai rencontrés étaient mariés ou pédés, ou suspendus aux basques de leur analyste. Parfois ils étaient tout cela à la fois!

– Pauvre Kristin! Toujours en chasse! Mais tu sais, les hommes, on ne les trouve que lorsqu'on ne les cherche pas. C'est à eux de te trouver. Mais moi, je pense que, de nos jours, c'est assez chouette pour une fille de vivre seule.

– Tu aimerais ça, toi, vivre seule?

– Parfois, je me dis que ce serait beaucoup plus simple, soupira Sue Ellen.

– Que veux-tu dire?

– Profite de la vie, Kristin. Tu peux tout te permettre à ton âge. Et tu n'as à rendre de comptes à personne, c'est tout de même important, non?

– Je ne sais pas... Pour épouser quelqu'un comme JR Ewing, je renoncerais facilement à ma liberté. La richesse et la position sociale me paraissent plus importantes.

– Tu raisonnes encore comme une gamine, Kristin. Mais je vois que les leçons de maman ont porté leurs fruits. Je vais me reposer un peu, maintenant, je suis fatiguée.

– Je te laisse. (Elle se dirigea vers la porte.) Ah, j'oubliais, miss Ellie nous a invitées à dîner, ce soir. Tu descendras?

– Pourquoi me demandes-tu ça? dit Sue Ellen d'un air ironique. Tu voulais occuper ma chaise?

Kristin lui jeta un regard furieux.

– Si tu ne te secoues pas, Sue Ellen, ça finira mal pour toi.

Le bureau de Paul Holliston était situé dans la nouvelle résidence médicale du centre, à deux pas de Reunion Tower. Les murs lambrissés de la salle d'attente étaient recouverts d'un épais tissu et une musiquette soporifique sortait discrètement d'un haut-parleur. Cette ambiance feutrée et intime était destinée à calmer l'anxiété du patient, à le préparer au mieux à supporter les mauvaises nouvelles qui l'attendaient, dont les honoraires du praticien qui n'étaient pas la moindre. Les pauvres ne franchissaient jamais le seuil de la somptueuse salle d'attente du Dr Holliston. Pour lui, ils n'existaient tout simplement pas. Cliff et Pam s'assirent en silence sur un canapé moelleux et profond, recouvert d'un cuir fin comme celui d'un gant, leurs chevilles chatouillées par l'épaisse moquette. Au bout d'une dizaine de minutes, une jeune et jolie infirmière entra et se dirigea à pas feutrés vers eux.

– Le Dr Holliston vous attend, dit-elle en souriant, d'une voix d'hôtesse d'aéroport.

Paul Holliston était un bel homme. Il avait l'aisance de ceux qui sont bien dans leur peau et qui traversent la vie d'un pas léger, sans presque y laisser d'empreintes. Il ressemble à sa salle d'attente, se dit Cliff : riche mais sans chaleur.

– Comment va mon père? demanda Pam.

– Il s'habille. Il sera là dans un instant, répondit Holliston.

– Est-ce que c'est grave, docteur?

– Non, mais il faut absolument qu'il se repose et qu'il arrête de boire.

– Ah bon, fit Pamela, soulagée. Ce n'est pas plus grave que ça!

Digger apparut. Il achevait de s'habiller et rentrait sa chemise dans son pantalon. Il fit une grimace à ses enfants.

– Alors finalement, tu t'es décidée à rendre visite à ton vieux père, dit-il en tendant sa joue à Pamela. Elle est belle, ma fille, n'est-ce pas, docteur?

Holliston approuva avec un hochement de tête.

– Sors-moi d'ici, Cliff. Ce rebouteux ne me parle que des méfaits de l'alcool sur l'organisme! Ça me rappelle mon séjour à l'hôpital méthodiste de Houston, il y a vingt ans.

– Tu ferais peut-être bien de suivre ses conseils, papa, dit Pam.

– J'ai assez souffert physiquement et moralement pour aujourd'hui. Rentrons, mes enfants.

– Vous avez un virus, monsieur Barnes, déclara Holliston d'un ton froid et professionnel. C'est ce qui vous met sur le flanc.

– Eh bien, ça passera, dit Digger.

– C'est possible, mais il y a autre chose. Votre foie est en très mauvais état et l'alcool peut maintenant vous être fatal. Et, à votre âge, travailler dans les forages pétroliers de Californie me paraît tout à fait déraisonnable, monsieur Barnes.

– Il faut bien que je gagne ma vie, docteur.

– Bon, dit Cliff. Plus d'alcool et du repos. Nous y veillerons, docteur.

– Tu parles! Tu crois que je vais me laisser faire? protesta Digger.

– Il y a encore une chose dont je veux vous parler, dit Holliston. Une chose qui vous concerne tous.

Trois paires d'yeux attentifs se fixèrent sur lui.

– Ce qui m'étonne, Cliff, c'est que je n'ai rien remarqué au cours de votre dernier check-up annuel.

– Remarqué quoi? interrogea Cliff.

Holliston s'adressa à Digger.

– Monsieur Barnes, vous a-t-on jamais dit que vous étiez atteint d'une maladie héréditaire, la neurofibromatose?

Digger ricana.

– La dernière fois que j'ai vu un toubib, c'était il y a quarante ans. Il m'a plâtré un bras cassé. Mais ce type n'aurait jamais pu prononcer un mot aussi compliqué, pas plus que moi, d'ailleurs.

– Neurofibromatose..., répéta Holliston.

– C'est ce qui a rendu mon père malade? demanda Pam.

– Non, ça n'a rien à voir. Mais quand j'ai examiné votre père, j'ai découvert six ou sept taches café au lait. Manque de pigmentation de la peau. J'ai examiné ses oreilles. Votre père dit qu'il entend de moins en moins bien...

– Qu'est-ce que vous espérez, à mon âge! s'exclama Digger. Je ne sens plus le poupon!

Ignorant sa remarque, Holliston poursuivit:

– Un examen neurologique et une radio ont confirmé mon diagnostic.

– Où voulez-vous en venir, docteur? demanda Cliff en s'agitant sur sa chaise.

– A ceci: la neurofibromatose est une maladie héréditaire caractérisée par des tumeurs qui se développent sur le trajet nerveux.

– Héréditaire! s'exclama Cliff.

– Est-ce que ça signifie que Cliff et moi sommes exposés? demanda nerveusement Pam.

– Oui, répondit abruptement le médecin. Même si vous n'avez aucun symptôme, vous êtes atteints tous les deux!

Pam regarda son frère, son père, puis de nouveau le médecin.

– Mais, jusqu'à présent, ni papa, ni Cliff, ni moi n'avons eu le moindre trouble. Alors, en quoi est-ce inquiétant?

– Monsieur Barnes, avez-vous eu d'autres enfants?

– Oui, répondit lentement Digger. Que leurs âmes reposent en paix.

– J'avais un frère aîné et une petite sœur, expliqua Cliff. Mon frère est mort quand il avait six mois et ma sœur est morte à un an. On n'a jamais su pourquoi.

Le Dr Holliston eut une moue.

– C'est ce que je craignais, Cliff. Mme Ewing et vous, avez eu de la chance. Vous avez survécu. Votre père également. C'est une maladie qui se transmet de génération en génération. Madame Ewing, avez-vous des enfants?

Atterrée, Pam secoua la tête.

– Et vous, Cliff? Vous n'êtes pas devenu père depuis que nous nous sommes vus, n'est-ce pas?

Cliff hésita.

– Et si je l'étais devenu?

– Eh bien, il faudrait immédiatement procéder à une série d'examens pour détecter d'éventuelles tumeurs. Ces tumeurs deviennent souvent cancéreuses chez les enfants. Je vais être franc, c'est une maladie très grave.

– Vous voulez dire que mes futurs enfants pourraient mourir... comme mon petit frère et ma sœur?

– A six mois ou un an? demanda Pam, soudain livide.

– Je suis navré, mais il est indispensable que vous le sachiez. Oui, ils ont toutes les chances de subir le même sort, répondit le médecin.

Ils rentrèrent chez Cliff en silence. Une fois dans l'appartement, Digger entra directement dans la chambre, et cinq minutes plus tard, il dormait profondément. Pam fit du café, et but le sien à la cuisine, loin de Cliff qui n'avait pas prononcé une parole depuis qu'ils avaient quitté le cabinet du médecin. Perdu dans ses pensées, il ne semblait même pas conscient de la présence de sa sœur. Il se dirigea vers le bar et se versa un scotch bien tassé qu'il avala d'un trait.

– Tu veux boire quelque chose? demanda-t-il à Pam.

– Non merci, répondit-elle en secouant la tête. Je te comprends, Cliff, mais ça ne sert à rien de boire.

– Non, tu ne me comprends pas, répondit-il avec une violence sourde. Comment le pourrais-tu? Le petit John est mon fils et il va mourir.

– Ce n'est pas certain.

– Il faut prévenir Sue Ellen, lui dire la vérité...

– Non, Cliff, tu sais bien que c'est impossible. Elle est trop fragile.

– Mais tu ne comprends pas...

– Je comprends parfaitement ceci : Bobby et moi mourons d'envie d'avoir des enfants. Nous y pensons et en parlons constamment. Et c'est foutu. C'est probablement foutu, en tout cas pour moi. Tu imagines ce que je ressens?

– Il faut préparer Sue Ellen...

– Sue Ellen est très fragile, Cliff. Un choc pareil pourrait avoir des conséquences tragiques pour elle.

– Elle a le droit de savoir, dit Cliff, buté.

– Cliff, Sue Ellen est une malade, une alcoolique dépressive. Elle boit comme un trou. Si elle apprend que son enfant peut mourir d'une minute à l'autre, elle risque de se détruire complètement.

– Mais je ne peux tout de même pas rester assis sans rien faire en attendant que ça arrive!

– Calme-toi. Je vais voir ce que je peux faire.

– Comment ça?

– Je ne sais pas encore... Il faut que j'y pense.

– Tout ce que tu cherches à faire, cria Cliff, c'est à éviter un scandale! Surtout que tes chers Ewing n'apprennent pas la vérité! Tu oublies qu'avant de t'appeler Ewing, tu t'appelais Barnes.

– Ne sois pas ridicule, Cliff. Ce n'est vraiment pas le moment de me faire une scène. J'essaie de vous aider, Sue Ellen et toi. Et plus encore ce pauvre bébé.

– D'accord, cria-t-il, dissimulant sous cette brusque colère la honte et la souffrance qu'il éprouvait. Mais je veux savoir exactement ce qui arrive à mon fils.

– Je suis ta sœur. Tu peux me faire confiance, il me semble!

– C'est ma femme que tu contemples, JR?

Un Bloody Mary à la main, JR se retourna brusquement.

– Ah, salut, Bobby! Oui, je regardais Pamela. Beau brin de fille! Tu as de la chance, mon vieux. Je me demandais si Sue Ellen n'aurait pas envie d'un maillot comme celui que porte Pamela.

– Ah bon, répondit Bobby, d'un ton légèrement sarcastique. C'est pour ça que tu la regardais fixement depuis cinq minutes?

Il entra dans la maison, suivi de JR. Dans la salle à manger, Jock terminait son café.

– Nous allons être en retard, miss Ellie, annonça-t-il.

– Oh, Jock, ça fait des années que j'entends ça! D'après toi, je devrais toujours être en retard partout et je suis chaque fois à l'heure. Bonjour, les garçons! Ça va?

– Où allez-vous donc, si tôt? demanda JR.

– Ton père m'emmène à une vente de charité. Je n'ai mis les pieds dans aucune de ces ventes depuis la naissance de John. Il faut vraiment que j'y aille, cette fois-ci.

– Tu as installé Patricia et Kristin en ville? demanda Jock à JR.

– Oui, elles sont ravies.

– JR, je passerai au bureau après avoir accompagné ta mère, dit Jock en quittant la salle à manger. Je voudrais te parler de ce jeune avocat que tu as engagé – comment s'appelle-t-il, déjà?

– Alan Beam.

– Il faut qu'il constitue un dossier solide contre Cliff Barnes. Nous n'avons plus beaucoup de temps, tu sais.

– Ne t'inquiète pas, papa, je suis l'affaire.

– Bon. Si tu as besoin d'un coup de main, demande à Bobby.

– Je m'en tirerai très bien tout seul.

Enveloppée dans un peignoir de bain, Pam entra dans la salle à manger en se séchant les cheveux avec une serviette éponge.

– Vous voulez prendre votre petit déjeuner, Pam? demanda miss Ellie.

– Je ne veux qu'une tasse de café. Je devrais déjà être partie.

– Mais tu n'es pas en retard, fit observer Bobby.

– Je ne travaille pas, aujourd'hui. Je m'apprête à emmener John chez le pédiatre pour une visite de routine.

– Mais pourquoi Sue Ellen ne l'emmène-t-elle pas elle-même? demanda Bobby.

– Elle n'a pas le temps aujourd'hui. Je le lui ai proposé moi-même, dit Pam avec naturel.

Sans un mot, JR quitta la pièce et monta au premier.

En slip et soutien-gorge transparents, Sue Ellen se maquillait devant sa coiffeuse. Pendant un long moment, il eut l'impression étrange de contempler une inconnue. Son corps était étonnamment mince en dépit de ses seins généreux et de ses hanches larges. Ses fesses rondes tendaient le fin tissu et, soudain, JR eut envie d'elle. Elle le regarda s'approcher d'elle dans le miroir de la coiffeuse.

– Je suis sûre que tu ne pouvais pas partir au bureau sans jeter à ta femme un dernier regard émerveillé, dit-elle d'un ton sarcastique.

– Eh bien, même si tu ne le crois pas, c'est exactement ce qui se passe, Sue Ellen.

Il posa sa main sur son épaule. La peau de Sue Ellen était lisse et tiède. Elle frissonna tandis qu'il suivait du doigt la courbe de son dos.

– Arrête, murmura-t-elle.

– J'ai envie de toi, Sue Ellen.

– Je ne te comprends pas, JR. Je ne sais plus qui tu es.

– Mais c'est absurde, voyons! Je suis toujours l'homme dont tu es tombée amoureuse et que tu as épousé. Oh, je sais que ça n'a pas toujours été facile entre nous.

Ses mains sur ses hanches se firent insistantes. Il la sentit soudain se raidir et l'attira contre lui. Si elle ne parvenait pas à se donner avec confiance, du moins résistait-elle rarement.

– J'ai essayé de changer, Sue Ellen, tu dois admettre que depuis ton accident, j'ai fait des efforts pour devenir un mari aimant et attentionné. (Il écarta son slip, lui caressa les fesses et murmura, le nez dans ses cheveux :) Tu as le cul le plus excitant que je connaisse, Sue Ellen...

– Je n'ai pas envie que tu me touches, dit-elle.
– Mais bon Dieu, je suis ton mari!
– J'ai l'impression d'être mariée à un étranger.

Il lui prit les seins par-derrière, et elle sursauta, tenta de se dégager.

– C'est ce que tu voudrais, n'est-ce pas? Un autre étranger dans ton lit, dit-il.
– Tu m'avais promis...
– De ne jamais prononcer le nom de Cliff Barnes? De ne jamais te reparler de ton amant?
– Je ne t'ai trompé qu'une fois...
– Possible, mais ce fut lourd de conséquences! Dois-je te rappeler qu'il est le père de John? (Il glissa ses doigts dans son soutien-gorge.) Tu as des seins superbes, chérie, murmura-t-il, se pressant contre le dos de Sue Ellen. La maternité te réussit.
– Laisse-moi... je n'en ai pas envie.
– Nous nous sommes aimés, Sue Ellen..., et moi... je t'aime encore.

Soudain exaspérée, elle se dégagea et se tourna vers lui, les joues rouges :

– Je ne te demande rien, JR, et surtout pas d'accomplir ton devoir conjugal. C'est ton père qui t'a fait la leçon? Il trouve que tu me délaisses? Rassure-toi, il n'est pas là! Tu n'as pas besoin de forcer ton talent!
– Tu es vraiment incroyable! Tu gémis à longueur de journée sur ton sort, tu prétends que je t'abandonne, que je ne t'aime pas, et quand je m'approche de toi, tu m'envoies au diable!
– Je suis surprise que tu aies encore envie de faire l'amour, avec toutes les filles que tu t'envoies, JR. Je pensais que tu étais aussi à sec qu'un marigot en été.
– Ah, nous y voilà! Une scène de jalousie, dit-il,

reculant d'un pas et réajustant ses vêtements. Je ne suis pas monté pour ça, figure-toi, mais pour te rappeler à tes devoirs de mère.

Elle attendait.

– Pourquoi as-tu chargé Pamela d'emmener John chez le pédiatre? Pourquoi n'y vas-tu pas toi-même? Il me semble qu'une mère doit s'occuper de la santé de son gosse, non?

– Cet enfant est pour moi une punition, une croix que je dois porter et qui me rappelle sans cesse que j'ai permis à deux hommes cruels et irresponsables de coucher avec moi.

– J'ai accepté cet enfant, pourquoi n'en fais-tu pas autant?

– Pour toi aussi, JR, cet enfant est une punition. Et ce n'est pas grand-chose en comparaison de tout le mal que tu as fait... Et maintenant, j'aimerais bien terminer ma toilette si tu n'y vois pas d'inconvénient.

El Rancho Chili est situé au nord-est de Dallas, face à un terrain vague où s'amoncellent les voitures à la casse, pris en sandwich entre le centre commercial et un cinéma porno. Une douzaine de tables sont installées dehors, sous des parasols rouge et blanc. Alan Beam, mince, le visage tourmenté, s'était assis à une table et avait commandé une bière qu'il buvait maintenant en face de JR. Lorsque celui-ci l'avait rejoint, Beam ne s'était pas levé et JR avait pris bonne note de cette désinvolture.

– Bon Dieu, Alan, je vous avais demandé de nous trouver un endroit discret, pas un bouge! Je meurs de faim et ils n'ont sûrement rien de mangeable dans cette gargote.

Une serveuse – short ultra-court, bottes, chapeau texan – apparut, un bloc à la main. JR fut frappé par sa beauté. Dans un concours, elle n'aurait peut-être pas décroché le premier prix, mais elle aurait mérité une place d'honneur. Incroyable, le nombre de jolies filles qu'on pouvait rencontrer à Dallas!

– 'Jour. Qu'est-ce que vous prendrez? demanda-t-elle avec l'accent traînant de la région.

– Une assiette de chile et un autre demi pour moi, mademoiselle. Même chose pour vous, JR?

JR regardait la fille avec insistance. Elle attendit patiemment. Elle travaillait depuis des années à l'El Rancho et connaissait la musique.

– Dites-moi, beauté, vous n'auriez pas du poulet rôti avec un peu de sauce à la crème?

– Vous voulez boire quelque chose avec?

– Du thé glacé, si vous en avez.

– Ouais, on en a.

Ils la regardèrent s'éloigner en balançant les hanches.

– Bon Dieu, quel beau brin de fille! dit Alan, l'œil allumé. J'adore ce genre de bistrot.

– On doit finir par s'habituer aux gargotes quand on est fauché, commenta JR avec sa lourdeur habituelle.

– Oh, il est probable qu'on n'y mange pas très bien, mais vous devez reconnaître que notre déjeuner ici, aujourd'hui, a quelque chose de symbolique...

– Epargnez-moi votre philosophie, répliqua JR, agacé.

– Ce n'est pas de la philosophie, JR, c'est du réalisme. Si vous n'arrivez pas à coincer Cliff Barnes d'une manière ou d'une autre, vous n'aurez bientôt plus de quoi vous offrir autre chose que ces gargotes, comme vous dites.

– Je ne vous trouve pas drôle.

– Je ne cherche pas à l'être.

La serveuse revint avec un plateau. Ils se turent tandis qu'elle posait les plats sur la table. Elle repartit avec nonchalance vers la cuisine en tortillant des fesses.

– Je la mettrais bien dans mon lit, celle-là! murmura Alan en la suivant du regard.

– Nous sommes ici pour parler affaires, Alan. Je vous ai engagé parce qu'il me fallait un jeune et brillant avocat, un homme ambitieux...

Flatté, Alan prit l'air avantageux tout en commençant à manger son chile.

– D'après ce que je sais de Cliff Barnes et de vous, JR, c'est plutôt un homme de main qu'il vous faut, une sorte de tueur à gages!

JR goûta son poulet et fit une grimace. Il repoussa son assiette et but la moitié de sa tasse de thé. Il était tiède et insipide. Alan éclata de rire devant son expression de dégoût.

– Vous avez plus de talent pour définir votre rôle que pour choisir les restaurants, Alan. Je crois que vous pouvez parfaitement faire l'affaire.

– Ça dépend.

– Ça dépend de quoi?

– De ce que vous êtes prêt à y mettre.

– Les gens qui travaillent pour JR Ewing ne s'en plaignent pas, en général.

– Que voudriez-vous, au juste? Que je laisse tomber Smithfield et Bennett?

– Qu'est-ce qui vous fait croire ça? Non, au contraire. Un cabinet d'avocat ayant pignon sur rue, c'est une excellente couverture. Mais dans certains cas, il vous faudra être d'une discrétion absolue. Vous ne révélerez rien de nos affaires. Vous avez des questions à me poser?

– J'imagine que cette discrétion envers mes collaborateurs concerne surtout l'affaire Barnes, non?

– Bien entendu. Il faut que vous avanciez masqué. Il s'agit de fourrer votre nez partout, mais sans que personne ne s'en rende compte.

– Cliff Barnes s'est fait une réputation d'écologiste enragé. Il ne veut plus laisser les milliardaires du pétrole défigurer notre Texas bien-aimé. Ce ne sera pas difficile pour moi de m'introduire dans leur groupe.

– Ce salaud se fout éperdument du Texas et de l'environnement. Il poursuit une vengeance personnelle. C'est son unique motivation.

– Ce n'est pas sérieux, JR! Vous ne croyez tout de même pas à ces sornettes!

– Vous travaillez pour moi, Alan, vous n'avez pas à me dire ce que je dois croire ou ne pas croire.

– Je m'en garderais...

JR prit l'air agacé.

– Jouons cartes sur table, Beam. Ne me faites pas de cinéma. Vous me faites penser à un chien qui cherche à attraper sa queue.

– Si j'étais franc, répliqua Alan, soutenant le regard de JR, vous n'auriez aucun besoin de moi. Je suis un type retors, JR, comme vous. Je suis né comme ça, retors, toujours sur la brèche. Vous, JR, vous vous êtes battu pour vous imposer sur le plan professionnel mais c'était au sein de votre propre famille, tandis que moi, il a fallu que je me sorte des bas-fonds de Chicago! Et je n'ai pas l'intention d'y retourner. On ne se bat pas avec ses poings, il n'y a que les minables qui font ça! Moi, je me bats avec ma tête, avec des mots. Et c'est comme ça que je vous débarrasserai de Barnes.

JR le regarda avec insistance.

– Vous pensez pouvoir me débarrasser de Cliff Barnes?

– Oui, je le pense.

– Qu'est-ce qui vous fait croire ça?

– Vous êtes persuadé que Cliff Barnes est possédé du désir de vengeance, et peut-être en est-il lui-même convaincu. Mais, en fait, c'est autre chose qui le fait courir.

– L'argent?

– Entre autres, mais pas seulement ça. Ce qui l'intéresse vraiment, c'est la puissance. Il veut devenir un homme puissant, et les ambitieux forcenés sont aveugles à tout le reste.

JR s'appuya contre le dossier de sa chaise, les pouces glissés dans sa ceinture.

– On va peut-être régler tous les deux nos problèmes, Alan.

– C'est un honneur pour moi de travailler avec vous, JR.

– Naturellement, dans la mesure où vous ferez du bon boulot, il y aura à la clef une somme coquette et non déclarée, dit JR. (Alan lui tendit la main et JR la serra sans enthousiasme.) Eh bien, voici une affaire conclue, déclara JR.

– Oui, nous travaillons ensemble à partir d'aujourd'hui.

Le visage de JR se durcit.

– Comprenons-nous bien, Alan. Nous ne travaillons pas ensemble, c'est vous qui travaillez pour moi. Et ce n'est pas près de changer!

Alan rougit jusqu'à la racine des cheveux.

– C'est ainsi que je voyais la chose, JR.

– Et la prochaine fois que nous déjeunerons ensemble, je choisirai moi-même le restaurant. J'ai horreur des gargotes.

Pam attendait dans la chapelle de Thanksgiving Square. Pour la première fois depuis longtemps – peut-être la sérénité de l'endroit l'y incitait-elle – elle tenta de s'interroger avec honnêteté sur elle-même. Mais il y avait tant de questions et si peu de réponses! Elle avait envie de pleurer, mais elle détestait s'apitoyer sur elle-même. Maintenant, il était grand temps qu'elle fasse quelque chose de sa vie, qu'elle trouve une solution aux problèmes qui l'accablaient. Elle sentit soudain que quelqu'un s'asseyait à côté d'elle et cette intrusion l'irrita, comme si cet endroit et cette heure n'eussent appartenu qu'à elle. Elle tourna la tête : Cliff, le visage sombre et tendu, était assis à côté d'elle.

– Pourquoi as-tu ramené le petit si vite à Southfork, hier? murmura-t-il. Je voulais le voir.

Elle s'adoucit.

– Tu semblais furieux au téléphone, Cliff. Tu semblais capable de n'importe quoi... tu m'as fait peur.

– De quoi te mêles-tu? John est mon fils.

– Ecoute, Cliff, tu ne penses qu'à toi et à ta propre souffrance, et je te comprends, bien sûr, mais...

– Mais quoi?

– C'est plutôt Sue Ellen qui me préoccupe, dans cette histoire.

– Tu crois que je me fous de la réaction de Sue Ellen?

– Et je me fais beaucoup de souci pour Jock et pour miss Ellie. Ils sont âgés et un choc pareil...

Il respira à fond et se leva.

– Sortons d'ici.

Elle le suivit. Dehors, l'air était lourd, immobile, anormalement chaud pour la saison. Cliff eut un moment de découragement. Il avait envie de tout laisser tomber, les soucis, les problèmes, cette lutte épuisante qu'il menait contre les Ewing. Et s'il se trompait? Si, finalement, sa vengeance ne lui donnait aucune satisfaction? Si elle ne faisait aucun bien à Digger? Peut-être, au bout du compte, leur ferait-il à tous plus de mal que Jock n'en avait jamais fait à son père?

– Dis-moi exactement ce que t'a dit le pédiatre de Fort Worth.

– Le Dr Grovner, dit Pam, cherchant à se souvenir des paroles exactes du médecin. C'est une femme. Elle dit que John est en parfaite santé en ce moment.

– En ce moment..., répéta Cliff.

– Elle a fait toute une série d'analyses et elle n'a rien trouvé d'anormal. De plus, il n'a aucune de ces fameuses taches café au lait sur le corps.

– Donc il n'a rien! C'est fantastique!

– Ça ne prouve rien, Cliff. Il est bel et bien porteur. Souviens-toi de ce que le médecin nous a expliqué : c'est une maladie héréditaire et le fait qu'il ne présente actuellement aucun symptôme ne prouve rien. Si tu l'as, il l'a.

– Oui, mais enfin, moi je n'en suis pas mort! S'il n'a aucun symptôme, il s'en tirera.

Cliff, qui faisait les cent pas, se planta devant Pamela.

– Il a tout de même une chance de s'en tirer, non? insista-t-il.

– Personne n'en sait rien. Le médecin dit que

chez les adultes le taux de mortalité est faible. En revanche, chez l'enfant, il peut apparaître des tumeurs à tout moment. Des tumeurs qui dégénèrent en neuroblastomes.

– Qu'est-ce que c'est que ça?

– Des tumeurs cancéreuses. Le taux de mortalité est élevé chez les enfants, Cliff.

Il se retourna brusquement pour cacher son désarroi.

– Nous ne pouvons rien faire d'autre que des examens fréquents, dit Pam.

Ils marchèrent quelques instants en silence.

– Tu en as parlé à Bobby? demanda Cliff.

– Non, pas encore.

– Combien de temps penses-tu encore pouvoir garder le secret?

– Je ne sais pas, mais ça me rend malade d'en parler.

– Tu m'as dit que Bobby voulait des enfants.

– Oui, il les adore.

– Alors, il va bien falloir que tu le lui dises.

– Tu crois que c'est facile à dire? Lui qui rêve d'avoir une famille à lui!

Ce même après-midi, Cliff reçut Alan Beam à son bureau. La première fois qu'ils s'étaient rencontrés, au meeting « Sauvez le Texas », le jeune avocat avait fait une excellente impression sur lui. Alan Beam lui faisait l'effet d'un type brillant, ambitieux et efficace. Et vraiment décidé à faire quelque chose pour sauver l'environnement menacé par les industries polluantes du Texas, et en particulier par les compagnies pétrolières. C'était exactement le genre d'hommes dont Cliff avait besoin dans son équipe.

– Alan, dit-il, avant tout chose, je veux vous dire combien je suis heureux que vous vous joigniez à nous. Si beaucoup de gens approuvent notre action, bien peu sont en mesure de la soutenir efficacement.

Alan se mit à rire.

– Vous savez ce qu'on dit de Dallas? Que c'est la ville où rien n'est impossible. Eh bien, pour moi, rien n'est impossible.

– Bravo! C'est une disposition d'esprit qui va nous être précieuse car il y a beaucoup à faire. Mon but, c'est de mobiliser l'opinion, d'organiser un vaste mouvement afin d'empêcher les compagnies pétrolières de forer n'importe où. La puanteur du pétrole et de l'argent pétrolier doit être combattue. Il faut assainir la région, purifier l'air et contrer l'influence politique des trusts pétroliers.

– Je vous aiderai de mon mieux, Cliff, je suis là pour ça.

– Laissez-moi quelques jours pour réfléchir à la meilleure façon d'utiliser vos talents, Alan.

– En fait, j'y ai déjà beaucoup réfléchi moi-même, Cliff. J'ai compris peu à peu que vous faisiez quelque chose d'important, non pas seulement en tant que directeur du Bureau des concessions pétrolières, mais en tant qu'individu. Cependant, je crois qu'il faut viser plus haut.

– Que voulez-vous dire?

– Ceci : le Texas et la nation ont besoin de gens intègres, compétents et dynamiques, pour faire voter les lois servant l'intérêt général et pour empêcher les grandes compagnies de tuer la poule aux œufs d'or. En d'autres termes, l'Etat a besoin d'hommes comme Cliff Barnes.

Cliff croisa les doigts et regarda Alan d'un air songeur.

– Je serais un menteur si je niais avoir jamais pensé à me faire élire, répondit-il.

– Donc, vous êtes d'accord avec moi, s'écria Alan avec enthousiasme.

– Oui et non. Je ne suis pas certain que ce soit la meilleure façon de lutter pour cette cause.

– Mais si, bien sûr que si! C'est la seule façon d'exercer tous vos talents, de répondre à la confiance des gens qui ont misé sur vous. J'irai même plus loin, Cliff, je pense qu'il n'y a pas d'autre solution.

– Je suis un peu jeune pour ce genre de poste, et j'ai une expérience limitée.

– Je vous verrais tout à fait à la Chambre des représentants, enchaîna Alan. A Washington, vous feriez l'effet d'une bouffée d'air pur parmi tous ces magouilleurs. Washington est une bonne rampe de lancement. Souvenez-vous de L. B. Johnson... il n'était qu'un petit instituteur de campagne lorsqu'il s'est fait élire au Congrès, et il a terminé à la Maison-Blanche.

Cliff se refusait à rêver ainsi. Mais, malgré tout, le discours d'Alan touchait en lui une corde sensible.

– Faire campagne pour se faire élire au Congrès, ça demande une sacrée organisation...

– Vous aurez tout le mouvement écologiste derrière vous, ne l'oubliez pas. Laissez-moi faire et, dans quelques semaines, j'aurai gagné une bonne partie des jeunes de Dallas à votre cause. Je vais vous amener une équipe active et dévouée et tout s'organisera à la perfection.

– Vous avez peut-être raison, Alan.

– Je suis certain d'avoir raison, insista Beam.
– Mais il y a une chose qui m'inquiète, c'est l'argent. Une campagne électorale bien menée coûte une fortune de nos jours. Je n'ai pas un rond et je ne vois pas qui serait prêt à me financer.
– Je vais m'en occuper. Je n'ai pas mon pareil pour faire cracher leur fric aux riches contribuables. Je vais réunir les fonds nécessaires.
– Vous croyez vraiment que les gens fortunés seront disposés à me soutenir?
– J'en suis sûr. J'en suis absolument convaincu, Cliff. Vous êtes le candidat rêvé. Engagé dans une action qui les concerne et passant bien la rampe. Ils vont tous voter pour vous. Donnez-moi le feu vert, Cliff, et la fête va commencer.
Le feu vert, songea Cliff. Il suffisait de lui donner le feu vert pour tout déclencher et se retrouver au sommet de la pyramide. Depuis son enfance, il rêvait de gloire, de puissance et de richesse.
– Allez-y, dit-il, d'une voix claire, bien timbrée. Mettez tout ça sur pied, Alan, vous ne le regretterez pas.
Alan lui tendit la main avec un large sourire. Barnes répondait exactement à l'idée qu'il s'en faisait : un type qui avait fini par se convaincre qu'une haute destinée l'attendait, un homme facilement manipulable, condamné à l'échec.

Quelques jours plus tard, toute la famille Ewing assista à une pièce au Grand-Théâtre de Dallas. Ce fut une soirée agréable. Ils dînèrent d'abord à l'hôtel Fairmont. Caviar Beluga, homard du Maine, bœuf Wellington, deux excellentes bouteilles de vin français, dessert et café.
Seule, Sue Ellen semblait s'ennuyer. Elle man-

geait sans appétit et se contentait de répondre par monosyllabes aux questions qu'on lui posait. Pendant tout le premier acte, le visage tendu, elle garda ses mains jointes sur ses genoux serrés. A l'entracte, miss Ellie la prit à part.

– Ça ne va pas, Sue Ellen?

– Non, j'ai la tête vide et je me sens au bord du malaise.

– Oh, ma pauvre enfant! Attendez, je vais vous chercher un verre d'eau.

– Je crois que je ferais mieux de rentrer.

– Oui, c'est plus prudent. JR va vous raccompagner.

JR la ramena à Southfork. Kristin avait insisté pour accompagner sa sœur, et toutes deux étaient assises à l'arrière, silencieuses.

Lorsque Sue Ellen sortit de la voiture, elle semblait avoir retrouvé un peu de vitalité et ses joues étaient moins pâles.

– Kristin, dit-elle avec un sourire mielleux, je ne comprends vraiment pas pourquoi tu n'es pas restée là-bas.

– J'ai pensé que tu aurais peut-être besoin de moi. Comment te sens-tu, à présent?

– Beaucoup mieux, merci. Il faisait si chaud dans ce théâtre..., il n'y avait pas d'air.

– L'air conditionné marchait et la température était parfaitement normale, répliqua JR d'un ton irrité.

– Je monte me coucher, dit Sue Ellen. JR, pourquoi ne retournes-tu pas au théâtre avec Kristin? Vous auriez encore le temps de voir le dernier acte.

– Je vais t'aider à te coucher, dit Kristin.

– Mais non, je n'ai pas besoin de toi.

– Ne t'inquiète pas, Kristin, je vais m'occuper de Sue Ellen, dit JR.

– Dieu, quelle sollicitude! Je suis comblée! s'écria Sue Ellen d'un air ironique.

JR et Sue Ellen montèrent dans leur chambre. Elle se déshabilla immédiatement tandis que JR la contemplait, émoustillé par cet effeuillage.

– A quoi rime tout ce cinéma? demanda-t-il soudain, se souvenant de l'exaspération qu'il avait éprouvée toute la soirée.

– Quel cinéma? Je me couche, voilà tout, répliqua-t-elle.

– Sue Ellen, j'en ai marre de tes airs de *mater dolorosa* et de tes caprices permanents. Que cherches-tu, au juste? Que veux-tu? Peux-tu me le dire?

Lui tournant le dos, elle ôta son soutien-gorge et ses panties. Chaque fois que JR la regardait se déshabiller, il la revoyait au début de leurs amours. Il revoyait ce corps merveilleux avec ses exigences silencieuses et le plaisir qu'elle lui donnait. Mais, très vite, il s'était ennuyé avec elle. Son ardeur avait sensiblement diminué puis s'était éteinte. Il avait vu la rage, la confusion et la peur envahir peu à peu Sue Ellen. Au début, ses défaillances intempestives le gênaient et puis, il avait cessé d'y penser. Elle enfila sa chemise de nuit et il revint brusquement à la réalité.

– Réponds-moi, nom de Dieu, cria-t-il. Qu'est-ce que tu veux au juste?

Elle se retourna vers lui.

– Me coucher, et seule!

– Espèce de salope! Tu cherches à obtenir quelque chose et je saurai ce que c'est!

Elle éclata d'un rire sardonique et amer. Il frissonna, mais cette fois-ci, il était décidé à aller jusqu'au bout de cette discussion, à essayer de comprendre.

– JR, la première chose qui te vient à l'esprit avec ta mentalité tordue, c'est que je cherche à obtenir quelque chose, répliqua-t-elle d'une voix sifflante. Mais tu te trompes. Je ne cherche rien. Je ne veux rien.

Il savait que c'était vrai, mais il ne pouvait supporter ça. Décidément, sa femme était pour lui une énigme.

– Ne me raconte pas d'histoires, Sue Ellen! Pourquoi passes-tu tes journées à jouer les malades et à rester au lit? Laisse tomber cet air lugubre d'épouse délaissée, destiné à attendrir toute la famille. Ton numéro avec papa et maman, tu crois que je ne le vois pas? Tu ne crois pas que tu en rajoutes? Je te connais par cœur, Sue Ellen. Et quelle comédie, ce soir, au théâtre! « J'ai la tête vide, miss Ellie... Je me sens au bord du malaise! » Tu te portes comme un charme, mais tu ne cesses de t'apitoyer sur toi-même. Tu n'es qu'une foutue alcoolique, voilà tout!

– Merci, JR. Quelle sensibilité, quel tact!

– Tout ça, c'est du cinéma, tu m'entends? cria-t-il, fou de rage. Tu n'as rien du tout!

– Mais dis-moi, je ne connaissais pas tes talents de médecin! Depuis quand exerces-tu? Tu caches bien ton jeu. Que de secrets... que de turpitudes!

– Ça te va bien de parler de turpitudes, Sue Ellen! Que faisais-tu avec Cliff Barnes, l'autre jour?

– Avec Cliff Barnes? répéta-t-elle, interloquée, ne comprenant pas à quoi il faisait allusion.

– Je vais te rafraîchir la mémoire, ma petite. Vous avez déjeuné ensemble au restaurant *Gardens*.

– Ah oui, c'est vrai... J'avais complètement oublié!

– Tu parles! N'essaie pas de me faire croire que c'était une rencontre fortuite!

– Mais si, justement! D'ailleurs, j'étais avec maman et Kristin. Tu crois que je voulais le présenter à ma famille? De toute façon, si ça peut te rassurer, je méprise Cliff Barnes presque autant que toi.

– Pourquoi devrais-je croire un mot de ce que tu me dis à propos de Barnes? Comment veux-tu que j'aie confiance en toi après ce qui s'est passé entre vous?

– Maintenant, c'est à moi de te poser la question : où veux-tu en venir, JR? Tu insinues que Cliff et moi, nous continuons à nous voir? Et de toute façon, qu'est-ce que ça peut te faire? Après tout, ça te délivrerait de tes odieuses obligations conjugales si difficiles à remplir!

– Je ne suis pas jaloux, si c'est ce que tu imagines.

– Oh, je n'ai pas cette prétention! Je pense que tu ne t'intéresses à moi que lorsqu'un autre homme s'occupe de moi. La seule chose qui t'intéresse, c'est de cavaler. Dès que tu as obtenu ce que tu voulais, c'est terminé et tu passes à la suivante.

– Tu es toujours amoureuse de ce sale petit arriviste, voilà la vérité!

Elle se mit au lit.

– Puisque tu règles les comptes, ce soir, parlons un peu de toi, mon vieux. Pour l'amour du ciel, laisse tomber ce grotesque numéro du mari attentionné auquel tu te livres devant tes parents. Je vais te dire une bonne chose, JR : Je me fous complètement de toi! Ce que tu veux et ce que tu penses ne m'intéresse pas. Et maintenant, sors de ma chambre et fous-moi la paix!

Vert de rage, il ne bougeait pas. Pendant quelques secondes, elle crut qu'il allait se jeter sur elle et la gifler, mais il se contenta de quitter la pièce en claquant violemment la porte derrière lui.

Elle enfouit son visage dans son oreiller, ferma les yeux et se mit à sangloter.

Southfork était paisible. Les autres étaient partis se coucher. Les corrals étaient vides et le calme régnait dans les écuries. On entendait chanter les grillons et parfois beugler une vache au loin. C'était une belle soirée.

Assis dans le patio, Pam et Bobby profitaient quelques instants encore de la douceur de la nuit. Bobby regarda sa femme. Depuis le début de la soirée, elle semblait mal à l'aise et, chaque fois qu'il croisait son regard, elle détournait les yeux. Il ne put se retenir de l'interroger.

– Tu es sûre de m'avoir tout dit à propos de Digger?

Sans le regarder, elle répondit :

– Oui... pourquoi me demandes-tu ça?

– Je ne sais pas... cette pièce était tordante et pourtant tu n'as pas ri une seule fois.

– C'est vrai... j'avais la tête ailleurs.

Il hésita un instant.

– Qu'est-ce que tu as, Pam?

Elle frissonna.

– Bobby, prends-moi dans tes bras.

– C'est ce que j'ai envie de faire depuis le début de la soirée, mon amour, murmura-t-il en la serrant contre lui.

Elle demeura un instant immobile, la joue contre

sa poitrine. Il était si solide, si sûr. Elle puisait dans leur amour la force nécessaire pour ne pas sombrer. Perdre Bobby, c'eût été comme perdre la vie.

– Tu trembles, ma chérie, remarqua-t-il.

– J'ai quelque chose à te dire.

– Concernant Digger?

– Non. Nous concernant.

Elle le sentit se raidir imperceptiblement puis faire un effort pour se détendre.

– Que se passe-t-il?

– Bobby, j'ai réfléchi. Je ne veux pas d'enfant. Je n'en ai pas le courage.

Il se détacha d'elle et laissa tomber les bras, furieux et consterné.

– Je ne te comprends pas, dit-il sèchement.

– Je t'en supplie, ne me demande pas d'explications.

– Mais hier, tu étais folle de joie à cette idée! Qu'est-ce qui t'a fait changer d'avis?

– Bobby, je t'en supplie, ne te mets pas en colère, je t'aime tellement!

– Mais enfin, mets-toi à ma place! De quoi as-tu peur? De perdre ta liberté? Ça te semble moins aliénant de coller des étiquettes sur des robes que d'être mère de famille? Tu sais ce qu'un enfant représente pour moi, Pam. Je veux des enfants de toi, je veux fonder une famille.

– Tu ne parles que de toi, Bobby, mais moi aussi j'existe!

– Mais toi aussi tu veux des enfants, Pam. Je le sais.

– Voilà! Comme ça, le problème est réglé! Je veux des enfants puisque tu l'as décidé.

– Ce n'est pas vrai peut-être?

– Oh, laisse tomber, Bobby! Je t'en supplie, ne me traque pas comme ça, cria-t-elle d'une voix brisée.

Il la regarda s'enfuir vers la maison. Il était certain que ni l'un ni l'autre ne parviendrait à oublier cette scène.

TROISIÈME PARTIE

LES EWING AUJOURD'HUI

7

Ce matin-là, en se rasant, Bobby entendit à la radio l'annonce de la nationalisation. « L'Ewing Oil, expliqua le speaker, était la seule compagnie pétrolière américaine possédant des concessions dans le Sud-Est asiatique. Les pertes se chiffrent en centaines de millions de dollars, peut-être même en milliards. Cela signifie la fin de l'une des plus importantes compagnies indépendantes des Etats-Unis. Jock Ewing, figure légendaire au Texas et en Louisiane, a commencé sa carrière il y a quarante ans... »

Bobby éteignit la radio. Il était atterré. Si cette information catastrophique était exacte, l'Ewing Oil ne s'en relèverait pas. Les importants intérêts financiers de l'Ewing Oil dans sa filiale asiatique allaient entraîner une catastrophe en chaîne et tout l'édifice risquait de s'effondrer. Y compris Southfork. Ce ranch qui avait permis l'édification de tout l'empire Ewing, ce ranch qui était leur fierté allait y passer également. Il enfila un jean délavé, des bottes, une vieille chemise et dévala l'escalier.

Il n'y avait personne dans la salle à manger. Il

trouva miss Ellie dans le patio, en train de prendre son petit déjeuner. Il embrassa sa mère et se versa une tasse de café.

– Où sont-ils tous?

– Assieds-toi, Bobby, et mange quelque chose.

– Je crois qu'il vaut mieux que je file au bureau, maman. Je suis en retard.

Elle leva les yeux vers lui.

– J'ai entendu les nouvelles, Bobby. Je suis au courant. Tu penses que nous avons une chance de nous en sortir?

Il la regarda avec étonnement. Toute sa vie, sa mère avait fait face aux problèmes graves avec un courage et un calme extraordinaires. Jock aussi était un dur, un chasseur traquant sans fin sa proie et rapportant la viande à la maison. Mais lorsqu'il s'agissait de garder la tête froide et de trouver une solution, on pouvait compter sur miss Ellie. En quelques mots et avec une grande clarté d'esprit, elle allait au cœur des choses.

Bobby avait trop de respect pour elle pour lui mentir.

– Si ce que dit la radio est vrai, nous sommes foutus. Nous allons tout perdre.

– Même Southfork?

– Oui, maman, c'est probable.

Elle leva la tête mais ne but pas. Il remarqua que sa main tremblait.

– Quand je pense qu'il a conclu cette affaire d'Asie sans nous en parler! On peut dire que c'est une réussite! s'exclama Bobby.

– Oui, c'est du JR tout craché, ça. Il est insatiable, il lui en faut toujours plus. Ton père était comme ça quand il était jeune.

– Peut-être, mais papa en avait le droit. Ses actes n'engageaient que lui. Maintenant, l'Ewing Oil est une affaire de famille, et il est inconcevable de sa part de nous faire courir à tous de pareils risques.

Il regarda vers la maison.

– Où est Papa? Où est JR?

– Ils ont filé sans même prendre de petit déjeuner.

– Je ferais bien d'en faire autant, maman.

– Détends-toi cinq minutes, Bobby. Ce n'est pas le moment de perdre ton sang-froid.

– Crois-moi, JR va passer un mauvais quart d'heure!

– Bobby, dit-elle d'un ton sévère, n'en fais pas une affaire personnelle. Cette histoire concerne toute la famille. Garde ton énergie pour autre chose que des récriminations et, si tu peux sauver quelque chose, sauve-le.

– Je vais essayer, maman, mais avoue quand même que tout ça est rude! (Il l'embrassa sur les cheveux.) Essaie de ne pas trop y penser.

Elle lui sourit.

– Ça me sera difficile.

Lorsque Bobby arriva, une foule de reporters était entassée dans le hall de l'Ewing Oil. Il joua des coudes pour entrer et avisa une secrétaire.

– D'où sortent tous ces clowns?

Elle fit une grimace.

– Ils étaient déjà massés sur le trottoir quand j'ai ouvert la porte. Dieu merci, votre père et JR sont arrivés tôt. Toute seule, je ne serais jamais venue à bout de cette meute de loups.

– Où sont-ils?

– Dans le bureau de JR, avec les journalistes de la télévision. Il y a des caméras dans tous les coins.

Non sans mal, Bobby parvint à entrer dans le bureau de JR et resta près de la porte. Derrière la grande table, Jock et JR faisaient face aux journalistes. Une grande agitation régnait. Des flashes partaient de tous côtés et la lumière aveuglante d'une douzaine de caméras de télévision enlevait toute couleur à la pièce.

– Messieurs... Messieurs, disait Jock, nous vous avons dit tout ce que nous avions à vous dire sur le sujet. Maintenant, je vous serais reconnaissant de sortir d'ici et de nous laisser travailler.

– Une dernière question, monsieur, dit un journaliste. J'ai cru comprendre que l'Ewing Oil avait investi toutes ses réserves dans ces concessions asiatiques. Est-il vrai, comme on le prétend, que cette nationalisation porte un coup fatal à l'Ewing Oil?

JR leva la main avec un sourire d'homme d'affaires roublard.

– Ça fait deux questions, monsieur Carleton, si je ne m'abuse. Bien, je vais tout de même vous répondre. Les investissements de l'Ewing Oil ont toujours été diversifiés afin, justement, d'éviter ce genre de mésaventure.

– Mais alors, pourquoi a-t-on annoncé sur l'antenne que ces concessions représentaient la totalité des moyens de l'Ewing Oil?

– C'est une information erronée. Bien entendu, nous avons perdu de l'argent, mais dans l'industrie pétrolière, les risques sont fréquents, vous savez.

– Pouvez-vous nous parler des autres investissements de l'Ewing Oil, monsieur?

– Non, nous ne parlons jamais de ce genre de chose.

– Vous démentez l'importance de vos investissements, monsieur, mais cependant, l'Ewing Oil passe pour avoir engagé des sommes considérables dans ces concessions asiatiques...

– J'ai déjà répondu à cette question, l'interrompit JR, agacé. Nous sommes extrêmement prudents en ce qui concerne nos investissements, je vous l'ai déjà dit. Notre politique dans ce domaine est toujours très souple et toutes nos décisions tiennent compte des différents paramètres locaux. Rien n'est jamais définitif à cet égard, mesdames et messieurs, comme dans la vie en général. Question suivante...

– Monsieur Ewing, pouvez-vous nous confirmer si oui ou non vous avez perdu des sommes importantes dans cette opération?

– Mais oui, bien sûr. Je ne cherche pas à minimiser nos pertes. Nous avons encaissé un coup sérieux, mais la survie et l'avenir de l'Ewing Oil n'en sont pas pour autant compromis.

– Monsieur Ewing...?

– C'est terminé pour aujourd'hui, messieurs, déclara JR. Mon père et moi nous sommes efforcés de répondre à toutes vos questions. Je n'ai rien d'autre à ajouter. S'il arrive un fait nouveau, nous vous tiendrons au courant. Merci d'être venus.

Bobby s'écarta pour laisser passer les journalistes. Lorsque le dernier eut franchi le seuil, il referma la porte et s'y adossa comme pour interdire l'accès du bureau au reste du monde.

– Alors, c'est la fin? dit-il d'un air sombre.

Jock passa son bras autour des épaules de JR.

– Mais non, rassure-toi. L'Ewing Oil est sauvée grâce à ton frère.

– Je ne comprends pas...

– Explique-lui, dit Jock.

– Tout va bien, petit frère.

– Mais ces concessions?

JR eut un large sourire et ses yeux brillèrent de plaisir. Toute sa vie, il avait attendu ce moment, cette heure de gloire qu'il ne partageait avec personne et surtout pas avec son frère. Assis près de Jock, il savourait son triomphe et se délectait de la stupéfaction de Bobby.

– J'ai revendu ces concessions il y a quelques jours, petit frère. Enfin, pas tout, mais soixante-quinze pour cent de nos parts.

– Tu... tu les as revendues?

– Dix millions de dollars la part.

JR exultait littéralement.

– Il y en a qui doivent faire une drôle de bobine en ce moment, observa Jock.

– Ça, c'est probable, dit JR.

Bobby éprouvait une certaine difficulté à assimiler ce qu'il venait d'entendre.

– Mais quoi, c'est un simple coup de chance?

– Si on veut, mais j'ai quand même donné un sérieux coup de pouce à la chance. J'ai eu la possibilité d'acheter une partie des concessions de la côte est. Papa et moi en avions parlé il y a plus d'un an. Mais il s'agissait d'une somme considérable et...

– Qui a racheté les concessions du Sud-Est asiatique?

– Tu ne le devineras jamais. Vaughn Leland en a acheté une bonne partie. Ce vieux requin va enfin savoir ce que signifie un retour de manivelle! dit-il en riant.

Jock s'appuya contre le dossier de son fauteuil et fronça les sourcils.

– Je ne trouve pas ça drôle, JR. Tu sais que j'ai horreur qu'on rie des déboires des autres.

– Excuse-moi, papa, mais avoue qu'il ne l'a pas volé!

– Qui d'autre est dans le coup? demanda Bobby.

– Eh bien... quelques-uns de nos concurrents et

néanmoins amis. Depuis le début, ils me tannent pour que je les associe à l'opération.

– Nos concurrents! De qui parles-tu? Tout de même pas des types du cartel?

– Si. Andy Bradley, Jordan Lee, Seth Stone...

Bobby secoua la tête d'un air accablé.

– Tu veux dire que nos amis sont lessivés?

– Les affaires, c'est comme la roulette, Bobby, intervint Jock. On ne peut pas gagner à tous les coups et nos amis le savent bien.

– Tu étais au courant de tout ça, papa?

– Non. Ton frère ne m'en avait pas parlé.

Le visage fermé, Bobby s'approcha de JR :

– Pourquoi ne nous as-tu pas tenus au courant? Tu ne dois pas prendre de telles décisions à notre insu.

– Vous n'étiez pas là, répondit-il d'un air irrité. (Il ne supportait pas d'avoir à répondre de ses actes devant son frère ni de voir ses décisions remises en cause par celui-ci.) Vous étiez dans le Colorado, ou bien je ne sais où...

– Et alors? Tu ne sais pas te servir d'un téléphone? De toute façon, ce n'était certainement pas à deux jours près!

– Il fallait agir vite et les faits montrent que j'ai eu raison.

Bobby ne croyait pas un mot de cette histoire. En dépit des efforts de JR pour paraître conciliant et sincère, Bobby décelait une trace de duplicité dans ses propos. Mais après tout, guère plus que d'habitude!

– Cette version te satisfait, papa?

JR devint rouge comme une betterave.

– Tu me traites de menteur, petit frère?

En un éclair, Bobby se souvint. Cette image, surgissant soudain du passé, était floue mais chargée d'animosité et de sentiments troubles. Et, en remarquant le regard glacial que lui jetait son frère, il comprit que la même image venait de s'imposer à lui. Et puis, cette brève réminiscence s'envola et Bobby s'apprêtait à parler lorsque la porte s'ouvrit brutalement : Jordan Lee fit irruption dans la pièce, blême, les yeux exorbités, la bave aux commissures des lèvres.

– Espèce de fils de pute, cria-t-il en se précipitant vers JR.

– Calmez-vous, Jordan, dit Jock.

Mais Jordan continuait d'avancer, les poings serrés, une expression si haineuse sur le visage que Jock, inquiet, se leva et fit le tour de la table pour tenter de le calmer. Mais ce fut Bobby qui s'interposa entre JR et Jordan Lee.

– Ressaisissez-vous, mon vieux, dit-il, posant ses deux mains sur les épaules de Jordan d'un geste ferme mais amical.

– Me ressaisir! Vous êtes fier de vous, JR, n'est-ce pas? C'est votre heure de gloire, cette saloperie, hein?

– Nous avons tous des moments difficiles, Jordan, répliqua JR.

– Espèce d'ordure! cria Jordan.

Il tenta d'avancer mais Bobby l'en empêcha.

– Calmez-vous, Jordan, voyons! s'écria Jock. Comment JR pouvait-il savoir que les choses tourneraient ainsi et que nos biens allaient être nationalisés? Cette fois, la chance n'était pas de votre côté, elle était du nôtre. Mais nous n'y sommes pour rien.

– Vous me prenez pour un con ou quoi?

Jordan avait la respiration saccadée, la voix enrouée.

– Il y a près d'un an que nous le tannons pour

avoir une participation dans cette affaire. Vous le savez bien, Jock! Il a toujours refusé. Il ne voulait même pas en entendre parler. Et soudain, voilà qu'en deux heures il se décide à vendre!

– Je vous en ai donné la raison, Jordan. J'avais besoin d'argent pour conclure une autre affaire très rapidement.

Jordan le fixa, un éclair meurtrier dans le regard.

– Vous saviez que ces puits ne valaient pas un clou. Vous saviez que les rebelles s'apprêtaient à mettre la main sur ces concessions... c'est le plus beau coup de votre carrière, JR!

La vivacité de la réponse de JR fut surtout destinée à impressionner son père, plutôt qu'à convaincre Jordan.

– Si j'avais été au courant, pourquoi aurais-je gardé vingt-cinq pour cent de ces concessions, Jordan? Nous aussi, nous avons bu un sacré bouillon, mon vieux. Ça va chercher dans les deux cent cinquante millions de dollars, plus les royalties que nous aurions touchées sur vos barils.

– C'était la seule façon de nous faire mordre à l'hameçon. Pour moi, c'est clair comme de l'eau de roche! Ces sommes seront compensées par la suppression d'impôts qu'entraîneront vos pertes d'exploitation.

– Ecoutez, Jordan, vous savez bien comment les affaires se font dans le pétrole! Le monde du pétrole, c'est un panier de crabes, ce n'est pas nouveau!

– Je connais les règles du jeu. Mais JR joue avec des dés truqués!

– Vous avez joué, vous avez perdu, rétorqua Jock, exaspéré. Ce sont les risques du métier. Ne venez pas pleurnicher. Nous vous avons fait gagner beaucoup d'argent, ne l'oubliez pas, et il est probable que vous en gagnerez encore. Nous n'oublions jamais nos amis.

Amadoué par ces promesses à peine déguisées, Jordan se tut. Sa mâchoire inférieure tremblait comme celle d'un vieillard et il semblait épuisé. Il ricana.

– Je suis très content d'apprendre ça, Jock. Vraiment ravi. Je vais de ce pas donner cette bonne nouvelle à Marilee Stone. Je suis certain qu'elle appréciera.

– Bon Dieu, que voulez-vous dire encore? explosa Jock.

Jordan se dirigea vers la porte et se retourna :

– Seth Stone s'est suicidé il y a environ une heure.

8

Jock, Bobby et JR prenaient leur café dans le bureau de celui-ci. De temps à autre, Jock et JR échangeaient quelques mots mais Bobby, lui, gardait un silence prudent : il avait un sens aigu de la famille et JR était son frère. Mais il comprenait certains aspects de la personnalité de JR qui échappaient à son père. Et pourtant, cette soif quasi obsessionnelle de posséder, JR la tenait de son père, bien que, chez Jock, elle fût tempérée par un solide jugement et un certain sens de l'honneur. Bobby aussi aimait les coups audacieux, mais ce besoin maladif d'aller toujours plus loin, de vaincre en permanence lui était étranger.

– Il faut faire quelque chose pour eux, dit Bobby.
– Quoi? Que veux-tu faire? demanda JR d'un ton hargneux. Les affaires sont les affaires, mon vieux. C'est un coup dur pour eux, mais je n'y suis pour rien. C'est une affaire parfaitement légale, menée et conclue à l'américaine.
– Il y a une différence entre la libre entreprise et la liberté de plumer les gens.
JR bondit sur ses pieds.
– Tu insinues que j'ai délibérément plumé les gens du cartel?
– Je dis simplement que je n'aime pas cette histoire. Pousser un type au suicide me paraît dépasser singulièrement la pratique normale des affaires.
– Seth Stone a toujours été un faible, rétorqua JR.
– Ne dis pas de mal des morts, dit Jock d'une voix d'outre-tombe.
– Je n'ai pas l'intention de me laisser insulter par...
Bobby l'interrompit sèchement.
– Si j'étais toi, JR, je me méfierais de Jordan Lee. Il est fou de rage et il n'est pas homme à pardonner. Un bon conseil, mon vieux, ouvre l'œil.
– Je n'ai pas besoin de ta protection, Bobby.
L'image récurrente de l'une des plus violentes colères de JR troubla un instant Bobby et il s'efforça de la chasser.
La ligne intérieure sonna et tous trois furent soulagés de cette diversion.
– JR, Marilee Stone voudrait vous parler.
JR devint livide.
– Qu'est-ce que je fais, papa? Je ne peux pas lui parler. Pas maintenant.

– Ne t'inquiète pas, JR, dit Bobby en se levant, je vais la prendre.

JR jeta un regard rapide vers son père pour voir sa réaction.

– Je n'ai pas besoin de toi...

La porte s'ouvrit brusquement et Vaughn Leland entra comme une fusée dans la pièce. D'une main, il repoussa Bobby et se dirigea vers JR, pointant un doigt accusateur vers lui.

– JR, j'exige des explications immédiatement.

– Que voulez-vous que je vous dise? Que je suis désolé? Eh bien, je le suis. Vous êtes satisfait comme ça?

– Non, ça ne me suffit pas, JR. J'exige des explications et un remboursement.

– Un remboursement! Vous plaisantez?

Jock décroisa les jambes et se frotta le menton.

– Vous n'aurez pas un dollar, Leland, dit-il. Cette affaire est parfaitement régulière. Vous avez joué, vous avez perdu, c'est tout.

– Régulière! Vous vous foutez de moi, Jock? JR savait que vos biens là-bas seraient nationalisés.

– Prouvez-le!

– Je n'ai pas besoin de le prouver. J'en suis certain, c'est la seule chose qui compte. Jock, votre fils nous a menti et nous a roulés.

– Si j'étais vous, Leland, je me garderais d'accuser JR sans preuve. Je n'aime pas beaucoup qu'on traite mon fils de menteur, dit Jock.

Leland regarda alors Bobby.

– Pour qui prenez-vous parti dans cette affaire?

– Vous le savez bien, répondit Bobby sans une hésitation. (Son regard était impénétrable.) N'oubliez pas que je suis un Ewing.

– Je m'y attendais. (Il se tourna vers Jock.) Jock, je veux récupérer mon argent. J'ai emprunté vingt millions de dollars pour participer à cette affaire. Je suis lessivé. Je n'ai plus un dollar. Je ne peux même pas rembourser mes dettes.

JR haussa les épaules.

– Jock, poursuivit Leland, nous nous connaissons depuis des années, vous et moi. Tous deux, nous avons parcouru un long et difficile chemin. Au nom de notre vieille amitié, je vous demande de m'aider.

Jock le dévisagea un instant en silence.

– Au moment où j'ai failli perdre Southfork, dit-il lentement, j'ai fait appel à vous, Leland. Vous devez vous en souvenir, car c'est récent. Je vous ai demandé une rallonge. Vous m'avez répondu textuellement : « Les affaires sont les affaires, Jock. » Et je me suis incliné. Eh bien, faites-en autant aujourd'hui.

Leland regarda successivement Jock, JR, puis Bobby.

– J'ai été roulé et vous le savez tous. JR, je vous promets que vous allez regretter ça!

– Vous me menacez? s'écria JR, rouge de fureur.

– Qui vous parle de menace? Non, c'est une simple promesse. D'une façon ou d'une autre, je vous aurai, JR. Je vous ferai sortir de votre terrier. (Le visage empourpré, les traits déformés par la colère, il se tourna vers Jock.) Tel père, tel fils, n'est-ce pas, Jock? Il y a une façon d'agir avec les gens de votre espèce, et vous voyez ce que je veux dire, Jock. La boucle est bouclée, vous voici revenu à vos méthodes d'autrefois.

– Allez-vous-en, Leland, avant que je ne fasse quelque chose que nous regretterons tous par la suite, répondit Jock, glacial.

Sans un mot, Leland sortit du bureau et claqua la

porte. Décontenancés par cette scène, ils demeurèrent un moment silencieux. Bobby finit par rompre ce silence pesant.

– JR, tu savais que Leland avait emprunté tout cet argent?

– Bien sûr que non. L'affaire a été conclue très rapidement. Je leur ai donné quelques heures pour réunir les fonds.

– Pourquoi cette précipitation?

– Je te l'ai déjà dit. Je...

– Je sais, l'interrompit Bobby, mais je trouve ça vraiment curieux. Il est rare qu'on règle aussi vite des affaires d'une telle importance.

– C'est pourtant la vérité, même si tu ne le crois pas.

– La vérité! JR, n'emploie pas les mots dont tu ne connais pas le sens!

– Ecoute, Bobby, ça va bien comme ça, hein? J'en ai plein le dos de tes insinuations. Fous-moi la paix ou...

– Ou quoi? dit Bobby, faisant rapidement le tour de la table.

– Mais bon Dieu, c'est terminé, vous deux? explosa Jock. Cette affaire concerne toute la famille. N'en faites pas une affaire personnelle! C'est infernal, à la fin!

– Papa, dit calmement Bobby, je suis sûr que Leland a raison. JR savait que nos biens en Asie allaient être nationalisés et il s'est empressé de revendre les concessions à nos amis pendant qu'il en était encore temps. Ça explique cette vente en quelques heures, le côté « à prendre ou à laisser ». Je reconnais là la patte de mon grand frère!

– Tu as trop d'imagination, Bobby.

Bobby fit un pas vers JR et celui-ci eut un mouvement de recul.

– JR, je vais te poser une question, intervint Jock, d'une voix grave. Je ne te la poserai qu'une fois et tu vas y répondre franchement.

– Oui, papa, je t'écoute.

– Savais-tu que ces puits allaient être nationalisés ?

– Je te jure que non, papa. Tu me connais assez pour savoir que jamais je n'aurais fait une chose pareille. Personne n'a davantage que moi le sens de l'amitié.

Marcher ne faisait pas partie des habitudes de Jock Ewing. Il était toujours au volant de grosses voitures et dévorait les kilomètres. Parfois, pour de courtes distances, il prenait son cheval, mais il n'était jamais à pied. Et les bottes étaient davantage faites pour les étriers que pour les trottoirs de Dallas. Cependant, il éprouvait aujourd'hui le besoin de marcher au hasard, d'essayer d'y voir clair et d'imaginer ce que donnerait dans l'avenir ce présent chaotique.

Il avait eu une vie rude, un travail dur dans un monde dur. Dans sa jeunesse, il s'était fréquemment battu à coups de poing et de botte. A cette époque, on avait le couteau et le revolver faciles et on étendait parfois son adversaire pour le compte. Au cours des trente dernières années, les Texans avaient mis de l'eau dans leur vin bien sûr, ils s'étaient policés, mais ils gardaient un fond de violence qui ne demandait qu'à resurgir. Presque tous les hommes qu'il connaissait possédaient au moins trois armes à feu : un revolver, une carabine, un bon fusil de chasse. Et dans certaines circonstances, aucun n'hésiterait à s'en servir. Ils attendaient le premier prétexte.

Et la perte de deux cent cinquante millions de

dollars était plus qu'un prétexte. Le suicide d'un ami aussi. Et une vie de travail foutue également.

Jock avait vu des hommes se faire abattre pour moins que ça. Et des hommes d'une tout autre trempe que JR. Le jour où le président Kennedy s'était fait assassiner sous les yeux de sa jeune femme et du gouverneur Connally, Jock, dans la foule, regardait le cortège présidentiel remonter Elm Street. Il avait entendu les coups de feu tirés de la bibliothèque et il avait vu le jeune président s'effondrer.

Maintenant, on vendait des souvenirs sur les lieux du meurtre. Des cartes postales représentant le plan de la ville avec un point noir indiquant l'endroit exact où avait été abattu le président. On se remettait vite de ce genre d'événement à Dallas.

Jock aussi avait tué des hommes, mais jamais à la légère et jamais sans remords. Pour le monde entier, Dallas resterait la ville où l'on avait assassiné le président John F. Kennedy, et pourtant, Dallas n'en était pas plus responsable que Los Angeles, Detroit ou Boston. Mais Dallas n'en demeurerait pas moins stigmatisée à jamais.

Ce qui était inquiétant dans le cas de JR, c'est qu'il n'avait que des ennemis. Des hommes qu'il avait trahis, dépossédés, ou simplement déçus. Des hommes rêvant de se venger et prêts à tout. Il fallait envisager de protéger JR. Qu'avait-il dit à Bobby tout à l'heure, dans le bureau? Et soudain, les mots lui revinrent en mémoire.

– Je n'ai pas besoin de ta protection, Bobby.

Un autre souvenir, surgissant d'un lointain passé, s'imposa à lui. JR était encore gamin. Grand pour son âge, mais grassouillet, il était déjà exagérément querelleur et envahissant.

– Je n'ai pas besoin de ta protection, Bobby.

Un vendredi soir, ils avaient assisté à un match auquel participait l'équipe de football du collège de Bobby. Bien que plus âgé et plus costaud, JR n'avait jamais réussi à être sélectionné. Mais Bobby, en première année de collège, faisait honneur à son équipe. Rapide, tapant fort, toujours sur la brèche. Après le match, la foule s'était rassemblée autour du terrain.

On avait bu beaucoup de bière et le ton avait monté rapidement entre vainqueurs et vaincus. Les railleries avaient dégénéré en insultes puis en menaces. Finalement, il y avait eu quelques coups de poing échangés, des joueurs sur le sol, un peu de sang.

Jock avait tenté de sortir JR de la mêlée. Il n'avait même pas participé au match et n'avait rien à faire là. Soudain, de façon imprévisible, deux gros durs leur avaient barré le passage. Ils s'étaient moqués de JR, avaient employé des termes méprisants pour parler de la victoire de son collège. JR n'avait pu s'empêcher de répliquer.

La discussion avait tourné à l'aigre et, avant que Jock ait pu faire un geste, les deux types étaient tombés sur JR à bras raccourcis. Celui-ci s'était affalé sur le sol. Tentant de s'interposer, Jock avait pris un direct à la mâchoire, et, à moitié K.O., les quatre fers en l'air, il avait regardé son fils se faire dérouiller.

C'est alors que Bobby était intervenu. Surgissant d'on ne sait où, encore vêtu de son maillot de footballeur, Bobby était entré en scène. Ses coups rapides faisaient mouche. En deux temps trois mouvements, il avait débarrassé JR des deux types et aidé son père à se relever. Puis il s'était tourné vers son frère.

– Appuie-toi sur moi, vieux, avait-il dit.

Mais JR avait tapé du poing sur le sol d'un geste rageur.

– Fous-moi la paix, Bobby, avait-il grondé. Je n'ai pas besoin de ta protection.

Jock comprenait maintenant que son fils aîné était plus vicieux et coléreux que courageux. Il essayait constamment de prouver quelque chose. Pour JR, gagner n'était pas suffisant. Il voulait aussi que ses adversaires soient humiliés. Jock se demanda de qui il pouvait bien tenir, mais une chose était certaine : il fallait faire protéger JR.

Bobby passa le reste de la journée seul. Tourmenté, il tournait et retournait le problème dans sa tête : comment concilier son sens de l'honneur avec sa fidélité à la tribu des Ewing? Il finit par quitter le bureau sans dire à personne où il allait. Il roula environ une heure puis rentra à Southfork. Il avait besoin de discuter de tout ça avec Pam, de voir sa réaction. Tout comme lui, Pam était constamment confrontée à ce genre de problème. Mariée à un Ewing, elle ne pouvait oublier qu'elle était née Barnes et que Jock et son père s'étaient haïs toute leur vie.

Il gara sa voiture et entra dans la maison. Il trouva sa mère en train de lire dans le bureau et l'embrassa sur la joue.

– Tu rentres tôt, aujourd'hui, Bobby.

– Oui. Pamela est là?

– Non, elle est sortie. Elle a essayé de t'appeler mais tu étais déjà parti.

– Où est-elle?

– Finalement, elle a décidé de faire un saut à Corpus.

– Ah! J'étais sûr qu'elle finirait par y aller.

– Ne te tracasse pas. Elle sait ce qu'elle fait, ce n'est plus une gamine.

– Cette histoire m'inquiète... Pamela va si vite...

– C'est normal qu'elle ait envie d'en savoir un peu plus long sur sa mère, Bobby. Aucun de nous n'a véritablement connu Rebecca. Et, même secrets, les liens entre mère et fille sont puissants, tu sais.

– Je sais, mais chez elle, ça tourne à l'obsession. Ça prend l'allure d'une démarche vitale.

– Mais je pense que ça l'est, en un certain sens.

– Oui, mais je n'aime pas ça. Pam est encore sous le choc de la mort de son père.

– Ne t'en mêle pas, Bobby, laisse-la faire.

– Justement, je me demande si je ne devrais pas m'en mêler, maman.

– Ça peut lui faire plus de mal que de bien.

– Bon, dans l'immédiat, je ne peux pas faire grand-chose, soupira-t-il.

– Eh bien, crois-moi, cela vaut mieux comme ça.

– Je monte prendre une douche. A tout à l'heure, maman.

Dans l'escalier, il croisa Sue Ellen. Il l'embrassa sur la joue et fut frappé par son visage prématurément marqué. Elle avait perdu toute fraîcheur et ses yeux, autrefois si clairs, étaient ternes avec un regard traqué. Et, lorsqu'elle souriait, elle donnait l'impression de se livrer à un exercice destiné à assouplir ses muscles faciaux.

Bobby était songeur. Quelle fatalité poussait les membres de cette famille à donner le pire d'eux-mêmes? Qu'est-ce qui les transformait en zombies, sapait leur énergie, leur force vitale? Quelle sombre malédiction pervertissait leur faculté d'aimer et de comprendre et leur faisait perdre toute humanité?

En regardant Sue Ellen dont le visage n'exprimait plus que l'angoisse et la défaite, il songea à son frère Gary, le père de Lucy. Incapable de supporter la vie conjugale – et pourtant il avait épousé une fille jolie et charmante. Incapable de rester chez lui ni même à Dallas. Incapable de supporter les conflits avec JR et Jock, et probablement incapable de se supporter lui-même. Quelle curieuse famille nous sommes devenus, songea Bobby avec amertume.

Des ennemis partout. Des relations sans chaleur avec leurs associés, leurs employés, leurs amis, leurs parents, leurs domestiques. Aucune gentillesse nulle part, aucune compassion, aucune chaleur humaine.

Etait-ce l'œuvre de JR? Ou bien cette incapacité d'aimer était-elle dans leurs gènes, venue de lointains ancêtres et transmise par Jock et par miss Ellie? Mais peut-être, plus simplement, le Texas était-il responsable de ce pourrissement. Le Texas et sa démesure... construire toujours plus grand... d'énormes fermes, d'énormes ranches, violer la terre pour les richesses qu'elle recèle, sans se préoccuper des autres. Le scintillement de Dallas, les grands immeubles en acier et en verre, les longs rubans d'autoroute sillonnant la prairie. Houston, El Paso, Fort Worth, autrefois délabrées, maintenant centres de – de quoi au juste? Du magouillage affairiste. Certains gagnent, d'autres perdent. Le tout, c'est d'être du côté des gagnants. Après tout, ce sont les meilleurs, non?

Non. La logique n'avait rien à voir avec tout ça. Un coup heureux, une ou deux générations auparavant, avait transformé des tocards minables en multimillionnaires, leur donnant ainsi l'illusion d'être importants. D'une extraordinaire soif d'argent, ils avaient réussi à faire une sorte de croisade morale. Leurs fils et leurs filles se déplaçaient en Rolls-Royce, se faisaient construire des piscines en forme de botte de cow-boy et vivaient dans la débauche.

Le cow-boy était devenu un mythe, mais, dans la réalité, il n'avait rien à voir avec Gary Cooper ou John Wayne. C'était plutôt un type aigri, épuisé par le travail, mal nourri et toujours mal payé. Des hommes destinés à passer leur vie dans la poussière et l'odeur du bétail parce qu'ils n'avaient rien d'autre à vendre que leur force et leur courage.

Et leurs femmes! Epuisées par la misère et les maternités. A trente ans, il ne restait rien de la beauté célèbre des Texanes. Fanées prématurément. On était loin des filles à longues jambes qu'on voyait défiler à la télévision ou se promener sur la Ve avenue, vêtues à la dernière mode. Mais tout ça faisait partie du mythe texan, de la légende de la bannière à une étoile.

Il remarqua l'expression angoissée de sa belle-sœur et lui dit gentiment :

– Tu m'as l'air en pleine forme, Sue Ellen.

– Eh bien, on ne peut pas dire que ça corresponde à la réalité. Je te dois des explications... Cette histoire à l'Ace Bar...

– Tu ne me dois rien du tout. Oublie cette histoire. Ce n'est pas grave.

– Tu comprends, j'ai cru que ce cow-boy était Dusty Farlow.

– Oui, je sais. Tu as prononcé ce nom devant moi.

Elle s'appuya contre la rampe, l'air si apeuré qu'elle donnait l'impression d'avoir évité de justesse de poser le pied sur un nid de vipères.

– Bobby, j'ai aimé Dusty Farlow.

– Tu n'as pas à me donner d'explications, Sue Ellen.

– Non, je sais, mais j'ai besoin d'en parler à quelqu'un, Bobby. Dusty m'aimait, comme jamais je n'aurais cru un homme capable d'aimer. Il était à la fois tendre et passionné. Nous avons passé des heures merveilleuses ensemble, et parfois sans beaucoup parler, sans même nous toucher. J'étais bien avec lui, divinement bien. Je sais que je n'aurais pas dû laisser les choses aller si loin entre nous. J'étais mariée... tout ça..., mais j'avais besoin d'un homme qui s'occupe vraiment de moi, pas en tant qu'épouse de JR, mais en tant que femme. Avec lui, je n'étais plus une Ewing, j'étais simplement Sue Ellen. Une femme blessée et solitaire.

– Je comprends, Sue Ellen.

– JR est très difficile à vivre.

Bobby fit une grimace :

– Oui, et pas que dans la vie conjugale.

Elle eut un sourire triste.

– Quand Dusty et moi faisions l'amour, c'était quelque chose de doux et de merveilleux, Bobby. Il m'adorait. Il avait follement envie de moi mais il voulait avant tout que je sois bien, que je sois heureuse. Et je l'étais. Profondément.

– Je suis désolé, Sue Ellen.

– A propos de l'accident d'avion? (Elle détourna la tête.) Je suis sûre qu'il est vivant.

– On a retrouvé l'avion, dit Bobby, l'air hésitant.

– Ça ne prouve pas qu'il soit mort. Il va revenir me chercher, Bobby. Je le sais, je le sens. Il m'aime trop pour me laisser passer le reste de ma vie avec JR... Mon Dieu, toutes ces années devant moi!

– Sue Ellen...

– Je ne suis pas folle, Bobby, l'interrompit-elle

vivement. Je connais Dusty. La seule chose qui l'intéressait en ce monde, c'était d'être avec moi. Juste nous deux. C'était son plus cher désir. Il m'avait juré de m'emmener un jour loin d'ici, de me sortir des griffes de JR. D'une façon ou d'une autre. Ce sont ses propres termes. Il voulait punir JR. Il le trouvait méchant, cruel même. Dusty était tendre mais ce n'était pas un faible. Il était intelligent et fort et je suis convaincue que la disparition de l'avion, tout ça, faisait partie de son plan. Il est quelque part et il attend le moment propice pour venir me chercher. Mais quand il se mettra en branle, ça ira très vite. Je n'aurai peut-être même pas le temps de dire au revoir. Dusty va m'enlever, Bobby, mais avant...

– Avant quoi?

– Avant, il punira JR.

– Comment le punira-t-il?

– D'une façon ou d'une autre, murmura-t-elle. D'une façon ou d'une autre. (Elle secoua la tête pour revenir à la réalité. L'esquisse d'un sourire enfantin flotta sur ses lèvres.) En tout cas, je voulais te remercier.

– C'est normal. Tu fais partie de la famille.

– Apparemment, ce n'est pas évident pour tout le monde, ici.

– Certains sont moins intelligents que d'autres. Tu verras, Sue Ellen, ça va s'arranger. Tout change dans la vie.

– Oui, mais pas toujours en mieux. Tu es très gentil, Bobby. Je voulais que tu saches que j'apprécie ce que tu fais pour moi.

– Je le sais. Tu n'as pas besoin de me le dire.

Elle le regarda avec insistance comme pour essayer de voir ce qu'il y avait derrière ce regard brun et chaleureux.

– Oui, tu le sais. Tu es tout à fait à part dans cette famille, dit-elle.

– Et pourtant, j'ai tous les défauts des Ewing, répondit-il en riant.

– Non. Je les connais suffisamment pour savoir que c'est faux.

– Va prendre une bonne tasse de café et repose-toi, aujourd'hui, dit-il, pour couper court à cette conversation qui prenait un tour embarrassant.

– Est-ce que JR t'a dit quelque chose?

– A propos de ce qui s'est passé à l'Ace Bar, tu veux dire? Non, pas un mot.

– Mais je suis sûr qu'il a son idée là-dessus. Je lui fournis des armes qu'il utilisera tôt ou tard contre moi.

– Non, tu te trompes, Sue Ellen. Je ne pense pas que JR cherche à se débarrasser de toi.

– Tu es son frère, mais moi je suis sa femme. Je connais des aspects de sa personnalité que tu ne dois même pas soupçonner. Rien ne lui ferait plus plaisir que de se débarrasser de moi une bonne fois pour toutes.

– Il ne le fera pas... il ne peut pas...

– Il a bien poussé Seth Stone au suicide! JR est capable de tout.

– Eh bien alors, fais attention. Ne lui fournis pas de prétextes. Arrête de boire et de traîner dans les bars.

– Je sais. Je sais qu'il faut que je m'arrête. J'avais cessé et puis j'ai remis ça au moment où je me croyais guérie. Mais maintenant, c'est fini. Plus une goutte d'alcool, je te le jure.

– Si tu te sens seule et que tu as envie de parler, viens me voir, d'accord?

– Tu es gentil.

– Allez, va vite prendre une tasse de café et

bavarde un peu avec maman. Je suis sûr que ça lui fera plaisir.

– Pas après ce qui s'est passé. Je suis la brebis galeuse de la famille.

– Il faudra bien que tu l'affrontes à un moment ou à un autre. Allez, courage! Vas-y.

Elle hésita un instant, lui sourit et se dirigea d'un pas résolu vers le bureau.

9

Au même moment, Alan sonnait à l'appartement de Kristin. Elle lui ouvrit, vêtue d'une robe d'intérieur d'un tissu léger qui suggérait plus qu'il ne révélait ses exquises rondeurs.

– Vous voulez boire quelque chose, Alan?

– Avec une aussi jolie fille devant moi et un verre dans le nez, je perdrais vite la tête, ma chère Kristin, dit-il avec un clin d'œil.

– Oh! C'est flatteur ce que vous me dites là! Asseyez-vous et dites-moi pourquoi vous m'avez appelée.

Sans un mot, il lui tendit le journal et elle en lut le titre tout haut : *L'empire de l'Ewing Oil s'écroule, les puits nationalisés.* Elle lui rendit le journal sans faire de commentaire.

– Ça n'a pas l'air de vous faire beaucoup d'effet, remarqua-t-il.

Mal à l'aise, il l'observa. Que se passait-il? Il était venu, pensant trouver la jeune femme dans tous ses états, mais, non seulement il n'en était rien, mais elle semblait même se désintéresser complètement du désastre qui frappait les Ewing.

– C'est faux, dit-elle.

– Que voulez-vous dire? (Il lui brandit le journal sous le nez.) Dans le canard, ils disent...

– Cette histoire ne concerne pas les Ewing, ou en tout cas, très peu.

Il était venu pour lui offrir son aide mais maintenant, il comprenait que c'était le contraire qui allait se produire.

– Au fond, je boirais bien quelque chose, dit-il.

Il la regarda se diriger vers le bar d'un mouvement félin et lascif, sa robe collante soulignant à chaque pas son corps ravissant. Ce salaud de JR avait une sacrée veine! Il se demanda à quoi ressemblait l'amour avec une créature aussi somptueuse et si visiblement sensuelle. Comment réagirait-elle s'il tentait un geste d'approche?

Elle revint avec deux verres puis s'installa sur le canapé près de lui, les jambes repliées sous elle. Elle leva son verre, porta un toast silencieux et but. Un sourire malicieux flotta un instant sur ses lèvres voluptueuses.

– Alan, les hommes comme vous ne comprennent jamais vraiment les hommes comme JR.

Il savait qu'elle avait raison, mais cette remarque l'irrita malgré tout.

– Que voulez-vous dire?

– JR est passé maître dans l'art de protéger ses arrières. Ce fils de pute est intelligent comme un singe. Il est cent fois plus malin que la plupart des hommes et il n'a aucun sens moral.

– Ce qui veut dire?

– Que JR s'est débarrassé à temps de ces concessions.

– Mais alors, c'est faux, ce qu'ils racontent là-dedans? dit-il en montrant le journal.

– Complètement faux.

– Mais quand les a-t-il revendues?

Elle haussa les épaules. Alan jeta un regard furtif vers ses seins visiblement nus sous le fin tissu. Elle remarqua son trouble, et lorsqu'il leva de nouveau les yeux sur elle, il croisa son regard sensuel et ironique. Kristin aimait que les hommes l'admirent, la désirent, et elle s'habillait toujours en conséquence. Non seulement elle trouvait du plaisir à ce jeu, mais elle espérait toujours en tirer des avantages. Alan était jeune, bien physiquement et ambitieux, une combinaison qu'elle adorait chez les hommes. Pour le moment, ce n'était qu'un petit avocat, mais Kristin préférait ménager l'avenir.

– Il les a revendues il y a deux jours, répondit-elle.

Alan en avait des sueurs froides. Il avait cru à cette histoire étalée en première page des journaux et s'apprêtait à se forger de nouvelles alliances, à chercher une autre route menant au succès. Mais tout cela semblait maintenant très prématuré. Il avait en main de bonnes cartes lui permettant de jouer mais pas de gagner. Pour gagner, deux paires ne lui suffiraient pas. Il lui faudrait un full. Kristin, se dit-il, pourrait bien être la carte qui me manque.

– Mais cette prise de pouvoir date de quarante-huit heures! La nationalisation n'a été annoncée que la nuit dernière...

Elle se leva, se dirigea vers la bibliothèque et en revint avec un petit magnétophone.

– J'ai eu quelques invités, dit-elle simplement. La plupart des hommes bavardent volontiers avec une jeune et jolie femme.

– Et vous avez enregistré la conversation! Kristin, vous êtes une fille selon mon cœur!

– Cette bande n'est pas inintéressante, dit-elle d'un ton léger. Ça vous amuse de l'entendre?

– Et comment! Faites-moi vite écouter ça.

Il commençait à se sentir plus à l'aise en compagnie de cette âme sœur.

Elle pressa un bouton noir pour repartir en arrière et, au bout de quelques secondes, ils entendirent une voix d'homme lointaine mais parfaitement distincte.

« – Vous savez, Kristin, à force de faire pression sur JR, nous sommes arrivés à lui faire lâcher un peu de son pétrole asiatique. »

– C'est Andy Bradley, dit Kristin laconiquement. Un membre du cartel.

Puis ils entendirent sa voix à elle :

« – C'est une bonne opération, Andy?

« – Bonne! Fabuleuse, vous voulez dire! Il y a assez de pétrole là-bas pour en inonder le marché... A n'importe quel prix, ça reste une excellente affaire. Je suis en train de me demander si JR est aussi intelligent qu'il le croit.

« – Comment se fait-il qu'il vous ait proposé une participation?

« – Il avait besoin d'argent pour une grosse affaire. Mais il a fait une connerie, car rien ne peut être aussi juteux que ces concessions d'Asie. Kristin chérie, venez poser votre joli petit cul près de moi... »

Elle pressa sur la touche *off* et revint s'asseoir sur le canapé.

– J'ai l'impression que je vous dois quelque chose, Kristin, dit Alan.

– Nous travaillons tous les deux pour JR, n'est-ce pas? dit-elle en le regardant droit dans les yeux.

– Mais oui, bien sûr!

Il prit le visage de la jeune fille entre ses mains et l'embrassa. Pendant un instant, il se demanda s'il ne commettait pas une seconde erreur, mais les lèvres de Kristin s'entrouvrirent et elle répondit à son baiser, glissa sa main sous la ceinture, caressa le ventre plat et dur. Il essaya de lui peloter les seins mais elle se dégagea.

Légèrement haletante, elle le regarda fixement.

– Alan, nous allons faire une très bonne équipe, tous les deux.

– J'en suis sûr. (Il se rapprocha d'elle mais, cette fois, elle le repoussa.) Qu'y a-t-il, Kristin?

– Rien, mais ce n'est pas le moment. Nous avons à discuter d'un tas de choses, Alan.

Elle avait raison et il le savait. Elle gardait la tête froide en toutes circonstances alors que lui se conduisait comme s'il avait eu les testicules à la place du cerveau, risquant de tout gâcher pour une fille apparemment facile.

– Je voulais juste que vous sachiez que j'avais envie de vous, dit-il.

– Je le sais, mais il faut d'abord que nous parlions de JR et de l'affaire d'Asie. La nationalisation est intervenue quarante-huit heures après cette vente précipitée. L'histoire me paraît des plus louches.

– Vous ne croyez pas à une coïncidence?

– Non, pas quand tant de millions sont en jeu. JR et l'Ewing Oil ont fait prendre aux types du cartel un bouillon effrayant.

– Vous pensez qu'il y a eu conspiration?

– Je suis convaincue que JR a été renseigné sur cette prise de pouvoir quelques jours avant la nationalisation.

– Mais renseigné par qui?

– Par Hank Johnson, à mon avis.

– Qui est Hank Johnson?

– C'est l'homme qui s'occupait des concessions

pétrolières de l'Ewing Oil en Asie. Un type très futé, toujours les yeux et les oreilles en patrouille. Hank devait savoir que les rebelles s'apprêtaient à prendre le pouvoir et il s'est renseigné pour savoir ce qu'il adviendrait des puits.

– A part Bradley, qui d'autre a pris des parts dans cette affaire?

– Je vous l'ai dit. Les amis de JR, les types du cartel.

– Si ce que vous croyez est vrai, ne pensez-vous pas que ces braves gens aimeraient le savoir? demanda Alan.

– S'ils le savaient de source sûre, ils le descendraient *illico.* Ils ont tous un véritable arsenal chez eux, des fusils de chasse, des P.38 et que sais-je encore. Et tous ont la réputation de s'en être servis dans le passé. Bang, bang!

– Ah, je vois... l'Ouest sauvage!

– Ces types-là sont de purs produits de l'Ouest.

Alan frissonna.

– Je ne tiens pas à collaborer avec des tueurs.

– Ils paieraient cher pour connaître la vérité.

– Nous n'avons aucune preuve, dit-il. Et, de toute façon, JR se débrouillerait pour offrir le double aux gens susceptibles d'en fournir.

Kristin était songeuse.

– JR est beaucoup trop malin pour laisser traîner des preuves.

– C'est probable.

Alan cherchait une solution. Là se trouvait la clé de son avenir, il en était certain.

– Et si nous téléphonions à Hank Johnson? Lui a certainement gardé trace de tout : enregistrements, coups de téléphone, billets d'avion, etc., le genre de choses qui prouveraient qu'il était en contact permanent avec JR juste avant la prise de pouvoir.

– Oui, il a certainement tout gardé, ne serait-ce que pour ses notes de frais.

– Exactement.

Elle se leva lentement.

– Je pense que je vais beaucoup m'amuser avec vous, Alan, dit-elle de sa voix de gorge.

Il l'entoura de ses bras, l'attira vers lui. Le visage contre ses cuisses, il lui caressa les fesses. Son odeur de femme le rendait fou.

– Pas tout de suite, murmura-t-elle. Il faut d'abord que nous passions un coup de téléphone. (Elle se détacha de lui, composa un numéro et parla à l'opérateur. Au bout de quelques instants, elle dit :) Allô... Je voudrais parler à Hank Johnson, s'il vous plaît. Ah, c'est vous, Hank? Kristin Shepard à l'appareil. JR? En pleine forme, comme toujours à la tête de ses troupes. Dites-moi, Hank, JR m'a demandé de vous appeler... il veut récupérer vos billets d'avion, vos notes d'hôtel, de téléphone, c'est ça. Tout ce qui montre où vous vous trouviez juste avant la prise de pouvoir. Nous devons prendre certaines précautions, vous comprenez. Non, Hank, envoyez-les-moi par courrier spécial. Oui, à moi. JR me l'a précisé. Vous le connaissez, rien n'est jamais simple avec lui. Oui, il veut détruire lui-même les preuves. D'accord. Au revoir, Hank. Merci.

Elle raccrocha et posa le téléphone.

Il se leva et s'approcha d'elle.

– Vous êtes bonne, Kristin.

Elle lui mit les bras autour du cou.

– Pas trop bonne, j'espère.

– Pas trop. Juste ce qu'il faut, murmura-t-il avant de l'embrasser.

Non, pas trop, c'est le moins qu'on puisse dire, pensa-t-il. Plutôt garce, même!

10

– J'ai peur, docteur, j'ai constamment peur.

Il émit quelques grognements rassurants. Quel que fût votre problème, le Dr Elby semblait toujours apte à le résoudre. Son cabinet, intime et confortable avec ses murs couverts de livres, renforçait cette impression. Ses patients le regardaient avec respect, s'imaginant que le cerveau du psychanalyste avait emmagasiné cette somme énorme de connaissances.

– Mais c'est parfaitement normal d'avoir peur, ma chère enfant. Seuls ceux qui ne risquent rien ne craignent rien.

Sue Ellen hocha gravement la tête. Tout son être protestait contre ces séances, contre la révélation de son moi secret. Cependant, elle était obligée d'en passer par là. Si elle n'avait pas eu ces quatre séances par semaine ici, JR l'aurait fait interner depuis longtemps. Elle avait subi ça une fois et était bien décidée à ne plus jamais retourner dans cette horrible clinique. Etre enfermée dans une cage en fer comme une folle dangereuse, c'était plus qu'elle n'en pouvait supporter. Un long frisson lui parcourut l'épine dorsale et, pendant quelques minutes, elle ne put proférer une parole.

– Si Bobby n'était pas arrivé..., continua-t-elle.

– Vous faites allusion à ce qui s'est passé à l'Ace Bar?

Elle hocha la tête.

– Je me souviens à peine de l'endroit et encore moins de ce qui s'y est passé. Soudain, j'ai reconnu Bobby. J'allais partir avec un homme que je n'avais jamais vu. Que dis-je un! Ils étaient plusieurs. Vous rendez-vous compte si... Oh, je me dégoûte... J'ai tellement honte!

– Ah, nous voici au cœur du problème. (Texan d'origine et élevé au Texas, le Dr Elby s'était cependant arrangé pour parler avec une pointe d'accent viennois, comme s'il eût été indigne d'un psychanalyste sérieux d'être né à Dallas.) De quoi avez-vous honte, au juste? Au pire, qu'aurait-il pu vous arriver?

Elle détourna son regard.

– J'étais ivre, vous savez.

– C'est la cause de tous vos ennuis, n'est-ce pas?

– J'avais la tête complètement vide... le trou noir.

– L'alcool annihile certaines fonctions comme l'équilibre, la vision, la mémoire. Le trou noir est fréquent chez les gens qui boivent.

– C'est fini, maintenant. Je n'y toucherai plus jamais. Je vais m'en tirer, j'en suis sûre. Bobby va m'aider. Il empêchera JR de me maltraiter, de me faire souffrir. Il ne le laissera pas m'envoyer dans cet affreux endroit.

– La clinique Fletcher? Toutes ces institutions sont déprimantes. Elles ont une fonction bien définie : aider les familles. Une alcoolique est une gêne pour tout le monde, y compris pour elle, bien sûr.

– Mon mari rêve de se débarrasser de moi une bonne fois pour toutes.

– Quelle idée, madame Ewing! Votre mari vous aime, il me l'a dit. Ne vous le dit-il jamais?

– Oh si, souvent. Mais c'est un menteur. C'est même le roi des menteurs. Ce qu'il dit n'a aucune importance. Il me traite comme une merde.

– Et vous vous êtes mise sous l'aile protectrice de votre beau-frère? demanda-t-il négligemment.

– Mais... oui. Pourquoi pas?

– C'est une erreur, madame Ewing. Une fois de plus vous vous reposez sur quelqu'un d'autre que sur vous-même pour trouver la solution de vos problèmes.

– J'ai confiance en Bobby.

– Plus qu'en vous-même?

– Et si c'était le cas?

JR était assis derrière son bureau lorsque sa secrétaire lui passa Hank Johnson. Il saisit le téléphone.

– Hank! Salut, mon vieux. D'où m'appelez-vous? Qu'est-ce qui se passe?

La voix de Hank était coléreuse :

– Je vous appelle pour vous dire que je n'ai pas l'habitude de travailler avec des gens qui ne me font pas confiance, JR. J'ai horreur de ça!

– Bon Dieu, Hank, je ne comprends rien à ce que vous me dites! Qui vous a dit que je n'avais pas confiance en vous?

– Ne vous inquiétez pas, je vais tout vous envoyer, mais je suis furieux, dit Hank d'une voix rauque.

– Furieux? Ecoutez, Hank, expliquez-vous, bon Dieu! Qu'est-ce que vous voulez m'envoyer?

– Si vous vouliez faire disparaître les preuves de ma présence là-bas juste avant la prise de pouvoir par les rebelles, vous auriez pu vous contenter de me demander de le faire. Bon Dieu, JR, depuis combien d'années travaillons-nous ensemble? Autre chose : Pourquoi, diable, avez-vous mis Kristin dans le coup? Vous trouvez ça prudent?

– Attendez, Hank. Kristin et moi nous sommes plutôt en froid en ce moment. Qu'est-ce qu'elle a fait? Expliquez-vous clairement.

– Kristin m'a appelé hier pour me dire que vous vouliez effacer vous-même toutes les traces de ma présence là-bas. Billets d'avion, notes d'hôtel, enregistrements de nos conversations téléphoniques, etc. Ne me dites pas que vous n'êtes pas au courant!

– Mais non, je n'étais pas au courant, bien sûr que non! Voyons, Hank, vous me connaissez. J'ai toutes sortes de défauts, mais je ne suis pas un imbécile. Vous parlez des bandes qui prouveraient que vous et moi étions en contact au moment de la prise de pouvoir?

– Au moment, avant et après. Vous m'aviez recommandé d'enregistrer toutes les conversations et...

– Vous m'avez renvoyé tout ça au bureau? l'interrompit JR.

– Non, pas au bureau. Kristin m'a bien précisé de l'envoyer chez elle par courrier spécial.

Il y eut de la friture sur la ligne et pendant quelques secondes, ils n'entendirent plus rien.

– JR, vous êtes toujours en ligne?

– Oui, Hank. Ecoutez-moi, mon vieux, je n'ai jamais dit un mot à Kristin de ces enregistrements. Je ne lui en ai jamais parlé.

– Vous voulez dire qu'elle a pris ça sous son bonnet? Bon Dieu, elle est gonflée, celle-là!

– Vous pouvez le dire! Hank, brûlez tout ça immédiatement, d'accord? Je compte sur vous. Et ne bougez pas avant d'avoir reçu de mes nouvelles. Je vous rappelle incessamment.

– D'accord, JR.

– Vous allez toucher une bonne prime, Hank. C'est du bon boulot, tout ça.

– Et Kristin, JR?

– Cette salope me doit tout. Je vous garantis qu'elle va regretter ce qu'elle a fait.

Pam Ewing était penchée sur un énorme registre posé sur la table en chêne massif de l'état civil de Corpus Christi. Depuis des heures, elle épluchait consciencieusement tous les registres de décès. La liste interminable des morts. Elle commençait à avoir mal aux yeux, et les lettres se brouillaient devant ellc. Elle ferma les yeux. « Si votre mère est morte à Corpus Christi, vous retrouverez obligatoirement son nom dans nos registres », avait dit l'employé. Les yeux fermés, Pam revoyait cette chambre d'hôpital dans laquelle était mort son père, Digger. Le vieil homme était au bout du rouleau. Miss Ellie, Bobby, Cliff et leur tante Maggie étaient à son chevet. Faible et très pâle, Digger semblait tout petit dans son lit, une réduction de ce qu'il avait été.

– Ellie, avait-il chuchoté, je suis content que tu sois venue.

– Digger, je ne t'ai jamais oublié, tu sais.

– Je le sais. (Ses yeux s'étaient alors posés sur Cliff :) Fiston, il faut que je te parle. Il faut que vous sachiez tous comment ça s'est passé.

– Papa, repose-toi. Tu te fatigues inutilement.

– Pourquoi veux-tu que je me repose? s'était-il exclamé avec une énergie soudaine et surprenante.

(Il respirait fort.) Je suis en train de crever. Ecoutez, quand un homme parle sur son lit de mort, c'est qu'il a quelque chose d'important à dire. Il faut que vous m'écoutiez.

– Papa, avait murmuré Pam, la voix brisée par le chagrin.

– Ellie, je veux purifier l'air. Je voulais porter un dernier coup à Jock, lui rendre la monnaie de sa pièce... Il m'a privé de toi, Ellie, et je t'aimais. Je t'ai toujours aimée.

– Moi aussi, à ma façon, je t'ai toujours aimé.

– Ça n'a plus d'importance, maintenant. Je veux que tout soit bien clair, c'est tout. Ce corps qu'on a retrouvé enterré à Southfork, ce Hutch McKinney...

Ellie était tendue.

– Ils croient que Jock a assassiné cet homme!

– Papa, dit Cliff, essaie de dormir un peu.

– Non, j'ai tout le temps pour ça. Ellie, je t'aime toujours, mais tu es la femme de Jock et je ne veux pas que Cliff ou un autre te fasse souffrir à travers Jock.

– Qu'y a-t-il, Digger?

– Tu me connais. Il y a un bout de temps que je picole... c'était en 1952. J'avais pris une cuite terrible et j'étais complètement anesthésié. A cette époque, on habitait Braddock, à environ deux kilomètres de Southfork, peut-être moins. Je rentrais retrouver votre mère, Pam et Cliff, comme je finissais toujours par le faire. Seulement, cette fois-là, ça s'est passé très différemment. Rebecca était une jolie femme, et je l'aimais à ma façon. Mais je ne m'en occupais pas beaucoup, faut bien le reconnaître. Quand je suis entré dans la maison, j'ai vu tout de suite qu'elle était enceinte...

– Enceinte! s'exclama Pam.

– Oui, elle t'attendait, Pam. Mais elle n'était pas seule, cette nuit-là. Ce petit salopard de Hutch McKinney lui tenait compagnie. Je lui ai demandé ce qu'il faisait chez moi et il a eu un rire insultant. Alors, Rebecca a dit très calmement :

« – Digger, Jock a foutu Hutch à la porte, alors, je pars avec lui. Nous emmenons Cliff. »

» Au début, je ne comprenais rien à toute cette histoire, et puis ta mère m'a expliqué qu'elle aimait Hutch McKinney. J'ai tout essayé pour la retenir. Je lui ai dit qu'elle était ma femme, et que c'était mon enfant qu'elle attendait. C'est alors que McKinney a gueulé :

« – C'est pas ton môme, Digger, c'est le mien!

« – C'est son gosse, Digger, a confirmé Rebecca. »

– La pute! La salope! criait Digger sur son lit d'hôpital, revivant la scène.

– Calme-toi, Digger, dit miss Ellie. Tout ça n'a plus beaucoup d'importance maintenant.

– Je l'ai frappée, alors Hutch a foncé sur moi, et j'ai commencé à taper sur lui, à taper comme un fou. J'ai failli l'assommer et puis je l'ai traîné dehors. Il a saisi son pistolet. Plus tard, j'ai su que c'était le pistolet de Jock et que Hutch lui avait volé. J'ai fait sauter le revolver de sa main, je l'ai ramassé et je lui ai foutu une balle entre les deux yeux... voilà. Après j'ai tiré le corps dehors et je l'ai laissé dans le champ le plus proche. Et ce champ faisait partie de Southfork. Quelques jours plus tard, j'ai emmené Rebecca et Cliff à Corpus et puis, quand Rebecca est morte, on est parti s'installer chez Maggie, à Dallas.

– Pour ma plus grande joie, intervint Maggie.

– Papa, dit Pam, essayant de maîtriser son émotion, papa, cet enfant?

– Cet enfant? marmonna Digger.

– Oui, l'enfant dont Hutch McKinney prétendait être le père, dit Bobby.

Epuisé, Digger ferma les yeux. Il respirait laborieusement. Pamela se pencha au-dessus de lui.

– Cet enfant, c'est moi, papa? C'est Hutch McKinney mon vrai père?

– C'est sans importance, Pam. Je t'ai toujours aimée comme ma propre fille, murmura Digger, juste avant de mourir.

Les yeux pleins de larmes, Pam referma le dernier registre et le rapporta à l'employé de mairie.

– Vous avez trouvé ce que vous cherchiez? demanda-t-il.

– Non, je n'ai rien trouvé.

– Eh bien alors, répondit-il d'un ton sans réplique, c'est que votre mère n'est pas morte à Corpus.

Digger lui avait-il menti? Mais pour quelle raison? Elle ne comprenait pas. Si sa mère n'était pas morte à Corpus, elle pouvait fort bien être encore vivante et attendre tranquillement que sa fille la retrouve.

– C'est la meilleure nouvelle que j'aie reçue depuis longtemps, répondit-elle en souriant à l'employé. Et elle sortit, songeant déjà à la manière dont elle allait orienter ses recherches.

11

– C'était bon, dit machinalement Lucy Ewing. Etendue sur le lit, elle laissait l'air conditionné rafraîchir son corps nu et contemplait le plafond.

Elle imaginait des caméras cachées dans la pièce et des miroirs sans tain derrière lesquels des hommes et des femmes lubriques les auraient observés, Greg Forrester et elle, en train de faire l'amour. Elle imaginait leurs commentaires sévères sur son physique et sur sa prestation. Elle échouait toujours avec les hommes. Combien de temps faudrait-il à Greg pour se dégoûter d'elle et lui demander de partir?

Il posa sa main sur la cuisse de Lucy et la pressa doucement, comme pour la réconforter. Ce silence la décontenançait et l'effrayait. Une fois de plus, elle était certaine de n'avoir pas été à la hauteur.

– Tu veux que je m'en aille? demanda-t-elle, s'asseyant brusquement.

Il ouvrit les yeux, stupéfait.

– Tu es folle?

– Tu me dis ça pour me rassurer.

– Reste ici, charmante enfant. Nous commençons tout juste à faire connaissance, tous les deux.

Il essayait de lui cacher sa déception, elle le savait. Se penchant au-dessus de lui, elle l'observa avec insistance.

– Tu me prends pour un coup facile, n'est-ce pas?

Il se mit à rire joyeusement. Nu, il semblait presque maigre, mais avec quelque chose de félin et de gracieux. Son ventre était plat et dur, ses cuisses étonnamment musclées. Le ski, peut-être... il avait la réputation d'être un skieur chevronné.

– Pas plus facile que moi, répondit-il. Aucun de nous n'a tenu très longtemps.

– Oh, un homme n'est pas censé tenir.

– Ah bon? Où as-tu lu ça? Pourquoi seules les femmes devraient-elles se préoccuper de leur vertu? Veux-tu que je te dise pourquoi j'ai succombé si vite à tes propositions malhonnêtes?

– Parce que je suis riche, répondit Lucy d'une voix légèrement tremblante, bien qu'elle essayât de prendre un ton dégagé.

– Tout simplement parce que tu es mignonne comme un cœur, intelligente, et que tu as un corps à faire damner tous les saints de la création. Tu m'as allumé et malgré ma haute moralité j'ai cédé. Mais il faut dire que j'avais envie de toi depuis longtemps. Très exactement depuis le jour où tu t'es inscrite à mon cours à l'université.

– Ça va mieux, soupira Lucy. Même si c'est faux...

– Oh non, ce n'est pas faux. Mais ce qui est plus surprenant, c'est que tu m'aies choisi, moi.

Elle lui mordilla doucement le téton gauche et le sentit frissonner sous ses lèvres. Elle posa sa tête sur la poitrine musclée du garçon. Pourquoi lui? Mais pourquoi pas lui? se demanda-t-elle. Depuis des années elle s'envoyait tous les types dont elle avait envie. Elle ne vivait que des amours d'un jour. Combien d'amants avait-elle déjà eus? Déjà trop pour les compter. Trop pour son jeune âge, en tout cas. Il y avait quelque chose de détraqué en elle.

– Pourquoi m'as-tu choisi? insista Greg. J'ai le double de ton âge. Un quadragénaire fatigué, enseignant des choses inutiles à des jeunes qui s'en foutent et qui préféreraient jouer au basket ou tirer des cailles. Ou mieux encore, tirer un coup, ajouta-t-il en riant. Pourquoi moi, Lucy?

– Ça m'amusait. Je n'ai encore jamais levé de prof.

– Ah bon! Un simple numéro sur ta liste, c'est ça?

– Oui et non. Et moi, je suis ta première étudiante?

– Non. Ah, ce besoin d'aller toujours plus loin sur le chemin de la connaissance! Cherche et tu seras récompensée! Ma chère enfant, les étudiantes entrent et sortent d'ici comme de Central Station à New York. J'ai à peine le temps de m'habituer à l'une qu'il en arrive une autre.

– Salaud!

– Hélas! Je ne peux pas le nier.

– Comment les récompenses-tu? En leur donnant leur diplôme de fin d'année?

– Je leur donne ce à quoi elles ont droit – et qui est l'équivalent exact de ce qu'elles me donnent : un peu de sensualité, un plaisir éphémère qui ne laisse pas plus de traces dans leur mémoire que dans la mienne. Tu sais, on engage si peu de soi dans ces brèves étreintes!

– Alors, pour toi, je ne suis qu'une étudiante de plus?

– Tu es encore ici.

Elle bondit hors du lit.

– Plus pour longtemps. Je ne voudrais pas empiéter sur ton prochain rendez-vous...

Elle repéra ses panties sur le sol.

Il l'attrapa par le bras et la tira vers lui.

– Je n'en ai pas encore fini avec toi.

Elle écarta les jambes.

– D'accord, vas-y. Tire un coup et laisse-moi partir.

– Pourquoi prends-tu les choses comme ça, Lucy? Je t'aime beaucoup, tu sais... Je suis heureux que tu sois ici aujourd'hui. Bien sûr, j'ai envie de te refaire l'amour, mais il n'y a pas que ça. J'ai envie de te parler, de te connaître et pas seulement comme étudiante mais comme être humain. Ecoute, nous allons renoncer à faire l'amour aujourd'hui, tu veux? Faisons connaissance. Je m'appelle Greg Forrester, je suis professeur. Je suis l'auteur d'une douzaine de romans et de pièces qui n'ont jamais été écrits et ne le seront jamais. En d'autres termes, l'universitaire type, l'intellectuel en chaise longue. Voilà pour moi. Raconte-moi ta triste histoire, maintenant.

– Pourquoi veux-tu qu'elle soit triste?

– Parce que les gens comme nous ont toujours une histoire triste.

Elle se prépara à lui monter une fable pour se rendre intéressante, pour lui paraître excitante. Mais elle n'avait pas sorti trois mots qu'elle éclatait en sanglots.

– Je... je me sens affreusement seule, hoqueta-t-elle.

– Tu es avec moi.

Il y avait dans sa voix d'homme cultivé une réelle gentillesse.

– Je te connais à peine. Et c'est toujours comme ça. Je fais toujours l'amour avec des hommes que je connais à peine. La plupart du temps, je n'ai même pas envie de les revoir.

– Mais tu aimes faire l'amour, non?

Elle haussa les épaules et s'essuya les yeux. Un sourire ironique flotta un instant sur ses jolies lèvres.

– J'ai arrêté la dope et je ne supporte pas l'alcool. Alors, que me reste-t-il? Le sexe.

Elle espérait qu'il allait se mettre à rire mais il n'en fit rien.

– Et tu tires toujours de mauvais numéros, bien sûr? demanda-t-il, hochant gravement la tête.

– Infailliblement.

– Pourquoi cela?

– Oh, je crois savoir pourquoi. C'est le schéma classique de la riche héritière qui n'a rien d'autre que son fric. Pas de mère, pas de père, rien.

– Tes parents sont morts?

– Ma mère était une traînée. Elle a foutu le camp quand j'étais petite. Et mon père en a fait autant, dit-elle avec un rire amer. Lui, c'était un alcoolique, un véritable ivrogne.

– Mais les autres membres de la famille Ewing?

– Pouah! C'est un véritable panier de crabes, cette famille, un zoo humain, dit-elle avec une moue de dégoût. Chacun cherche à tirer la couverture à lui. Ils ont tous des problèmes. Ils ont tous le droit de souffrir, sauf moi. Tout ce qui m'atteint, moi, est toujours minimisé. Ils s'en foutent.

– Tu te sens mal aimée?

– Je le constate.

– Et c'est pour ça que tu couches avec n'importe qui? Pour te donner l'illusion de l'amour? Mais ne fais-tu pas la différence entre les sentiments réels et les autres?

– Non. Apparemment, je ne suis pas très douée pour ça. Il y a Alan. Lui, c'est autre chose.

– Qui est Alan?

– Alan Beam. Il me tanne depuis quelque temps...

– Ah, bon. Je croyais qu'il s'agissait de quelque chose de plus sérieux.

– Pas pour coucher avec moi, idiot! Non, à cet égard, je lui en donne autant qu'il veut, même plus qu'il ne lui en faut. Il veut m'épouser. Et il ne veut plus coucher avec moi tant que je n'aurai pas accepté.

– Tu n'as pas envie de l'épouser?

– Je ne sais pas.

– Pourquoi pas? Qu'est-ce qui t'arrête?

Elle réfléchit un instant à cette question qu'elle s'était si souvent posée, et soudain la réponse s'imposa à elle.

– Je ne l'aime pas assez pour l'épouser.

Elle se remit à pleurer.

Il la prit dans ses bras et la berça comme une enfant. Elle finit par se calmer et resta pelotonnée, tiède et confiante contre lui.

– Excuse-moi, murmura-t-elle.

– De quoi?

– De te gâcher ta matinée.

– Ne sois pas stupide. Tu ne peux pas savoir à quel point ça me change de voir quelqu'un qui montre une émotion véritable. Ma vie n'est faite que d'impostures, de masques, de rébus sans queue ni tête.

Elle bâilla.

– Je suis désolée. Ta vie n'a pas l'air beaucoup plus gaie que la mienne.

– Tu sais ce que ça signifie quand une fille bâille au lit?

– Qu'elle a sommeil?

– Pas du tout. Qu'elle a envie de faire l'amour ou bien de se battre.

– Je n'ai aucune envie de me battre, répondit-elle.

Et ils ne se battirent pas.

Kristin était en retard. Elle se débarrassa rapidement d'Alan Beam, prit une douche et s'habilla à la hâte. Elle s'apprêtait à partir lorsqu'elle entendit la sonnette de la porte d'entrée. Elle s'arrêta, interdite. Elle n'attendait personne. Elle ouvrit la porte et se trouva nez à nez avec JR, l'air menaçant, les sourcils froncés sous son Stetson blanc.

– Je ne veux plus te voir, JR, dit-elle, essayant de refermer la porte.

Mais JR l'avait bloquée avec son pied. Il repoussa Kristin et entra dans l'appartement.

– De quel droit forces-tu ma porte? C'est vraiment incroyable! Je ne t'appartiens pas, enfin!

– Toi, non, mais l'appartement, oui, répliqua-t-il.

C'était vrai et elle le savait. Décontenancée, elle se tut. Elle tenta un coup de charme. Toute sa vie, Kristin avait obtenu des hommes ce qu'elle avait voulu. Un sourire, un froncement de sourcils, un peu d'attention, et ils venaient lui manger dans la main. Elle savait comment mater JR.

– JR, tu es furieux parce que je ne suis pas venue ce matin? Je suis désolée, chéri. Je ne me suis pas réveillée. J'allais partir pour le bureau. Je peux rattraper ce soir, si tu veux.

– Parle-moi d'abord de toi et d'Alan Beam.

– Alan Beam! Mais tu es fou! Qu'est-ce que c'est que cette histoire?

– Ne me prends pas pour un imbécile. Il vient de sortir de chez toi. Et ça m'étonnerait qu'il soit venu pour te réciter des poèmes. Ce serait mal te connaître!

– Mais... ma parole, JR, tu me fais une scène de jalousie!

– Pauvre petite conne! Je me fous de ce que tu fais et avec qui. Mais il y a une chose que j'exige des gens que je paie, c'est la loyauté. Et un minimum d'intelligence. Apparemment, les deux te font défaut.

Kristin sentit monter une sueur froide. S'il avait découvert aussi rapidement ses relations avec Alan, il devait en savoir long sur ses propres activités. Il y avait de quoi avoir peur! Elle fit un pas vers lui mais il la repoussa brutalement.

– Je crois que tu as quelque chose à me dire, déclara-t-il, glacial.

– A propos d'Alan? Bon, d'accord. C'était idiot, je le reconnais. Je ne recommencerai pas. J'étais seule et triste. Tu ne t'occupes plus de moi, JR.

– Je crois que tu n'as pas saisi la situation. Alan Beam m'appartient, corps et âme. Tout comme toi, ma beauté. J'achète et je vends tous les Beam du monde et, crois-moi, on en trouve autant qu'on veut. Maintenant, parle.

Sa frayeur augmentait. Que savait-il au juste? Que cherchait-il à lui extorquer?

– Que veux-tu savoir, JR?

– Parle-moi de Hank Johnson.

Le bout de ses doigts était glacé, comme mort. Elle retira son manteau, sachant que sa robe moulante mettait son corps en valeur, et observa le visage de JR. Elle savait exactement à quoi il pensait, ce dont il se souvenait.

– JR, je suis si heureuse de te voir. Ne nous disputons pas. Viens, nous parlerons après.

– Parle, espèce de pute, dit-il entre ses dents.

– Salaud! Tu es un ignoble salaud! cria-t-elle en se précipitant vers lui.

Il la gifla si durement qu'elle tomba sur le sol. Il se tint au-dessus d'elle et posa sa botte sur son cou, n'appuyant encore que légèrement.

– Qu'est-ce qui t'est passé par la tête, hein? Croyais-tu vraiment obtenir le meilleur de moi dans tous les domaines? Croyais-tu JR Ewing assez bouché et naïf pour faire confiance à une salope comme toi? Que cherchais-tu à faire, Kristin, réponds-moi!

Elle gémit et tenta désespérément de repousser sa botte.

– JR, tu vas m'étrangler, bredouilla-t-elle.

– Rien ne me réjouirait plus! Parle!

– Alan..., dit-elle haletante. C'est lui qui m'a obligée à faire ça.

– Alan? Comment pouvait-il t'obliger à faire quoi que ce soit?

– Il m'a menacée de révéler à Jock ma liaison avec toi. J'ai couché avec lui pour te protéger.

– Espèce de salope! Tu as vraiment une imagination débordante.

– Mais c'est la vérité. C'est lui qui m'a forcée à appeler Hank. Il voulait avoir barre sur toi. Tu vois...

– Ça, pour voir, je vois. Je vois que tu te fous de ma gueule, oui! Alan Beam est incapable de faire pression sur qui que ce soit. C'est une larve, dévorée d'ambition. Une merde sans tripes ni cervelle. Cesse de mentir, Kristin, ou je vais devenir vraiment méchant. Je vais te dire, moi, ce qui s'est passé : tu voulais mettre la main sur les enregistrements pour les refiler à nos amis du cartel, ou pour me faire chanter. M'extorquer de quoi vivre jusqu'à la fin de tes jours. Tu savais que je serais prêt à payer n'importe quoi pour que ces documents ne tombent pas entre leurs mains. Je vais te dire une bonne chose, mon chou, dit-il, ôtant sa botte de son cou et lui faisant signe de se lever : Beam, toi et moi, ne faisons pas partie du même monde. Vous n'êtes qu'un couple de petits sauteurs qui vous êtes surestimés. Non seulement vous allez regretter d'avoir essayé de m'avoir, mais vous allez regretter d'y avoir même songé.

Kristin était debout, massant son cou douloureux. Elle se dirigea vers la cuisine et en revint aussitôt avec un grand couteau.

– JR, si tu me touches encore, je te tue.
– Mais non! Tu n'en auras pas le courage!
– N'en sois pas si sûr. Tu ne me fais pas peur.
– Il faut avoir une trace d'intelligence pour avoir peur et ce n'est pas ton cas. Je vais te mettre les points sur les *i*, Kristin. Tu vas peut-être enfin avoir peur.

Il fouilla dans sa poche et elle fit un bond en arrière, les yeux agrandis par la terreur. Avec un rire sardonique, il sortit une liasse de billets de banque de sa poche.

– Il paraît que Rio est très agréable à cette saison, poursuivit-il, comptant les billets de cent dollars. Voici de quoi t'offrir un séjour là-bas. Balade-toi à Copacabana en bikini, roule ton petit cul comme tu sais si bien le faire et tu ne seras pas seule longtemps. Je ne te donne pas un an pour lever quelque riche homme d'affaires brésilien. Si tu lui fais ce que tu me faisais à moi, ça tiendra bien quelques mois.

Elle brandit le couteau.

– Je devrais te saigner comme un porc.

Il jeta la liasse sur la table basse.

– Prends ça et file. Tire-toi de Dallas pendant qu'il en est encore temps, Kristin.

– Un jour, tu tomberas sur plus fort que toi, JR, siffla-t-elle haineuse.

– Possible, mais ce n'est pas le cas aujourd'hui.

– Tu m'as toujours dit : Ne commets pas l'erreur de sous-estimer tes ennemis. Je suis ton ennemie, JR, et pour toujours.

– Prends ce fric et fous le camp. Je veux que demain, à la même heure, tu aies décanillé. Sinon, je me verrai dans l'obligation de t'envoyer deux ou trois de mes amis. Ils pénétreront par tous les orifices de ton joli corps et puis ils te descendront les rotules sur les tibias.

– Tu crois que tu m'impressionnes! hurla-t-elle tandis qu'il se dirigeait vers la porte. Je ne me laisserai pas acheter, tu m'entends?

JR sortit avec une moue méprisante, laissant la porte entrebâillée derrière lui. Toute personne qui l'aurait aperçu à ce moment-là aurait été horrifiée par l'expression de son visage.

Pam sortit de la mairie de Corpus Christi et se dirigea vers le quartier ouvrier de la ville. Elle regardait avec émotion les maisons délabrées comme si elle y avait passé son enfance. L'une d'entre elles, notamment, attira son attention. Et lorsque, rompant le charme, une vieille femme sortit de la maison voisine, elle en fut presque agacée.

La femme avait environ soixante-dix ans. Elle descendit avec précaution les quelques marches usées du perron, puis, une fois en sécurité sur le trottoir, elle regarda avec méfiance Pam traverser la rue et se diriger vers elle. Elle regarda furtivement à droite puis à gauche comme pour tenter de lui échapper. Son visage ridé exprimait le trouble et la confusion. Visiblement, elle tenait toute personne étrangère pour suspecte. Elle tourna le dos à Pam et entreprit de descendre la rue en traînant les pieds. Pam se précipita derrière elle.

– Madame, s'il vous plaît..., j'aimerais vous parler. Je n'en ai pas pour longtemps.

La vieille femme s'arrêta.

– Qu'est-ce que vous m'voulez?

– Il y a longtemps que vous habitez ici?

– Longtemps! J'pense bien! Toute ma vie ou presque.

Pam fut envahie par un sentiment de vif soulagement. Se pouvait-il qu'elle eût frappé du premier coup à la bonne porte?

– Je m'appelle Pamela Ewing. J'essaie de retrouver quelqu'un qui a vécu dans la maison voisine. Peut-être vous souvenez-vous d'elle : Rebecca Barnes.

La vieille femme leva les yeux et dévisagea Pam.

– J'm'appelle Odette, marmonna-t-elle, Odette Billings. J'ai été jeune et jolie, vous savez. P't'être plus jolie que vous encore.

– J'en suis sûre, dit Pam en souriant.

– J'peux pas comprendre ce qui m'est arrivé. J'veux dire, comment que j'suis devenue, vieille et toute ridée. J'ai eu un mari, mais y'a déjà un bout de temps qu'il est là-haut, lui. Et avant lui, j'en ai eu des galants... des tas. Mais c'est y'a longtemps. C'que j'voudrais bien comprendre, c'est comment ça peut s'faire qu'on devient si vieux si vite. Ah ça, j'peux pas comprendre. C'est quoi le nom que vous avez dit?

Ses yeux larmoyants fixaient Pamela.

– Rebecca Barnes.

– Ma mémoire fout le camp ces temps derniers. C'était votre maman?

– Oui, c'est ma mère.

– Ouais... Y'a comme une ressemblance...

Le cœur de Pam se mit à battre la chamade.

– Vous la connaissiez?

– Elle avait un p'tit garçon, j'crois bien. Dans les cinq ans, j'dirais. Peut-être six.

– C'est mon frère Cliff.

– En tout cas, j'me souviens pas de sa fille.

– Elle devait être enceinte à cette époque. Elle m'attendait.

Odette Billings essayait de percer le brouillard qui lui masquait le passé.

– Ouais. Attendez une seconde. Ça m'revient maintenant. Elle était enceinte, c'est vrai. Même grosse, qu'elle était.

Elle eut un petit rire.

– C'est ça. C'est moi qu'elle attendait, répéta Pamela.

Hochant mollement la tête, Odette se remit en route.

– Attendez une seconde, dit Pam. Essayez de vous rappeler... Vous ne pouvez me donner aucun autre renseignement sur elle?

– C'est si vieux tout ça! Attendez...

– Ça vous revient?

– Y'a un truc que j'me souviens. C'était à Noël. J'étais partie pour rendre visite à mon frère, Phil. Il habitait à Galveston à cette époque. Il travaillait aux docks. Il gagnait bien mais c'était dur, et Phil, il a dû quitter. C'était trop dur pour lui.

– Vous êtes allée le voir à Noël?

– Quoi? Ouais, j'suis allée voir Phil. Lui aussi est mort, à présent. Ils sont tous morts, ma famille, mes amis. J'suis la dernière.

– Vous alliez me dire quelque chose à propos de Rebecca Barnes.

– Hein? Ah ouais! j'me rappelle. J'suis restée deux semaines chez Phil et puis j'suis rentrée. Eh ben, Rebecca, elle était plus là. Envolée.

– Toute seule?

– Non, avec le reste de la famille.

– Où ça? Vous en avez une idée?

– Non. Personne savait. Ils avaient pas laissé d'adresse. Même pas dit au revoir. (Elle s'arrêta.) Faut que j'parte, à présent.

– Merci. Merci beaucoup, madame.

Odette fit quelques pas puis se retourna.

– Elle était gentille, vous savez. Gentille et belle, aussi belle que vous. Seulement, a-t-on idée de partir comme ça, sans même dire au revoir?

Ce soir-là, après le dîner, Sue Ellen s'excusa et monta directement dans sa chambre. Elle exultait comme si elle venait d'accomplir quelque chose de très nouveau et de très important pour elle. Elle venait de passer sa chemise de nuit lorsque JR entra dans la chambre. Il ôta sa veste, sa chemise et sa cravate, et enfila une chemise propre. Tout en se boutonnant, il observait Sue Ellen.

– Tu m'as étonné, ce soir, dit-il.

– Comment puis-je t'étonner, JR? J'avais l'impression que tu lisais si clairement en moi que, venant de ma part, rien ne pouvait plus t'étonner.

Il rentra sa chemise dans son pantalon et noua sa cravate.

– Tu as été parfaite, ce soir, à table. Une véritable performance.

– Ça t'a déçu, n'est-ce pas?

– Non, au contraire. J'ai été agréablement surpris.

– Tu t'attendais à ce que je me conduise comme une idiote devant tes parents, à ce que je raconte ce qui m'était arrivé? Eh bien, mon vieux, tu vois que je suis capable de jouer les femmes du monde charmantes, enjouées et sobres.

Il regarda son nœud de cravate avec satisfaction : il était parfait.

– Sue Ellen, dit-il d'un ton glacial, tu te diriges à grands pas vers une dépression nerveuse. Je crois que nous allons être obligés de te faire soigner. Tu divagues, tu tiens des propos incohérents...

– C'est faux et tu le sais très bien. Je ne bois plus et je contrôle parfaitement mes paroles. N'essaie pas de me faire interner, tu m'entends?

– Nous verrons cela.

– Je ne me laisserai jamais faire et Bobby me soutiendra.

– Souviens-toi d'une chose, chérie : j'obtiens toujours ce que je veux. Toujours, répéta-t-il en se dirigeant vers la porte.

– Dis-moi, JR, tu as l'intention de coucher avec ma sœur, ce soir?

Il se retourna et la regarda fixement.

– Pauvre Kristin! C'est déjà fini? Par quelle pute l'as-tu remplacée?

– Quelle que soit la pute, rétorqua-t-il, elle sera toujours meilleure à baiser que celle que j'ai sous les yeux en ce moment.

Il sortit en claquant la porte. Folle de rage, Sue Ellen lança violemment son oreiller contre la porte, puis elle bondit vers la commode de JR, ouvrit un tiroir et se mit à lancer toutes ses affaires aux quatre coins de la chambre. Soudain, elle s'arrêta. Elle venait de poser la main sur un objet dur et froid. Le P.38. Elle le sortit du tiroir. Il était chargé, lourd dans la main, et pourtant elle éprouva à le tenir ainsi une étrange satisfaction. Elle le brandit devant elle, regarda fixement le barillet puis, très lentement, le doigt sur la gâchette, elle introduisit le canon dans sa bouche. Le goût lui parut désagréable, métallique et elle retira avec précaution l'arme de sa bouche.

Elle pointa alors le revolver vers la porte, mais son bras tremblait.

– Bang, dit-elle doucement. Bang! Bang!

Puis elle se laissa tomber sur le sol, le revolver toujours pointé vers la porte.

– Crève, salaud, crève, murmura-t-elle.

QUATRIÈME PARTIE

LES EWING HIER

Un jour – c'était quelques mois avant la nationalisation des champs pétroliers d'Asie, JR s'éveilla de bonne heure. Il s'habilla à la hâte, tout en jetant un regard lascif sur sa femme endormie. Rien de tel que la vue d'une femme endormie pour vous exciter, pour réveiller cette bonne vieille libido. Même une femme aussi froide et distante que Sue Ellen. JR se promit d'essayer d'arranger les choses entre eux. Il fallait lui faire la cour, se faire désirer à nouveau, lui donner envie d'ouvrir ces cuisses voluptueuses. Une fois encore, le souvenir des premiers temps de leurs amours lui fouetta le sang. Elle était lente à émouvoir, mais perverse, délicieusement perverse. Beaucoup de femmes ne demandaient qu'à coucher avec JR, mais peu étaient aussi excitantes et sensuelles que Sue Ellen. Dormir à côté d'une femme sans la posséder lui paraissait le comble de l'absurdité. Surtout le matin, lorsqu'ils étaient tous deux encore lourds de sommeil, chauds et lents.

Son œil exercé repéra la courbe de la hanche de Sue Ellen sous le drap. Quel beau corps, à la fois souple et vigoureux. Fait pour donner du plaisir et en éprouver. JR ne parvenait pas à comprendre pourquoi elle le repoussait ainsi. Bon Dieu, il n'était pas nécessaire d'être amoureux pour tirer un coup!

Non sans réticence, il renonça à réveiller sa femme et descendit à la cuisine. Il se servit un grand verre de jus d'orange et sortit. Le soleil, déjà chaud, dessinait des ombres gracieuses sur le jardin. Dans quelques heures, il ferait étouffant, comme souvent à Dallas. Dieu merci, on avait inventé l'air conditionné. C'était sûrement un Texan qui avait inventé ça. Un type excédé de transpirer comme un malade des journées entières.

Le bruit d'un plongeon lui parvint, et il se dirigea vers la piscine. Il arriva à temps pour voir Kristin Shepard sortir de l'eau, son corps superbe mis en valeur par un minuscule bikini noir. JR lécha le bord de son verre, les yeux fixés sur la jeune fille qui remontait sur le plongeoir. L'effort qu'elle fit pour se hisser sur la planche tendit son slip sur ses fesses rondes. Pendant un moment qui parut à JR une éternité, elle demeura immobile, mince silhouette se détachant sur le bleu du ciel, puis elle courut, exécuta un plongeon impeccable et réapparut après avoir nagé quelques mètres sous l'eau.

JR avala une gorgée de jus d'orange sans quitter des yeux Kristin qui regagnait le bord. Cette fois, elle parut prendre conscience de sa présence et lui sourit.

– Tu es jolie comme un cœur, Kristin, lui cria-t-il.

– Merci du compliment, JR, répondit-elle en riant.

Elle se pencha en avant et tordit ses cheveux pour en exprimer l'eau. Les yeux fixés sur ses seins lourds, JR retint sa respiration et avança lentement vers elle.

– Veux-tu encore un peu de jus d'orange, JR?

La voix, polie mais ferme, le fit se retourner, l'air coupable. Jolie et fraîche comme toujours, parfaitement maîtresse d'elle-même, sa mère prenait son petit déjeuner dans le patio. Elle tenait une carafe à la main, et deux domestiques s'affairaient autour d'elle, apportant des plats couverts qu'ils posaient sur la table.

– Que dis-tu, maman?

Il la rejoignit et entendit le bruit du plongeon de Kristin derrière lui. Il s'efforça de chasser de son esprit l'image de ce corps qui l'obsédait.

– Je t'ai demandé si tu voulais encore un peu de jus d'orange, JR.

Un sourire contraint flottait sur ses lèvres et elle regarda son fils avec insistance.

– Non, merci, maman. J'en ai assez.

– Jolie fille, n'est-ce pas?

– Qui ça? Kristin? Oui, elle n'est pas mal. Enfin, je crois... je ne la regarde jamais beaucoup.

– J'imagine. Il est rare que les hommes mariés prêtent beaucoup d'attention à la sœur cadette de leur femme. Ce ne serait pas de très bon goût, ni très moral.

– Oui, c'est sans doute pour cela que je ne la regarde jamais.

Regardant soudain vers la maison, miss Ellie se leva en fronçant les sourcils et se dirigea vers la cuisine.

JR retourna à la piscine. Kristin nagea vers le bord et se hissa hors de l'eau. L'une de ses bretelles de soutien-gorge avait glissé sur son bras, et JR aperçut un sein blanc et rond, presque entièrement découvert. Kristin ne semblait pas s'en préoccuper. JR prit une serviette qui traînait sur le sol et la lui jeta. Elle l'attrapa avec habileté et lui sourit, puis se mit à sécher ses cheveux. Le souffle coupé, JR attendit que le soutien-gorge achève de glisser, les yeux rivés sur ce sein dénudé.

Comme si elle devinait ses pensées, Kristin s'enroula dans la serviette et lui sourit gentiment.

– Comment te sens-tu par ce beau temps, JR?

– Bien dans ma peau, mon chou, et toi?

– Dans une forme terrible.

– Ça se voit, tu es resplendissante. Tu as bien dormi?

– Je dors toujours bien, ici. J'adore être à Southfork. J'ai l'impression de faire partie de la famille.

– Mais c'est le cas.

– Oui... enfin, si on veut.

– Toutes les situations évoluent dans la vie, mon chou.

Troublée par ce qu'impliquait sa réponse, Kristin détourna son regard.

– Maman va être morte de jalousie quand je lui raconterai combien c'était merveilleux ici aujourd'hui. Elle va regretter d'avoir passé sa dernière soirée texane dans son appartement de Dallas.

– J'imagine qu'elle avait des monceaux de bagages à faire. C'est en général le cas quand on s'apprête à partir pour l'Europe. Toi aussi, tu dois avoir des bagages à faire. Tu vas me manquer, Kristin.

– Toi aussi, JR. Vous allez tous me manquer. J'aime beaucoup les Ewing.

Elle s'allongea sur un matelas en plastique, face au soleil, et s'étira langoureusement. Il fallut à JR une certaine force de caractère pour ne pas se laisser tomber à côté d'elle. Il se détourna et aperçut alors Sue Ellen qui sortait de la maison et se dirigeait vers eux. Comme sa sœur, elle était vêtue d'un bikini, et JR fut frappé par la perfection de son corps. Plus grande que Kristin, plus large d'épaules, elle semblait plus femme, plus épanouie que sa sœur. Après tout quel mal y avait-il à les désirer toutes les deux?

– Tu vas te baigner, Sue Ellen? demanda-t-il.

Elle le regarda, puis regarda Kristin, puis ses yeux se posèrent de nouveau sur lui.

– Mais oui, ne serait-ce que pour qu'un membre de cette famille se baigne de temps en temps. A moins que tu y voies une objection?

Il crut déceler une trace d'ironie dans sa réponse, mais il ne pouvait croire qu'elle eût deviné ses sentiments à l'égard de Kristin.

– J'ai simplement peur que le soleil ne soit trop fort pour toi, Sue Ellen. Tu as la peau si claire...

– Quelle sollicitude! Je suis émue aux larmes!

– Nous ferions mieux de monter.

Elle fixa sur lui son regard clair, impitoyable.

– Monter? Quelle idée! Pourquoi veux-tu monter? Tu es sapé comme un prince et prêt à partir pour le bureau. Quant à moi, je sors de mon lit à l'instant. J'ai passé une excellente nuit, merci. Je meurs d'envie de profiter de ce temps magnifique.

Il lui sourit de ce sourire brillant et machinal qui masquait le versant sombre de sa personnalité.

– Je suis en avance. Il est encore tôt et, après tout, je suis le patron.

– Mais je te le répète : pourquoi veux-tu monter?

– Voyons, Sue Ellen, tu pourrais t'en douter, mon ange, répondit-il, toujours souriant. Souviens-toi des premiers mois de notre mariage. Nous ne quittions pas beaucoup le lit à cette époque. C'était notre terrain de jeux en quelque sorte.

– Et tu voudrais bien fouler de nouveau ce terrain de jeux, comme tu dis?

– Je sens que je serais imaginatif, chérie, dans le genre salace, comme tu aimes, souffla-t-il.

Sue Ellen jeta un coup d'œil vers Kristin.

– Qu'est-ce qui te prend? Qui t'a mis dans cet état? Tu es à peu près aussi romantique que les taureaux de Jock à la saison des amours.

Et elle le planta là et plongea gracieusement dans la piscine.

Une heure plus tard, JR, mâchoire proéminente et lèvres serrées, le Stetson enfoncé sur la tête, traversait à grandes enjambées la salle de réception de l'Ewing Oil. Un coup d'œil suffit à Connie, sa jolie secrétaire, pour comprendre qu'il valait mieux ne pas contrarier le patron ce matin. Elle eut un sourire professionnel.

– Bonjour, JR. J'ai tapé les mémos. D'autre part, Wade Luce a déjà appelé deux fois ce matin.

– Je ne peux pas le prendre, je n'ai pas le temps.

– C'est exactement ce que je lui ai répondu. Moyennant quoi il m'a dit qu'il arrivait.

– Ah, quel emmerdeur! Bon, je le verrai cinq minutes. S'il s'incruste, passez-moi l'Arabie Saoudite au téléphone, par exemple. D'accord?

– Non. On lui a déjà fait le coup de l'Arabie Saoudite. Je vous passerai l'Indonésie.

– Excellente idée. Va pour l'Indonésie. (Il fronça les sourcils. Sur la table voisine de celle de Connie, la machine à écrire était recouverte de sa housse en plastique.) Louella n'est pas là, ce matin? demanda-t-il d'une voix agacée.

Connie hésita un instant.

– Vous l'avez autorisée à prendre sa journée, JR. Vous ne vous en souvenez pas?

– J'ai fait ça, moi? Mais pourquoi?

– Elle avait des courses à faire.
– Ah oui, ça me revient maintenant.
– Elle se marie la semaine prochaine.
– Tâchez de savoir si elle a déposé une liste quelque part et choisissez pour elle quelque chose de bien, un truc en argent par exemple. Les jeunes femmes adorent l'argenterie, n'est-ce pas, Connie?
– Oui, patron.
– Bien. Choisissez quelque chose de joli.
Il entra dans son bureau, posa son attaché-case sur la table et lança son chapeau sur le canapé en cuir. Puis il se mit à ouvrir son courrier. Une lettre retint son attention et il la relut en fronçant les sourcils.
– Il ne me manquait plus que ça, murmura-t-il.
La ligne intérieure sonna et il appuya sur un bouton.
– Oui, Connie, qu'y a-t-il?
– Jordan Lee vient d'arriver. Dois-je le faire entrer?
– Oh bon Dieu! il n'est jamais foutu de prendre rendez-vous, celui-là! Bon, faites-le entrer.
Il reprit sa lettre.
Jordan Lee entra. Pas aussi imposant que JR, il avait néanmoins l'apparence des gens qui dînent trop bien depuis trop longtemps. Cependant, son allure d'homme riche et de bon vivant dissimulait le caractère intraitable du self-made man. Il était rude, agressif et insensible.
– Salut, JR, dit-il en refermant la porte.
– Bonjour, Jordan. Que se passe-t-il?
– Désolé de vous déranger, enchaîna-t-il sans avoir l'air le moins du monde désolé. Vous connaissez la dernière du B.C.P.?
– J'étais en train de lire ça, justement.
– Ce Cliff Barnes est cinglé!

– Malheureusement non. Il sait très bien ce qu'il fait. Il a décidé de ruiner les pétroliers, Jordan.

– Comment voulez-vous que nous observions ces nouvelles normes à Kilgore?

– Barnes sait que c'est impossible. C'est bien pour ça qu'il a mis sur pied ces nouvelles réglementations.

– S'il veut vraiment nous faire lâcher Kilgore, il y arrivera, JR.

– J'ai bien l'impression qu'il y est arrivé, Jordan.

– Bon Dieu, quel salaud, ce type! J'aimerais lui planter un couteau entre les omoplates.

– Oui, mais en attendant, c'est plutôt nous qui l'avons dans le dos.

– JR, je ne sais pas ce que vous en pensez, mais en ce qui nous concerne, il n'est pas question d'intenter un procès au B.C.P. Ça risque de durer quatre ou cinq ans et mon affaire n'a pas les reins assez solides. Quant à mes actionnaires, ils ne vont pas se croiser les bras sans toucher de dividendes et sans voir leurs actions monter pendant une aussi longue période.

– Malheureusement, j'ai bien peur qu'il n'y ait pas d'alternative, Jordan. Il faut se battre ou passer sous ses Fourches Caudines, mon vieux.

– C'est tout ce que vous me proposez, JR? Dans ce cas, je quitte le cartel et je ne serai pas le seul, croyez-moi. Luce et les autres en feront autant. Il nous faut absolument trouver de nouveaux gisements et augmenter le prix du brut. Vu la façon dont les choses se passent en Arabie et partout ailleurs, les puits risquent de se tarir plus vite qu'on ne l'imagine. Il faut absolument trouver de nouveaux gisements.

– Eh bien, expliquez donc cela à Barnes.

– C'est fait et il m'a dit deux ou trois choses intéressantes.

– Comme quoi, par exemple?

– Comme le fait que c'est vous et votre père qu'il vise dans cette histoire. Il a pris l'Ewing Oil dans son collimateur. Et j'ai le sentiment, bien qu'il ne me l'ait pas dit, que, si nous formions un nouveau cartel sans vous, le B.C.P. nous foutrait la paix, JR.

– Oui, mais pas à moi, n'est-ce pas?

Jordan Lee haussa ses larges épaules.

– Je ne vois pas d'autre solution pour que Cliff Barnes nous laisse survivre, JR.

– Réfléchissez bien, Jordan. Ne faites rien à la hâte, vous risqueriez de le regretter par la suite. (Il appuya sur un bouton.) Connie, voulez-vous demander à Bobby de passer une minute dans mon bureau, s'il vous plaît?

– Oui, patron, tout de suite.

– JR, dit Jordan Lee d'une voix hésitante, je ne crois pas que vous puissiez sortir une colombe de votre chapeau cette fois-ci, pour la bonne raison qu'il n'y en a pas. En fait, dans ce coup-là, vous n'avez même pas de chapeau.

– Ne sous-estimez pas l'Ewing Oil, Jordan. Pas plus que mes dons de prestidigitateur. Ah, voici Bobby, dit-il en se levant.

– Salut, JR, dit Bobby. Ah Jordan! comment ça va, mon vieux? Ça fait un bout de temps qu'on ne vous a pas vu.

– Vous avez l'air en grande forme, Bobby. Comment va votre père?

– Très bien.

– Dites-lui bonjour de ma part et à votre mère aussi.

– Je n'y manquerai pas. Eh bien, messieurs, en quoi puis-je vous être utile?

Jordan se dirigea vers la porte.

– Je vous laisse discuter de ça. Et souvenez-vous de ce que je vous ai dit, JR : Il faut prendre une décision très vite.

Jordan sortit en faisant un signe de la main et referma la porte derrière lui.

– Qu'est-ce qui se passe? demanda Bobby, prenant une chaise et s'asseyant en face de son frère, ses bottes appuyées contre le montant de la table.

– Petit frère, j'ai des reproches à te faire. Vu la façon dont les choses tournent en ce moment, j'ai l'impression que tu ne fais pas ton boulot.

Bobby fronça les sourcils et une expression agacée passa sur son visage bronzé. Depuis le temps qu'il vivait et travaillait avec JR, jamais Bobby n'avait pu s'habituer à son hostilité, à sa façon d'attaquer, de détruire, de fuir, de magouiller. JR était toujours au bord du désastre, toujours prêt à écraser quiconque se mettait en travers de son chemin. Bobby détestait cette conception des affaires.

– JR, dit-il avec une nonchalance affectée, veux-tu, s'il te plaît, me dire clairement ce que tu as en tête? Tu sais bien que je t'écoute toujours avec la plus grande attention.

Il sourit pour atténuer l'ironie de ses propos.

– C'était mon intention. Il faut absolument que tu remues nos amis d'Austin, mon vieux. Ces sénateurs sont là, les doigts de pied en éventail, et ils ne nous sont d'aucune aide. Leur comité à la con n'est pas fichu de faire passer la législation appropriée. Il faut qu'ils passent en seconde, bon Dieu. Va leur dire aujourd'hui même!

– JR, dit Bobby, essayant de garder son calme, tu

sais parfaitement que les choses vont lentement en politique...

– Je m'en fous! Il faut agir, et vite.

– J'en ai discuté avec eux pas plus tard qu'hier. Ils savent ce que nous voulons. Ils comprennent l'urgence de la situation et ils font de leur mieux pour nous aider. Il n'y a rien d'autre à faire pour le moment.

– Ce sont des conneries, tout ça! Il y a toujours autre chose à faire. Une patte à graisser, un peu de pommade à passer, une belle petite pouliche...

– Je n'ai pas l'habitude d'acheter les gens, l'interrompit sèchement Bobby.

– Il faut que tu passes plus de temps à Washington et que tu allumes une mèche sous le cul de ces oiseaux-là.

Bobby respira profondément.

– JR, dois-je te rappeler une fois encore que j'ai des responsabilités ici et à Southfork? Je dirige le ranch...

JR se leva brusquement et se mit à faire les cent pas dans le bureau. Il ressemble à un gros chat sauvage, songea Bobby.

– Rien n'est plus important pour les Ewing que de faire expulser ton salopard de beau-frère du Bureau des concessions pétrolières. Cliff Barnes va finir par avoir notre peau, tu ne comprends pas ça? Il me coince, il coince papa et l'Ewing Oil, c'est-à-dire toi, maman et même ce brave Gary dont tout le monde a perdu la trace. L'Ewing Oil est une affaire de famille, bon Dieu!

– Eh bien, JR, je suis content de te l'entendre dire.

– Qu'est-ce que ça sous-entend exactement?

– Ça veut dire que jusqu'à présent, tu as tout fait pour m'évincer de cette affaire de famille.

JR se retourna brusquement, pointant un doigt accusateur vers Bobby.

– Tu vas laisser Barnes foutre en l'air toute la baraque? Tout ce que j'ai créé et fait prospérer à la sueur de mon front?

– J'avais plutôt l'impression que c'était papa qui avait créé et fait prospérer l'Ewing Oil. Papa et maman. Et puis, tu sembles oublier que j'y ai quelque peu contribué moi aussi.

– Tu vois bien qu'il s'agit d'une affaire de famille. Tu vas nous laisser tomber?

– Bon Dieu, JR, tu as l'esprit tellement tordu que j'ai toujours l'impression que tu essaies de m'avoir.

– Tu deviens légèrement parano, petit frère, comme disent les psychiatres. Je te rappelle simplement qu'il faut relancer constamment ces cons de sénateurs si on veut obtenir quelque chose.

Bobby posa ses mains à plat sur la table et se leva.

– Je ferai ce que je pourrai, JR. Mais je m'appelle Bobby Ewing et je fais les choses à ma façon, pas à la tienne.

– Mais qui te demande autre chose? dit JR, plaquant un sourire sur son visage. Je suis certain que tu vas faire avancer les choses, petit frère, et à ta façon.

Il attendit que Bobby eût disparu avant de regarder sa montre, puis il ouvrit un placard et en sortit un lourd attaché-case en skaï noir. Avant de partir, il passa chez Connie.

– Je file, Connie, dit-il. Je serai là dans deux heures.

– Mais JR.... vous avez oublié Wade Luce? Il va arriver d'une minute à l'autre.

Il étouffa un juron.

– Dites-lui d'attendre. J'ai quelque chose de très urgent à faire.

Et il sortit du bureau à grands pas, le Stetson vissé sur la tête, la mâchoire agressive, jouant son rôle d'homme important, responsable et débordé.

JR marchait à côté d'Alan Beam dans l'allée centrale de North Park Mall, au son d'une symphonie de Tchaïkovski. Il se sentait de plus en plus mal à l'aise et scrutait les visages, inquiet à l'idée de reconnaître quelqu'un. Il ne voulait pas être vu en compagnie du jeune avocat.

– Bon Dieu, Alan, finit-il par dire, vous avez l'air de choisir les pires endroits pour nos rendez-vous.

– Il n'y a rien de plus tranquille qu'un centre commercial bourré de monde.

– Vous regardez trop de films policiers à la télévision, mon vieux. Ça vous jouera de mauvais tours. La moitié de cette ville me connaît et l'autre a entendu parler de moi. Mettez-vous bien dans la tête que nous ne sommes pas censés nous connaître, Beam.

– Je sais ce que je fais.

– Vous avez intérêt, sinon je vous troue la peau.

Parfois, Alan trouvait JR plutôt comique, c'était un comique involontaire. JR n'avait aucun sens de l'humour et détestait qu'on se moque de lui. Mais Beam était bien trop gonflé de son importance pour comprendre qu'il dépendait entièrement des bonnes grâces de JR.

– Il n'y a aucune raison de vous inquiéter, dit-il de la voix apaisante que prend une mère pour rassurer son enfant.

JR lui jeta un coup d'œil de côté.

– Faites les choses comme il faut et je ne m'inquiéterai pas. Nous y gagnerons tous les deux. Alors, quelles sont les nouvelles de la campagne Barnes?

– Il a mordu à l'hameçon. Ça prend plutôt bonne tournure.

– Pas pour nous en tout cas. Ce type coûte à l'Ewing Oil une fortune. Il faut flatter son ambition, Alan, le mettre sur le chemin de Washington.

– Bien sûr, mais ça prendra un certain temps, JR. Ayez un peu de patience.

– Je n'ai ni le temps ni la patience.

– Nous devons convaincre Cliff qu'il a toutes les chances d'être élu.

– Pourquoi croyez-vous que je vous paie?

– Il faut qu'il en soit convaincu, sinon jamais il ne laissera tomber le B.C.P.

– Eh bien, arrangez-vous pour l'en persuader. Et quand vous y serez parvenu, il jettera le B.C.P. comme un vieux kleenex. Il rêve d'un siège à Washington. Et après ça, en route pour le Sénat, et qui sait, peut-être un jour la Maison-Blanche. C'est ça qu'il faut lui glisser dans l'oreille, Alan.

Alan était inquiet. JR ne semblait pas comprendre combien le succès de cette intrigue était aléatoire.

– JR, ce n'est pas si simple. En fait, personne n'a envie de voir Barnes au Congrès.

– Moi non plus, répondit JR avec un sourire sardonique.

– C'est une ligne un peu fine que nous lui lançons là, reprit Alan après un instant d'hésitation.

JR tapa sur son attaché-case noir.

– Voici de quoi rendre l'hameçon irrésistible.

– Je ne comprends pas.

– Vous allez comprendre. Cet attaché-case est bourré de billets de cent dollars, Alan. C'est la contribution des admirateurs anonymes de Barnes à sa campagne électorale. De ces centaines d'admirateurs qui rêvent de le voir un jour à Washington.

– Vous êtes sérieux?

– Si vous pensez que je le suis, vous n'êtes vraiment pas l'homme qu'il me faut.

– Ah bon! Vous m'avez fait peur.

– Cet argent appartient entièrement aux Ewing. Avec ce fric, nous allons organiser des rassemblements, acheter des posters, etc. Il faut tout utiliser, Alan. Ne les lâchez pas avec des élastiques.

– Oh, vous pouvez me faire confiance à cet égard.

– J'en suis sûr.

– Je sais comment utiliser cet argent, comment le rentabiliser.

– Faites ce qu'il faut. Et trouvez des gens pour l'acclamer et brandir les calicots. Payez tout en liquide, bien entendu. Aucune facture, aucun reçu.

– Aucune trace, c'est ça?

– Naturellement. Et quand la mayonnaise aura pris et que nous aurons suscité l'enthousiasme que mérite cette noble cause, je m'arrangerai pour retrouver des fonds.

JR s'arrêta, saisit le bras noueux d'Alan et le serra si fort que celui-ci eut l'impression d'être enserré dans un garrot.

– Servez-vous de votre tête, mon vieux. Je veux que la campagne de Barnes dépende entièrement des Ewing. Entièrement, vous m'entendez? Personne d'autre ne doit mettre un dollar dans cette campagne.

Il lui lâcha enfin le bras.

– Une campagne bien menée coûte extrêmement cher, vous savez.

– Je le sais. Mais dès que Barnes sera engagé

là-dedans, dès qu'il aura donné sa démission du B.C.P., la source se tarira brutalement. La campagne n'a aucune chance d'aboutir. Pas de siège au Congrès pour cette petite merde de Barnes. Pas de bureau à Washington. Finis les rêves de puissance. Il n'aura même plus de boulot, plus de B.C.P., plus rien.

– Je comprends, dit Beam.

– Bien. Il était temps que vous compreniez que je compte écraser ce petit salopard. Et quand il sera à terre, les yeux, le nez et les oreilles pissant le sang, je poserai ma botte sur sa sale gueule et je le réduirai en bouillie... En bouillie, vous m'entendez?

Alan frissonna. Il n'aurait pas voulu être à la place du malheureux Barnes en ce moment.

Ce soir-là, les Ewing se réunirent autour de la table familiale pour un dîner d'adieu. Patricia Shepard, la mère de Sue Ellen et de Kristin, s'envolait le lendemain pour l'Europe et elle était tout excitée.

– Je vous envie, dit miss Ellie. Il y a bien longtemps que Jock et moi ne sommes pas partis pour l'Europe.

– Oui, ça fait un bout de temps, dit Jock. En ce moment nous avons trop de problèmes à régler à l'Ewing Oil pour partir, mais dès que nous y verrons un peu plus clair, nous prendrons des vacances. Je retournerais bien en Europe.

– Je vous comprends, dit Mme Shepard avec enthousiasme. Il y a tant de choses à faire et à voir, là-bas. Entre les ballets, les expositions de peinture, les concerts, les visites d'églises anciennes, de ruines... on n'arrête pas une seconde.

– Je ne suis pas passionné par les ruines, dit Jock. Je préfère un bel immeuble neuf.

Mme Shepard ne savait trop s'il plaisantait ou non. Elle avait du mal à deviner les intentions des ranchers. Ils avaient tous ce même air impassible et la sobriété des hommes de l'Ouest. Elle décida de ne pas poursuivre cette discussion et sourit à Jock.

– M. Markward adore voyager.

– C'est un industriel tout à fait original.

– Oui, c'est vrai, c'est un original. Nous sommes très attirés l'un par l'autre... (Ses yeux firent rapidement le tour de la table.) Je veux dire spirituellement, ajouta-t-elle vivement.

Tout au bout de la table, Lucy étouffa un rire.

– Je suis soulagée qu'il ne s'agisse pas d'un attachement physique, madame Shepard, c'est si bestial!

Pas très sûre de la façon dont elle devait interpréter ce commentaire et soupçonnant que la jeune fille se moquait d'elle, Mme Shepard l'ignora. Miss Ellie, qui, elle, n'avait aucun doute, prit la main de Lucy dans la sienne et la pressa gentiment.

– Voyons, Lucy, protesta-t-elle, de quoi te mêles-tu?

– J'imagine, enchaîna Lucy, d'un air innocent, que Mme Shepard doit être soulagée. Je veux dire, voyager ensemble quand on n'est pas d'accord sur ce genre de truc, ça doit vite devenir un cauchemar, non?

– Lucy! répéta miss Ellie d'un ton plus sévère.

– Oui, c'est certain, dit Mme Shepard avec une gaieté forcée. Quel dommage que tu ne viennes pas avec nous, Kristin. Mais puisque tu as des projets...

– De quoi s'agit-il, si je ne suis pas indiscret? demanda JR, essayant de prendre l'air indifférent.

Lucy les observait et écoutait la conversation avec un intérêt accru. A force d'expériences malheureuses, elle était devenue d'une extrême lucidité. Elle perçait les gens à jour et devinait leurs secrètes motivations.

– Je vais peut-être retourner à Santa Fe, déclara Kristin. Ou peut-être en Californie. Ça dépend.

– Ça dépend de qui? intervint innocemment Lucy.

Kristin regarda fixement la petite blonde puis détourna son regard.

– Ça dépend de plusieurs choses, murmura-t-elle.

Bobby regardait Kristin. Il se souvint de cette soirée qu'il avait passée avec Kristin. C'était avant son mariage avec Pam. Dieu qu'elle était belle et désirable, ce soir-là. Et pourtant, quelque chose dans l'attitude de la jeune fille l'avait fait hésiter puis renoncer à tenter de la séduire. Aujourd'hui, il ressentait un sentiment de défiance analogue à celui qu'il avait éprouvé ce jour-là. Il avait l'impression que Kristin poursuivait un but. Mais lequel?

– Je comprends que tu aies envie de retourner là-bas, dit Bobby. Tous tes amis y sont.

Pam non plus n'aimait pas Kristin, mais comme la jeune fille avait toujours été très gentille avec elle, elle dissimulait son antipathie et en éprouvait même un vague remords.

– Je suis sûre que vous serez ravie de revoir vos amis avant de partir pour votre école d'architecture, dit Pam. Ça va être passionnant pour vous, Kristin...

– Oui, je l'espère. Je me demande parfois si je ne me suis pas un peu précipitée dans cette histoire. J'ai l'impression de manquer quelque chose.

– Ce qu'elle devrait faire, intervint Mme Shepard, c'est se marier. A condition de trouver l'homme qu'il lui faut, bien sûr. C'est mon rêve. Voir enfin ma petite fille heureuse et sans soucis.

JR sourit à Mme Shepard.

– Je suis certain que votre rêve ne tardera pas à se réaliser, Patricia. Quel homme normalement constitué pourrait résister au charme de Kristin?

– L'idéal serait que je me trouve un travail quelconque jusqu'au prochain trimestre, dit Kristin songeuse.

– Tu veux travailler? demanda Mme Shepard, surprise.

Sue Ellen évitait le regard de sa sœur ainsi que celui de JR. Elle connaissait la réponse de son mari et ne fut pas déçue.

– Travailler, dit-il l'air méditatif. Tu veux vraiment travailler, Kristin?

– Oui, j'y songe très sérieusement.

Sue Ellen ouvrit grand les yeux et regarda son mari.

– Je suis certaine que JR se fera un plaisir de t'aider, Kristin. N'est-ce pas, JR? De cette façon, nous pourrons la garder à Dallas. Tout près de nous. Quelle bonne idée, Kristin!

– Je pense qu'on devrait pouvoir arranger ça, déclara JR. Dis donc, Bobby, tu ne crois pas que Kristin pourrait remplacer temporairement Louella? Ma secrétaire se marie, expliqua-t-il à Mme Shepard.

Cette idée n'emballait pas Bobby., La perspective de voir Kristin tous les jours au bureau ne lui plaisait pas. Il était certain qu'elle serait une cause permanente de conflits et de problèmes.

– J'ai bien peur que Kristin trouve le travail de bureau terriblement fastidieux et trop sédentaire, dit-il.

Les yeux de Kristin brillaient d'excitation.

– D'après ce qu'on dit, l'Ewing Oil paraît fascinante.

– Fascinante, oui, c'est le mot, répéta Sue Ellen.

– Eh bien, si ça te tente, tu peux faire un essai, dit JR.

– J'aimerais beaucoup, JR, à condition toutefois que ton père et Bobby soient d'accord.

– En ce qui me concerne, pas de problème, déclara Jock.

– Et toi, Bobby, qu'en dis-tu? demanda JR, se tournant vers son frère.

– C'est toi que ça regarde, JR, répondit-il.

JR regarda la mère de Kristin.

– Qu'en pensez-vous, chère Patricia? Seriez-vous rassurée de savoir que votre petite fille passe l'été avec nous? Sous l'œil vigilant de sa grande sœur et de tous les Ewing?

– Pourquoi pas, si Kristin en a envie? Mais où vivra-t-elle? J'ai résilié le bail de mon appartement de Dallas.

– Je ne pense pas que Kristin ait envie d'habiter à Southfork, dit précipitamment Lucy. C'est beaucoup trop isolé pour elle.

JR adressa à sa belle-mère son sourire le plus rassurant.

– Ne vous inquiétez pas, Patricia. Nous allons lui trouver un appartement confortable. Je pense à une chose : l'appartement de la résidence Oakside est libre en ce moment. Qu'en penses-tu, papa?

– Ça me paraît une très bonne idée, mon garçon.

– Eh bien, Kristin, c'est réglé. Tu auras un appartement dans l'un des quartiers les plus agréables de Dallas.

– Mais... je ne sais pas, dit Mme Shepard d'un ton hésitant. Il faut peut-être y réfléchir un peu. Vous allez tous si vite... Qu'en penses-tu, Sue Ellen? Crois-tu que ce soit une bonne idée pour Kristin?

Tous les regards se tournèrent vers Sue Ellen.

– Je suis sûre que Kristin sait parfaitement ce qu'elle fait. Comme toujours, ajouta-t-elle d'un ton ironique.

JR s'appuya contre le dossier de sa chaise.

– Bon, tout est réglé, alors. Kristin, tu commences demain, d'accord?

– Oh, JR! s'exclama Kristin, ravie, je ne sais comment te remercier!

Lucy était sur le point d'ajouter quelque chose, mais miss Ellie lui serra la main et la jeune fille se tut prudemment.

Quelques heures plus tard, Kristin et Mme Shepard se retrouvèrent en tête à tête et bavardèrent un moment. Kristin écouta sa mère avec attention. Bien que sa mère fût tout sauf une femme directe, elle parlait rarement pour ne rien dire. Elle était de bon conseil dans les choses pratiques et prête à l'aider à trouver sa voie dans ce monde hostile. Et elle ne s'encombrait pas de sentiments lorsqu'il s'agissait d'arriver.

– JR est décidément un homme charmant, dit Mme Shepard tout en buvant son chocolat chaud. Il est plein d'attentions pour Sue Ellen alors que ces derniers temps, elle est vraiment odieuse avec lui. Un de ces jours, Kristin, avec un peu de chance, tu te trouveras un garçon dans ce genre-là.

Mais Kristin savait depuis longtemps que la chance n'avait rien à voir avec ça.

– Pourquoi pas, maman? Ça n'a rien d'impossible.

Mme Shepard était songeuse.

– Je pars demain et tu seras entièrement livrée à

toi-même, Kristin. Je sais que je peux te faire confiance pour te souvenir de tout ce que je t'ai appris. Sois vigilante, surtout. Ne laisse pas passer une occasion favorable. La vie ne vous offre qu'un certain nombre de chances, tu sais, et il est vital pour une femme de les saisir.

– Ne te fais pas de soucis, maman. Tu m'as inculqué de bons principes.

– Ne fais rien qui puisse blesser ta sœur, ma petite fille, dit Mme Shepard d'une voix solennelle. Vois-tu, Sue Ellen m'inquiète. Surveille-la un peu, occupe-toi d'elle.

– Moi aussi, elle m'inquiète, maman. J'ai l'impression que les choses ne vont pas très fort entre JR et elle.

Mme Shepard lui jeta un coup d'œil à la dérobée. Par certains côtés, Kristin lui ressemblait, mais il y avait beaucoup de choses en elle que sa mère ne comprenait pas et n'aimait pas beaucoup. Moralement, Kristin lui avait toujours paru très mûre pour son âge et on la sentait prête à prendre des risques que n'auraient jamais pris sa mère et sa sœur.

– Sue Ellen est peut-être déprimée par la naissance de son fils, dit Mme Shepard. C'est fréquent après un accouchement. Mais s'il s'agit de quelque chose de plus grave, si elle n'est pas heureuse avec JR...

– Nous voulons avant tout qu'elle soit heureuse, l'interrompit Kristin.

– Oui, et nous l'aiderons du mieux que nous pourrons. Mais si vraiment elle est malheureuse avec JR, il faudra tôt ou tard qu'elle envisage de le quitter. Pour ma part, je regretterai JR, car c'est un gendre parfait. Il appartient à une race que j'aime et que j'admire, celle des gagneurs.

– Maman, dit Kristin, les yeux fixés sur son chocolat, laisse-moi m'occuper de JR Ewing.

– C'est mon intention. Quoi que tu fasses, je sais que ce sera au mieux de nos intérêts à toutes. (Soulagée et retrouvant soudain son sens de l'humour, Mme Shepard se mit à rire.) Tu m'as l'air bien grave! Souris-moi, au lieu de froncer les sourcils. Je ne veux pas que ma petite fille ait prématurément des rides au front.

Mais Kristin ne sourit pas. Ses yeux brillaient comme ceux d'un chasseur qui voit approcher sa proie.

– Fais-moi confiance, maman. Je ne te laisserai pas tomber.

Mme Shepard n'avait pas besoin d'être rassurée. Elle le savait.

Avec les rideaux ainsi tirés pour adoucir la lumière du matin, la salle de conférences de l'Ewing Oil prenait un aspect plus intime. Les murs lambrissés paraissaient moins distants et les meubles ultramodernes et coûteux moins réfrigérants. A l'extrémité de la table de conférence, un carrousel Kodak projetait un faisceau lumineux sur un écran.

JR appuya sur un bouton. Sur l'écran apparut une plage tranquille, avec un sable blanc et fin, une eau transparente et des palmiers au fond. On apercevait un couple en train de se baigner.

Derrière le projecteur, JR commentait au fur et à mesure les photos qui passaient.

– Comme vous le voyez, messieurs, les plages sont suffisamment vastes pour nos plans. Nous pourrons, sans problèmes, construire des ateliers de réparation, quelques salles pour les urgences médicales, un dépôt de pièces détachées, etc. Voici une autre vue. J'insiste sur le fait qu'il n'y a pas de vent au large dans cette partie du littoral. La mer est calme avec de hauts-fonds.

Un *clic* et une autre photo apparut sur l'écran. Un homme à la mâchoire carrée, en uniforme militaire.

– Voici le leader actuel de ce pays. L'homme avec qui traiter. Il est décidé et ambitieux. C'est quelqu'un avec qui on peut faire des affaires et à qui on peut s'en remettre.

La projection se termina. On ralluma la lumière et les hommes autour de la table tournèrent leurs chaises pour faire face à JR.

– Messieurs, c'est l'endroit idéal pour forer. C'est mieux que tout ce que nous avons déjà au Texas.

Jordan secoua la tête.

– Possible, mais le Sud-Est asiatique, c'est foutrement loin, JR!

– Ça va être plus important que le Mexique, répondit JR. En vous proposant une participation dans cette affaire, je vous fais une fleur.

Wade Luce sourit sans gaieté. C'était un type maigre, au visage dur, qui semblait, encore maintenant, capable d'abattre le travail de deux hommes chaque jour.

– Allons donc, JR! Vous préférez partager les risques, c'est tout. J'en ferais autant à votre place.

JR ne se départit pas de son sourire aimable.

– Il n'y a aucun risque, Wade. Je voudrais que vous lisiez tous le rapport géologique. Etudiez toutes les informations que j'ai pu rassembler. Vous me connaissez, messieurs. Je suis méticuleux, presque lent, mais mon instinct ne se trompe jamais.

Luce secoua la tête.

– Je vais vous mettre les points sur les *i*, JR. Nous

nous débrouillons très bien ici, sur nos braves lopins de terre.

Andy Bradley approuva.

– Nous n'avons aucun problème avec le Bureau des concessions pétrolières, JR, sauf quand nous mêlons nos intérêts à ceux de l'Ewing Oil. C'est là que commence la merde, en général.

Tous, sauf JR, éclatèrent de rire :

– Vous avez tort, messieurs! reprit-il impassible. Les bénéfices vont être énormes.

– Si bénéfices il y a, répliqua Jordan Lee.

– Il n'y a aucune raison pour qu'il n'y en ait pas, dit JR.

Luce hocha la tête.

– Si je comprends bien, c'est nous qui vous faisons une fleur en refusant cette affaire. L'Ewing Oil n'aura pas à partager ces bénéfices fabuleux.

– Si vous parvenez à financer l'affaire tout seul, ce qui est loin d'être évident, ajouta Bradley.

Jordan Lee se pencha en avant.

Par ailleurs, contrairement à l'Ewing Oil, nous obtenons le meilleur prix possible pour notre production. Rien de tel que d'avoir trop de pétrole, comme viennent de le découvrir les Arabes. Vous ne voudriez pas tuer la poule aux œufs d'or maintenant, n'est-ce pas?

Des rires rocailleux fusèrent de nouveau. JR passa rapidement en revue les diverses possibilités qui s'offraient à lui. Il n'était pas venu à cette réunion avec un unique atout dans sa manche. Sans réaliser que les rires avaient cessé, JR regarda les hommes autour de la table. Ils avaient les yeux fixés sur Kristin qui, conformément à ses ordres, venait d'apparaître avec un plateau chargé de verres, d'un seau à glace et d'une bouteille de Jack Daniel's.

– Eh bien, dit-il, j'avais prévu une petite fête, mais

le cœur n'y est plus. Vous vieillissez, messieurs. Vous ne voyez même plus un profit lorsqu'il vous crève les yeux. Tant pis pour vous.

Mais personne ne sembla entendre ce discours. Ils étaient tous fascinés par Kristin qui posait le plateau sur la table. Elle se pencha en avant et son chemisier largement échancré révéla la naissance de ses seins magnifiques.

– Vous voulez boire quelque chose, messieurs? demanda-t-elle. Monsieur Bradley?

Bradley leva un doigt comme pour se présenter.

– Oui, merci, beauté.

Kristin lui tendit un verre.

– Monsieur Lee?

Les doigts de Jordan effleurèrent ceux de Kristin qui lui fit un grand sourire.

– Il est parfait, murmura-t-il, buvant une gorgée.

– Monsieur Luce?

– Comment vous appelez-vous, jeune personne?

– Je m'appelle Kristin.

Elle leur adressa à tous un dernier sourire et quitta la pièce d'un air nonchalant.

– Bon Dieu, souffla Jordan, ça c'est une concession que je suis prêt à forer! Quelle superbe fille!

– C'était votre dernier atout, JR? demanda Luce. Bon Dieu, si vous me la mettez dans mon lit, je vous signe n'importe quoi!

JR se mit à rire.

– Messieurs... Messieurs.... je ne sais pas où vous avez la tête. Cette jeune personne est ma belle-sœur. La sœur de ma femme.

– En tout cas, je sais où je voudrais l'avoir, la tête, marmonna Jordan, le nez dans son verre de whisky.

Légèrement éméchés et excités, ils se mirent à rire et à plaisanter. Aucun d'eux ne remarqua que JR, songeant intensément à l'avenir, regardait fixement la porte par laquelle venait de sortir Kristin.

Fort Worth est situé à l'extrême ouest de ce parallélogramme que les Texans appellent la Metroplex. Onze comtés, trois millions d'habitants et un nombre indéfini de têtes de bétail, plus les cowboys de Dallas et une importante équipe de baseball.

Fort Worth est plus petit que Dallas et l'on s'y sent moins agressé. La ville a été construite en partie par les ranchers dont les élégantes propriétés victoriennes dominent encore la ville. C'est une cité industrielle avec des souvenirs et une culture, comme l'attestent ses quatre grands musées. Fort Worth a grandi avec le train et le son strident du sifflet des locomotives ponctue encore les jours et les nuits de ses habitants.

En entrant dans le Kimbal Art Museum, JR ne pensait à rien de tout cela pour la bonne raison qu'il ne s'intéressait guère à l'art et se fichait complètement des toiles du Greco, du Tintoret, de Matisse et de Rembrandt. Comme toujours, les affaires occupaient l'esprit de JR. Immobile, tournant le dos à un superbe Goya, il repéra soudain l'homme qu'il attendait.

– Bonjour, JR, dit Loyal Hansen.

C'était un homme de petite taille, soigné et habillé avec une extrême discrétion. L'activité de Hansen consistait à offrir des assurances, des garanties et à faire des promesses qu'il tenait toujours. Il n'offensait ni ne désappointait jamais personne si bien qu'il était précieux pour un grand nombre de gens dans le monde, en fait tous ceux qui s'intéressaient avant tout au fric.

– Marchons un peu, Loyal.

Ils longèrent les murs couverts de chefs-d'œuvre témoignant de la sensibilité des artistes à travers les époques sans y jeter le moindre coup d'œil.

– J'ai choisi cet endroit pour que nous ne risquions pas d'être espionnés, expliqua JR. Impossible d'écouter aux portes dans un musée.

– Vous avez raison, il vaut toujours mieux être prudent.

– Comme je vous l'ai dit au téléphone, Loyal, je suis décidé à mettre le paquet dans cette affaire.

– Oui, je vous comprends. Mais il faut que je vous dise quelque chose, JR. Ces gens que je représente appartiennent à une autre civilisation que la nôtre. Lorsqu'ils voient un groupe comme le vôtre se séparer, ils se demandent pourquoi, ils s'inquiètent.

– Oui, c'est normal. Il faut que vous leur fassiez comprendre que l'Ewing Oil est si emballée par les perspectives d'avenir de leur pays qu'elle a décidé de faire cavalier seul.

– Cavalier seul! Vous voulez dire que vous renoncez à former un nouveau syndicat? demanda Hansen, incrédule.

– Vous êtes dur d'oreille, ou quoi, Loyal?

Hansen jeta un coup d'œil à son compagnon.

– Avez-vous une idée de ce que vous pourrez mettre dans l'affaire? demanda-t-il.

– J'y mettrai ce qu'il faudra.

– Mais aurez-vous les fonds nécessaires disponibles?

– Quand nous en serons là, je les aurai.

– Je l'espère. Avez-vous des questions à me poser, JR? J'ai plusieurs rendez-vous à Houston, ce soir.

– J'ai presque fini, Loyal. L'Ewing Oil compte bien arracher le morceau. Nous espérons pouvoir faire la meilleure offre.

– Eh bien, bonne chance, JR.

– Combien pensez-vous que nous ayons à mettre?

– Comment voulez-vous que je sache, JR? Vous savez bien que ces enchères sont secrètes...

– J'aimerais beaucoup avoir une idée là-dessus.

– Ecoutez, JR, dit Hansen, fermement, je suis un homme d'affaires, pas un...

– Calmez-vous, mon vieux. Je ne vous demande rien d'illégal. Je ne vous demande pas de trahir vos principes. Mais vous êtes un expert en ces matières. Je vous demande un ordre de grandeur, rien de plus.

– Ce ne serait qu'une hypothèse.

– Oui, mais une hypothèse reposant sur une bonne connaissance de ce genre d'affaire. Ecoutez, Loyal, si l'Ewing Oil obtient ces concessions, nous aurons besoin de consultants. Savez-vous combien nous payons nos consultants? Nous les payons au baril, mon cher ami et, croyez-moi, ça monte vite. C'est plus que vous n'en pourrez soutirer à quiconque.

Hansen était tiraillé entre sa conscience et son amour de l'argent mais cette lutte fut de courte durée.

– Ne vous imaginez pas que je sache quelque chose que je ne devrais pas savoir...

– Je vous demande une simple hypothèse...

Hansen sortit un carnet de sa poche et griffonna un nombre sur une page blanche qu'il arracha et tendit à JR.

– Voici mon opinion. L'opinion d'un consultant.

JR en eut le souffle coupé. Le chiffre était beaucoup plus élevé que ce à quoi il s'attendait.

– Ce chiffre pourrait même être trop bas de vingt pour cent, JR. Si vous voulez mon avis, c'est un minimum. (Il reprit le morceau de papier de la main de JR et l'enfouit dans sa propre poche.) Il faut que je file, maintenant.

JR le regarda s'éloigner. Il avait eu ce qu'il était venu chercher.

Deux heures plus tard, JR fut introduit dans le bureau du président de la Cattleman's Bank. Du même âge que JR, mais avec la mine blafarde des hommes qui sont rarement dehors, Vaughn Leland accusait son âge. Il se leva pour accueillir JR et le pria de s'asseoir.

– Content de vous voir, JR, dit-il d'un air aimable. Comment ça va?

– Ma visite n'est pas une simple visite amicale, Vaughn. Je vous ai dit pourquoi je voulais vous voir.

Leland posa la main sur un épais dossier placé devant lui.

– J'ai examiné tout cela. Comme vous le savez, la Cattleman's a financé presque toutes les opérations montées par l'Ewing Oil depuis que vous avez pris les rênes, JR. Nous avons toujours été fiers de cette collaboration également profitable aux deux parties. Au cours de ces dernières années...

– Bon Dieu, Vaughn! explosa JR. Si c'est une fin de non-recevoir, dites-le moi franchement et épargnez-moi ce couplet!

On avait imposé ce rôle à Leland, et il était très mal à l'aise.

– L'Asie du Sud-Est n'est pas notre domaine d'action habituel, JR. La banque ne veut pas prendre le risque. Même si j'approuvais personnellement...

– Que voulez-vous dire – même si vous approuviez personnellement? Vous parlez à JR Ewing, mon vieux. Ne l'oubliez pas.

– JR, essayez de comprendre, dit Leland, l'air suppliant. Même si j'appuyais votre demande, la Commission des prêts la rejetterait certainement. Vous savez comment sont les banquiers...

JR secoua la tête comme un prédateur chassant une nuée d'insectes inoffensifs mais décidément très agaçants.

– C'est un peu tard pour me parler comme vous le faites, Vaughn. Je ne suis pas un nouveau client en train de vous supplier de lui accorder un prêt pour sa prochaine automobile. Je fais la loi à l'Ewing Oil, Vaughn. Et, en pratique, vous faites la loi à la Commission des prêts.

La bouche de Leland s'affaissa et, à son regard fuyant, JR vit qu'il avait tapé juste. Leland se ressaisit rapidement.

– Vous m'aviez dit que Seth, Jordan et les autres s'associaient à vous dans cette affaire, rétorqua-t-il d'un ton sec. Sans eux, sans leur participation effective, toutes les ressources de l'Ewing Oil n'y suffiront pas.

– Vous doutez de l'Ewing Oil, Vaughn? Je ne pensais pas vivre assez longtemps pour entendre des propos aussi pessimistes de la part d'un homme que nous avons toujours traité comme un ami. Non, vraiment, je n'en reviens pas. C'est bien décevant! Quand je pense à la façon dont nous vous avons toujours protégé et encouragé lorsque vous étiez simple caissier!

– Je suis désolé, JR. Je vous fais une évaluation

professionnelle honnête de toute cette affaire, rien de plus.

– Je ne suis pas venu ici pour subir un cours du soir, répondit JR, glacial. (Il s'appuya contre le dossier de son fauteuil, les yeux mi-clos, les mains jointes comme pour prier.) Je me souviens de la conception très personnelle que vous aviez de votre carrière, Vaughn. Curieuse conception... pas très morale...

– Voyons, JR... quel rapport?

– Combien d'hommes avez-vous ruinés? soupira JR.

– Cette manière de procéder n'est pas très élégante, JR.

– Possible, mais la manière dont vous avez édifié votre fortune l'était encore moins. Vous souvenez-vous de Charley Donaldson?

– Il était faible, insignifiant. Je n'ai rien à me reprocher à son égard.

– Oh mais si, et vous le savez bien. Il y a des rapports écrits, je ne sais où, au sujet de cette affaire. Et le pauvre Luke Yellowhand? Triste histoire! C'était l'un des Indiens les plus sympathiques que j'aie jamais connus. Intelligent, du caractère, mais trop confiant avec les messieurs de la ville, beaucoup trop confiant. Il y a eu ces transferts d'actions...

– Bon Dieu, où voulez-vous en venir, JR? explosa Leland. Dans le passé, nos transactions ont toujours été basées sur une confiance mutuelle et une totale discrétion...

– Oui, dans le passé.

– Je ferai ce que je pourrai, JR, mais je ne vous promets rien.

JR esquissa son sourire machinal. Ses yeux étaient opaques, sans vie.

– Entrez dans la fosse aux lions, mon vieux! Un peu de cran! Faites ce qu'il faut.

– J'ai toujours fait de mon mieux, JR, vous le savez bien.

– Oui, mais cette fois-ci, il faut vous défoncer, Vaughn, sinon vous n'obtiendrez rien.

– JR, je sais que les affaires ne vont pas très fort en ce moment, mais ce n'est pas une raison pour prendre de pareils risques. L'Ewing Oil a les reins suffisamment solides pour sortir indemne de cette mauvaise période. L'Ewing Oil survivra au B.C.P., croyez-moi.

– Survivre! s'exclama JR, l'air douloureusement surpris. Vous n'imaginez tout de même pas que survivre est le but de ma vie, Vaughn. Ce n'est pas survivre qui m'intéresse, mon vieux, c'est régner! J'ai l'intention de devenir le pétrolier indépendant le plus puissant du Texas. (Son sourire mécanique, cette gymnastique faciale sans signification et sans chaleur, réapparut.) Vous avez intérêt à vous en souvenir!

Pam et Cliff erraient dans Marsalis Park Zoo, s'arrêtant de temps à autre pour observer les animaux. Ils déjeunèrent d'un hot-dog et de chips et burent un Coca-Cola. Pour les passants, c'était un jeune couple séduisant, profitant d'une belle journée ensoleillée.

Mais Cliff était tendu, inquiet.

– Ne me parle plus de ça, Pam. Ça me fout hors de moi.

– Hors de toi au point de refuser d'en discuter?

– Oui, cette idée me tue! Je suis déçu, déprimé et en plus ça me flanque la trouille. Tu es ma sœur.

– Je pensais que tu l'avais oublié.

– Si je l'avais oublié, je me ficherais bien de ce qui t'arrive. Si c'était pour m'assener ça que tu voulais absolument me voir, tu aurais mieux fait de rester chez toi.

– Cliff, comment peux-tu réagir aussi égoïstement ? Si je ne peux pas compter sur mon frère dans un moment pareil ! Il n'y a qu'à toi que je puisse en parler.

– Un avortement ! lança-t-il, écœuré. Même le mot est répugnant.

– Tu crois que cette idée m'enchante ? Que puis-je faire d'autre ?

– Avoir l'enfant.

Elle se tut un instant pour regarder deux gamins de cinq ou six ans qui jouaient et couraient un peu plus loin.

– Je crois que je n'aurai pas la force d'endurer ça. Mettre au monde un enfant qui risque de mourir six mois plus tard, je ne supporte pas cette idée.

– Nous avons tous les deux survécu.

– Oui, mais les deux autres sont morts.

– En as-tu parlé à Bobby ?

– Non.

– Tu veux dire qu'il ignore que tu es enceinte ?

– Je ne lui en ai pas encore parlé.

– Mais sait-il que tu es atteinte d'une maladie héréditaire qui risque de faire mourir tes futurs enfants ?

– J'ai essayé de lui en parler, Cliff, mais je n'y suis pas parvenue. Peut-être le moment était-il mal choisi..., toujours est-il que mon courage a flanché au dernier moment.

– Pam, il faut le lui dire très vite.

– Pourquoi te préoccupes-tu soudain des états d'âme de Bobby ? J'ai cru comprendre que tu n'avais pas une passion pour les Ewing, pourtant !

– Ne sois pas sur la défensive, Pam. Nous ne sommes pas en train de discuter politique, pétrole ou fric. Tu mélanges les problèmes. Il s'agit de toi et de cet enfant dont Bobby est le père.

– Oh Cliff! je ne sais pas quoi faire. Parfois j'ai tellement envie de cet enfant que j'en pleurerais et je suis prête à prendre le risque... mais je sais que ce serait de la folie. Quel gâchis!

– Je ne peux pas t'aider, Pam. C'est une décision que tu dois prendre seule avec Bobby.

– Oui, tu as raison, je le sais. Il faut que je lui parle. Si tout le monde n'était pas constamment sous pression dans cette famille, ce serait plus facile. Et tu n'arranges pas les choses, Cliff, soupira-t-elle.

– Et ce sera comme ça tant que je n'aurai pas brisé JR. C'est la seule chance pour moi de récupérer mon fils. S'il vit assez vieux pour savoir qui est son vrai père, bien sûr.

Ils se levèrent et se promenèrent parmi les familles et les enfants turbulents, chacun plongé dans ses pensées, incapable d'aider l'autre.

JR eut l'intuition que Kristin serait au ranch cet après-midi-là et il rentra de bonne heure. Elle barbotait dans la piscine. Il s'assit, un grand verre à la main, et la regarda sortir de l'eau, lisse et ruisselante, son bikini noir collé à la peau. Elle prit une pose avantageuse et se tourna de façon à profiter du soleil encore chaud de cette fin d'après-midi.

– J'adore Southfork, soupira-t-elle.

– Nous aimons tous Southfork, dit-il.

– Tout est si beau, ici.

– Oui, tout, dit-il, en la regardant avec insistance.

– Cet endroit a du caractère. Comme les Ewing.

– Tu aimes ça, Kristin? Je veux dire qu'on ait du caractère?

Elle le regarda droit dans les yeux.

– Oui, c'est indispensable. On ne peut jamais avoir une vie satisfaisante si on n'a pas de caractère.

– C'est au collège qu'on t'a appris ça?

– Entre autres choses, répondit-elle avec un sourire légèrement suffisant.

Il se leva et s'approcha d'elle.

– Et toi, tu as du caractère?

– Qu'en penses-tu, JR?

– Suffisamment pour conclure un marché avec moi, Kristin? demanda-t-il, caressant d'un doigt léger son menton et son cou encore humides.

– Ça dépend du marché.

Elle ôta les doigts de JR au moment où ils atteignaient la naissance de ses seins.

– Tu sais bien ce que je veux, Kristin...

– Oh... quoi donc? demanda-t-elle, ouvrant grand les yeux.

– La même chose que toi.

– Moi, je veux beaucoup.

– Eh bien, ça peut peut-être s'arranger.

Il l'attira contre lui.

– Je me méfie des marchés qu'on conclut comme ça. Un beau jour ils se terminent, ou bien ils profitent à l'une des deux parties et ruinent l'autre. Je préférerais un arrangement qui protège mes arrières, tu comprends?

– Une sorte de pension à vie?

– Oui, plutôt.

Il suivit du doigt la courbe gracieuse de sa hanche et se pencha pour l'embrasser. Comme les lèvres de JR effleuraient les siennes, elle se dégagea brusquement et se leva.

– Tu te conduis comme une collégienne.

Elle rit en se retournant à moitié.

– Mais je suis encore une collégienne, JR.

Et elle plongea dans la piscine, faisant jaillir une gerbe d'eau qui la lui dissimula un instant, le laissant trempé et rempli de désir.

Lorsque Bobby arriva au ranch, l'obscurité commençait à envahir Southfork. Il sortit de sa voiture, fatigué et heureux d'être enfin chez lui, et aperçut Pam qui courait vers lui. Elle se jeta dans ses bras et l'étreignit de toutes ses forces.

Il la serra contre lui et respira avec délices l'odeur de propreté et d'eau de toilette qui émanait d'elle. Elle tremblait légèrement. Il songea que l'amour qu'il éprouvait pour elle était immense, éblouissant et ne finirait jamais.

Mais si quelqu'un lui avait demandé de définir les raisons de cet amour, il en aurait été incapable. Pamela avait-elle de si extraordinaires qualités? Certainement pas. Alors, pourquoi ne pouvait-il se passer d'elle? Pourquoi était-il si passionnément épris qu'il aurait vécu n'importe où avec elle, qu'il aurait été prêt à quitter le cocon familial, à quitter Southfork? Il savait que tant que Pam et lui seraient ensemble, sa vie serait merveilleuse.

– Qu'est-ce qu'il y a, chérie? demanda-t-il.

Elle frissonna et se détacha de lui.

– Tu m'as manqué.

L'explication lui suffisait.

– Toi aussi, mon amour.

– Ça c'est bien passé à Austin?

– Oui, ça progresse. Mais c'était épuisant. Je crois que nous n'allons plus tarder à voir les résultats de tout ça sur le B.C.P. Je suis désolé pour ton frère,

Pam, mais c'est lui qui a voulu que nous soyons ennemis.

– Il ne voit pas les choses comme ça.

– C'est possible, mais ça ne change rien au problème.

Il était inutile de poursuivre cette discussion qui ne les mènerait à rien, aussi s'empressa-t-il de changer de sujet.

– Ah, dis donc, la secrétaire du Dr Krane a appelé ce matin, juste avant que je parte. Je ne savais pas que tu avais pris rendez-vous avec ton gynécologue. Tu ne serais pas enceinte, par hasard?

Elle hésita quelques secondes.

– Je crois que si.

– Oh, mon Dieu! (Il poussa un *youpi* de cow-boy et, la soulevant de terre, il la fit tournoyer.) Mais c'est fantastique, Pam!

– Calme-toi, tu vas me faire faire une fausse couche.

Il la reposa sur ses pieds.

– Pourquoi ne m'en as-tu pas parlé avant?

– Je voulais en être sûre.

– C'est merveilleux! Pam, je suis le plus heureux des hommes. On va fêter ça en ville, tu veux? Monte dans la voiture.

– Bobby... je ne sais pas... le dîner est presque prêt et il faut que nous discutions de tout ça.

– On s'en fout du dîner. Et on pourra tout aussi bien discuter ailleurs qu'ici. Discutons, ma chérie, discutons... (Et il lui planta un baiser sur la bouche.) Viens, filons.

– Bobby..., dit-elle, réticente.

– Dans la voiture, j'ai dit! Tu ne veux tout de même pas que je fasse usage de ma force sur une femme enceinte?

Elle était partagée entre l'envie d'être seule avec

son mari pour pouvoir lui expliquer le drame qu'ils risquaient de vivre et celle de le laisser jouir quelques heures encore de ce bonheur fou, à la fois merveilleux et déchirant pour elle.

– Bon, d'accord, Bobby. Tu as gagné.

Mais une fois dans la voiture, elle s'assit de façon à lui dissimuler l'expression troublée de son visage. Rien de tout cela ne pouvait se terminer heureusement, elle le savait.

Le lendemain matin, la famille se réunit dans le patio pour le petit déjeuner. Ne prenant aucun intérêt à la nourriture, Sue Ellen tripotait une tasse de café refroidi dont elle n'avait bu que la moitié. Miss Ellie l'observait avec inquiétude.

– Sue Ellen, voulez-vous que je vous fasse réchauffer votre café?

– Non, merci, miss Ellie.

– Pourquoi ne prenez-vous pas un toast avec du beurre et de la confiture? Vous n'avez pas faim?

– Pas très, miss Ellie.

– Hier soir, vous n'avez rien mangé non plus. Vous n'êtes pas bien?

– J'essaie simplement de perdre quelques kilos.

– Peut-être devrais-tu faire un peu de sport, Sue Ellen, dit gentiment Lucy. Tu veux faire quelques sets avec moi?

– Mêle-toi de tes affaires, Lucy, dit Sue Ellen d'un ton rogue.

– Oh bon, va te faire foutre, répliqua Lucy, furieuse.

– Ne t'énerve pas, Lucy, intervint Kristin. Tu sais que ma chère sœur en a vu de rudes ces derniers mois. Ça la soulage de pouvoir agresser les gens.

Enervé par ces histoires de bonnes femmes, Jock tripotait ses œufs brouillés avec sa fourchette.

– Ça ne vous ferait rien de cesser de vous chamailler, mesdames? Un homme a le droit de prendre son petit déjeuner dans le calme.

– Oui, Jock a raison, dit miss Ellie.

JR, que cet échange d'amabilités amusait plutôt, fut le seul à remarquer la présence de Bobby qui venait d'arriver.

– Ah, petit frère, te voilà! Je croyais que tu avais décidé de passer ta journée au lit!

– Je pense que tu t'en remettrais facilement, JR.

– Je ne peux pas me taper tout le boulot, mon vieux.

Bobby ignora cette dernière remarque et se tourna vers les autres.

– J'ai une grande nouvelle à vous annoncer.

– Oh, Bobby! dit Pamela, arrivant derrière lui.

Bobby lui mit un bras autour de la taille et l'attira contre lui.

– Je veux que tout le monde le sache, et ma famille en premier. Pam est enceinte. Il va bientôt y avoir un second bébé à Southfork.

Tous se précipitèrent pour féliciter et embrasser Pamela.

– Je suis si heureuse pour vous deux, dit miss Ellie.

– Félicitations, Bobby, dit Jock.

– Merci, papa.

Lucy embrassa gentiment Pamela.

– Tu dois être folle de joie!

– Oui, je suis contente.

Surprise par le ton morne de Pam, Lucy fit un pas en arrière et la regarda avec insistance. A voir sa tête, on ne le dirait pas, songea-t-elle.

– Eh bien, John va avoir un petit copain pour jouer, JR, c'est épatant non? dit Jock, ravi.

– Oui, formidable, répondit JR, essayant de prendre l'air enthousiasmé.

Sue Ellen se glissa près de son mari.

– Un jour important pour la famille, JR, murmura-t-elle. Enfin un héritier légitime...

JR regarda fixement sa femme, bien décidé à ne pas lui donner la satisfaction d'une réponse. D'une façon ou d'une autre, pensa-t-il, je vais égaliser le score avec elle. Et tant pis pour ceux qui dérouilleront au passage.

La résidence Oakside se composait d'un groupe de maisons individuelles extrêmement chères et de quelques immeubles situés sur des pelouses ondulantes et entourés d'arbres destinés à isoler chaque demeure. La résidence comportait un gymnase, un sauna et deux piscines. Quelques mois auparavant, l'Ewing Oil y avait acheté un appartement pour loger ses relations d'affaires, en majeure partie des pétroliers étrangers. C'est là que JR avait décidé d'installer Kristin pour la durée de son séjour à Dallas.

Il la fit entrer et l'observa, tandis qu'elle passait d'une pièce à l'autre avec une excitation enfantine.

– Oh, JR, c'est absolument merveilleux!

– Eh bien, je suis content que ça te plaise.

– Que ça me plaise! Je trouve ça fantastique, tu veux dire. Combien de temps puis-je rester ici, JR?

– Autant de temps que tu le désires. Tu as ta terrasse privée, dit-il avec un grand geste. Tu pourras prendre des bains de soleil avec ou sans maillot.

– C'est une suggestion? demanda-t-elle en pouffant de rire.

– Bien sûr, mais n'oublie pas de m'inviter.
– Oh! Tu n'as pas honte? Quand puis-je emménager? demanda-t-elle, jugeant préférable de changer de sujet.
– Veux-tu que je te fasse apporter tes affaires demain matin par un employé du ranch? Comme ça tu peux rester ici ce soir si tu en as envie. Je pense que tu trouveras tout ce dont tu as besoin pour une nuit. Nous laissons en permanence toutes sortes de choses dans cet appartement, pour nos clients qui transitent par Dallas.
– Effectivement, le réfrigérateur est bourré de vivres.
– Oui, et le bar est rempli d'alcool.
– C'est très cosy en tout cas.
– Oui, c'est assez bien arrangé. J'étais sûr que ça te plairait. Attends, tu n'as pas encore tout vu.
Il la conduisit à la chambre. Des peaux de bêtes sur le sol, une chaise ancienne près de la porte-fenêtre qui menait à la terrasse, des draps de soie sur l'immense lit, des miroirs partout.
– Qu'en penses-tu? demanda-t-il.
– C'est exotique, répondit-elle, ouvrant un placard au hasard. Mais... qu'est-ce que c'est que ça? Des robes du soir? C'est également pour vos relations d'affaires, JR?
– Oui. Dans le pétrole, il faut toujours être en mesure de rendre service quand on le peut.
Elle se haussa sur la pointe des pieds et l'embrassa furtivement sur la bouche. Il la prit dans ses bras et écrasa ses lèvres sous les siennes. Elle tendit son ventre vers lui et il se pressa contre elle.
– Non, il ne faut pas, dit-elle, haletante.
– Ça fait trop longtemps que j'en ai envie, chérie...
Il plongea la main dans son corsage, saisit un sein

puis l'autre, et se mit à déboutonner fébrilement son chemisier. Pendant un moment elle le laissa faire et sentit ses doigts sur sa chair nue. Elle gémit puis se dégagea.

– Non, JR, je t'en prie, ce n'est pas raisonnable!

– Mais pourquoi, Grand Dieu? Nous ne sommes plus des enfants et tu en as autant envie que moi.

– J'ai envie d'autre chose que d'une simple nuit avec toi, JR.

Il eut une hésitation.

– Moi aussi, Kristin, je veux plus qu'une simple nuit.

– Et avec le mari de ma sœur!

– Tu voudrais que je te fasse des promesses?

– Sûrement pas, JR, pour rien au monde. Non, c'est simplement que... laisse-moi un peu de temps. Ça mérite réflexion, tout de même!

Il lui sourit.

– Bon, très bien. Mais ne tarde pas trop.

– Non, rassure-toi, je ne suis pas une allumeuse.

– Et réfléchis bien. Je ne voudrais pas t'entraîner dans quelque chose que tu puisses regretter par la suite.

Il sortit sans ajouter un mot, et Kristin ferma la porte derrière lui. Elle se dirigea vers la chambre, se débarrassa de ses chaussures et sauta sur le lit en poussant des cris de Sioux et en agitant frénétiquement bras et jambes. Cette fois-ci, elle avait la situation bien en main.

JR gara la Mercedes le long du trottoir et traversa à grandes enjambées la place qui le séparait de l'Ewing Oil. Il avait à peine conscience de l'obscurité qui avait envahi les rues du centre de Dallas, toujours désertes à cette heure-ci. Dans le hall, il constata que le gardien s'était absenté. Peut-être faisait-il sa ronde, mais il était plus probablement en train de fumer une cigarette dans un bureau vide. Ça n'avait guère d'importance, mais JR tenait à ce que les règles de sécurité fussent scrupuleusement respectées. Il ferait une note à ce sujet. Il se dirigea vers l'ascenseur.

Le couloir était sombre et désert, éclairé seulement aux deux extrémités par les lumières de sécurité d'un rouge vif. Dans la salle de réception, il trouva Vaughn Leland affalé dans l'un des fauteuils en cuir, mâchonnant un cigare éteint.

– Vous êtes en retard, JR.

Il avait l'air épuisé. Leland travaillait trop et vieillissait prématurément. Contrairement à JR, il s'attendait toujours à échouer et ne se croyait pas capable d'assumer de hautes responsabilités. Il revivait souvent son passé et avait peur de l'avenir.

– Allons dans mon bureau, proposa JR.

Leland se leva et le suivit.

Dans le bureau de JR, Leland se laissa tomber sur le canapé. Il semblait n'avoir d'énergie et de vitalité que quelques heures par jour. Passé ce délai, on n'avait plus devant soi qu'un type morne, vidé.

– Vous avez une mine épouvantable, Vaughn. Buvez donc quelque chose, ça vous remontera.

Trop fatigué pour lever le petit doigt, le banquier déclina l'invitation en secouant la tête.

– J'ai eu une dure journée, mais je vous apporte de bonnes nouvelles. La banque est d'accord pour vous donner un coup de main dans l'affaire des concessions du Sud-Est asiatique.

JR était content et il le montra.

– Vous avez rondement mené cette affaire, Vaughn, je vous en félicite!

– Il y a encore quelques détails à régler, bien sûr, mais j'ai choisi la seule solution possible pour une affaire de cette envergure, j'ai mis dans le coup trois autres banques. Chacune aura un quart du gâteau.

Ce montage bancaire inquiéta JR : il y vit la source de possibles complications.

– Je croyais que je n'aurais affaire qu'à vous, Vaughn, dit-il l'air mécontent.

– En pratique, c'est ce qui se passera. Mais la Cattleman's Bank ne peut pas engager toute seule une pareille somme. (JR savait qu'il n'avait pas le choix. Il avait besoin de cet argent, il en avait un besoin urgent.) Combien de dollars sont-ils disposés à me prêter?

Leland emplit ses poumons d'air.

– Cent millions.

JR avait envie de crier de joie. Il avait redouté que la banque ne lui prêtât qu'une partie de la somme nécessaire pour enlever l'affaire. Et il aurait dû y renoncer. Mais ils lui prêtaient tout et même plus qu'il ne lui en fallait.

– Ce n'est pas mal, Vaughn, dit-il d'un ton volontairement neutre.

Leland acquiesça avec un grognement et gratta son gros ventre.

– Il vous faudra bien ça, JR. C'est une histoire qui risque de durer un bout de temps. Mais une fois que les banques sont engagées dans une affaire, vous n'avez pas de mal à obtenir une rallonge de temps à autre.

– Eh bien, tout ça est très satisfaisant, Vaughn. Une fois encore, vous justifiez pleinement la confiance que j'ai placée en vous.

– Merci, JR, ça me fait plaisir de vous entendre me dire ça. (Il cligna des paupières et se redressa.) Ah, j'oubliais, il y a encore un détail, dit-il.

JR sentit son estomac se contracter et ses mains devenir moites.
– De quoi s'agit-il, Vaughn?
– D'une formalité, JR, mais vous savez, en affaires, malheureusement...
– Mais encore?
– Compte tenu des risques que prennent les banques dans cette affaire...
– Venez-en au fait, Vaughn.
– JR, ne vous inquiétez pas. Je vous l'ai dit, il s'agit d'une simple formalité.
– Mais bon Dieu, Vaughn, de quelle formalité?
– Vous comprenez, JR, supposez que ces puits soient secs? Que l'affaire foire d'une façon ou d'une autre. Vous pourriez tout perdre, ce qui signifie que les banques perdraient également tout.
– Je ne peux pas échouer! Alors, de quoi s'agit-il?
– Les banques sont d'accord pour vous prêter cent millions à condition que vous hypothéquiez deux cent mille acres de vos terres...
Bouche bée, JR regardait fixement Leland. Pétrifié par cette exigence, il fut, pendant quelques secondes, incapable de penser, puis son cerveau se remit tout doucement à fonctionner.
– Mais vous savez bien que les seules terres que je possède, que les Ewing possèdent, font partie de Southfork.
– Je le sais, répondit Leland l'air embarrassé. Je n'y peux rien, JR. Ils ne marcheront qu'à cette condition. Ils me l'ont bien précisé. Southfork servira de garantie pour le prêt.
– Southfork! Mais c'est absurde! Comment puis-je hypothéquer Southfork?
– Le plus facilement du monde. Southfork fait partie du groupe Ewing dont vous êtes le président.

Vous avez donc légalement le pouvoir et le droit de l'hypothéquer.

– Et si je refuse?

Le visage blafard de Leland se figea et il haussa les épaules.

– C'est très simple. Si vous refusez, nous ne vous prêterons pas un dollar.

– Est-ce que vous réalisez ce que vous êtes en train de me demander? Southfork est ma maison. Notre maison de famille. J'y suis né. Il n'y a même pas à en discuter, voyons!

– Je vous l'ai dit, JR. Ils ne marcheront pas autrement. Ils me l'ont dit. Je précise qu'il s'agit des autres banques, pas de la mienne.

– Il doit bien y avoir un autre moyen!

Leland se leva et s'appuya contre le bureau.

– Il n'y a pas d'autre moyen, JR. Vous hypothéquez Southfork ou il n'y aura pas de prêt.

JR regarda fixement le banquier.

– Très bien, dit-il d'une voix méprisante. Considérez que c'est chose faite.

Leland se dirigea vers la porte.

– Les papiers seront prêts demain matin, JR.

– D'accord, Vaughn. Mais je veux que vous sachiez une chose, je ne suis pas près d'oublier la façon dont vous avez mené cette affaire. Non, je ne suis pas près de l'oublier...

Après que Leland fut sorti, JR resta un long moment assis dans la pénombre. Toutes sortes de sentiments troubles lui traversaient l'esprit. Il passait de la haine sourde à une rage meurtrière, puis s'apitoyait sur lui-même, soupçonnant tous ceux avec qui il travaillait de vouloir le trahir et l'écraser. Il pensait à son enfance et surtout à un événement précis qui lui était arrivé.

Un jour, Jock les avait emmenés, Bobby et lui, à la

chasse dans les collines qui entouraient Frederickburg. Tous deux n'étaient encore que des gamins. Dissimulés par les hautes herbes qui poussaient au bord du grand lac sauvage, ils avaient passé un après-midi merveilleux à tirer les canards. A l'heure du dîner, épuisés mais ravis, ils s'étaient installés autour d'un feu de camp et avaient mangé des haricots au lard et de gros morceaux de pain que miss Ellie faisait elle-même à la maison.

Jock fumait et racontait des histoires de sa jeunesse, de l'époque où il conduisait les troupeaux à la gare, cherchait de l'or dans les montagnes du Colorado ou creusait la terre du Texas à la recherche du pétrole. Dans ces histoires, l'amitié tenait une grande place. Il parlait souvent de ses amis, mais aussi de ses ennemis. Ses personnages vivaient des existences courtes et violentes, en proie à l'idée fixe des chercheurs d'or, faire fortune.

– La plupart n'en trouvaient jamais, raconta Jock ce soir-là. Ils récoltaient plus d'ennuis que d'or et souvent ils mouraient prématurément.

– Mais pourquoi ils faisaient ça, papa? demanda Bobby.

JR, lui, savait pourquoi. D'instinct, il comprenait déjà l'amour de l'argent et le besoin de puissance qui vous valaient cette suprême récompense : la considération et le respect des autres.

– Un homme a besoin d'un but dans la vie, Bobby, répondit Jock. Une raison pour quitter son lit le matin. Il fut un temps où les hommes allaient tous les jours dans la forêt pour traquer leur gibier et nourrir leur famille. Eh bien, en chacun de nous sommeille cet homme-là.

– Mais chercher du pétrole, c'est pas comme de rapporter de la viande chez soi, fit observer Bobby.

Jock le lui concéda en souriant.

– J'imagine qu'il y a aussi de la fourmi dans chaque homme. On commence par mettre de côté un peu plus qu'il n'est nécessaire, et puis de plus en plus. Accumuler devient très vite une habitude. Davantage de puits, de terre, d'entreprises, d'argent. Mais souvenez-vous de ceci, mes enfants : l'argent ne peut acheter que les choses monnayables, rien de plus.

– Peut-être, mais quand tu es riche, les gens te respectent, dit JR.

– Non, je ne crois pas. Ils font semblant, ce qui est autre chose. Mais au fond, ils savent pertinemment que tu ne vaux pas mieux que les autres, et toi aussi, tu le sais. Ils te lèchent les bottes dans l'espoir d'obtenir quelque chose de toi, c'est tout. Les seuls hommes que j'aie respectés dans ma vie étaient des types fauchés.

Cette idée révoltait JR, mais il ne voulut pas contredire son père.

– Dans la vie, poursuivit Jock d'un air songeur, il n'y a que deux choses vraiment importantes : la famille et la terre. La terre d'un homme. Il faut être prêt à se battre pour défendre sa maison et sa famille. Pour les protéger. Après la famille, c'est la terre qui a le plus d'importance.

Jock se tut et un coyote hurla dans la nuit; un autre lui fit écho.

– C'est la terre qui a le plus d'importance...

JR n'avait jamais oublié cette phrase. Aucun Ewing n'aurait pu l'oublier.

Le lendemain matin, JR gara la Mercedes dans le parking du supermarché et observa les jeunes ménagères qui poussaient vers leurs voitures des caddies remplis d'épicerie. Incroyable, le nombre de jolies filles qu'il peut y avoir au Texas, se dit-il. Bon Dieu, s'il n'avait pas été aussi absorbé par les affaires, JR aurait passé sa vie à suivre des femmes et à les aborder. A l'exception de l'argent et de la puissance, il n'y avait rien au monde que JR préférât à une jolie femme.

La porte de la voiture s'ouvrit brusquement et Alan Beam s'assit à côté de lui. Il posa son attaché-case sur ses genoux :

– Bonjour, JR.

– Vous êtes en retard, Alan.

– J'avais deux ou trois choses urgentes à faire au bureau.

– Vous devriez réviser vos idées sur l'urgence des tâches, Alan. L'Ewing Oil doit passer avant tout.

– Bien, monsieur!

– Alors, où en êtes-vous?

– Eh bien, comme prévu, j'organise des comités dans toute la région. Cliff va être activement soutenu. Il y a déjà le groupe Nelson, les Funts, les Anderson, les Luellyns.

– Epargnez-moi les détails. Ce qui m'intéresse, c'est que vous fassiez le boulot pour lequel je vous paie, c'est tout.

– C'est ce que je fais, JR. J'ai rassemblé des gens disparates, pas trop politisés, des gens qui ne poursuivent aucun but précis, vous comprenez? Plutôt de petites gens, dans l'ensemble... vous voyez?

– Très bien, très bien... Quoi d'autre?

Alan ouvrit son attaché-case et en sortit des projets de posters, quelques superbes affiches électorales et des slogans.

TOUS DERRIÈRE BARNES
BARNES AU CONGRÈS
GAGNEZ AVEC BARNES

– Oui, c'est bien. Vous faites du bon boulot, Alan.

Surpris par le ton morne de JR, Alan leva la tête. JR semblait préoccupé, presque absent. Perdait-il son intérêt pour la campagne? Dans ce cas, il ne tarderait pas à perdre également tout intérêt pour Alan Beam et le jeune avocat envisageait sans plaisir une telle éventualité.

– Je voulais que vous sachiez où partait votre argent, dit-il piteusement.

– C'est bien, c'est parfait. Continuez comme ça, répondit distraitement JR.

En regagnant le centre-ville, Alan se dit qu'il lui faudrait désormais être prudent dans ses accords avec JR. Cet homme ne voguait qu'en eau trouble, et sur un bateau trop léger.

Le restaurant des Colonnes ressemblait à l'un de ces établissements de la Nouvelle-Angleterre. Il paraissait avoir été transporté directement de là-bas, sans que quoi que ce soit eût été modifié. Les murs étaient rouge vif et des arcades séparant les diverses salles à manger donnaient aux clients une impression d'espace. Des lampes anciennes de chez Tiffany projetaient une lumière douce sur les tables en marbre et une extraordinaire profusion de plantes vertes couraient le long des murs et pendaient du plafond à solives. Les serveurs – tous jeunes, beaux, blonds et l'œil vif – étaient vêtus de pantalons noirs collants et de chemises blanches tout aussi collantes. Pam déjeunait avec son père.

Ils posèrent leurs menus sur la table et elle lui sourit.

– Tu as l'air en forme, papa.

– Je me sens très bien. (Mais il semblait de

mauvaise humeur. Son visage était gris et il jetait des regards furtifs autour de lui.) Je suis toujours au régime sec, si c'est ça que tu veux dire, et j'ai l'intention de m'y tenir. (Il vida son verre d'eau et fit une grimace.) Cette saloperie doit finir par vous rouiller la tuyauterie.

– Ça étanche la soif, c'est l'essentiel.

– Ouais... c'est du liquide, quoi!

– Tu devrais prendre le plat du pêcheur, papa. Il est délicieux ici.

– Je ne sais pas... je crois que je vais juste prendre une soupe. Depuis que je vis avec Cliff, je ne fais que bouffer et dormir. Il est temps que je retourne au boulot.

– Les médecins t'ont recommandé de te reposer.

– Les médecins! Quand ils ne savent pas quoi dire, ils te sortent toujours ce truc-là. J'aurai bien le temps de me reposer quand je serai mort et enterré.

– Bah, tu nous enterreras tous, dit-elle en riant.

Il eut une moue sceptique et changea de sujet.

– Tu parais soucieuse, Pam. On dirait que tu portes le poids du monde sur tes épaules. Tu as des ennuis?

Elle hésita.

– Papa, dit-elle avec un sourire forcé, j'attends un enfant.

Son regard morne s'éclaira et il lui fit un large sourire.

– Pammy, mais c'est merveilleux! Quelle bonne nouvelle!

– Ah bon, tu trouves?

Pendant un instant, il la regarda sans comprendre puis, soudain, cette histoire de maladie héréditaire lui revint en mémoire.

– Pam, il ne faut pas que tu aies peur. Quel abruti, ce type avec son diagnostic de neuromachin-chose!...

– Neurofibromatose.

– Ouais. Ecoute mon petit, il faut chasser ça de ton esprit. J'ai survécu, et Cliff et toi également. Il ne faut pas partir perdant dans la vie.

– Tu sais à quoi je songe?

– A quoi?

– A me faire avorter.

Ce mot le transperça littéralement. Il lui sembla soudain que ces années de lutte pour simplement rester en vie ne signifiaient plus rien et il se sentit vidé, inutile.

– C'est Bobby qui a eu cette idée? Ces salauds d'Ewing n'ont aucun respect pour la vie humaine.

– Non, ce n'est pas Bobby, papa. Je ne lui ai pas parlé de cette maladie.

– Ne lui en parle donc pas et garde cet enfant. Tu verras, tout se passera bien.

– Comme pour mon petit frère et ma sœur?

Absurdement, Digger se sentit coupable, comme si elle lui reprochait d'avoir délibérément assassiné ses propres enfants.

– Ne pense pas à ça. C'est une vieille histoire. Les choses sont différentes, maintenant. Les médecins en savent plus..., il y a de nouveaux traitements...

– Je croyais que tous les médecins étaient des abrutis? dit-elle, en lui prenant la main.

– Quelquefois, il faut bien avoir confiance en quelque chose ou en quelqu'un, répondit-il sans grande conviction. Quand la vie devient vraiment trop dure...

Ils demeurèrent un long moment silencieux, chacun plongé dans ses pensées, luttant contre ses propres terreurs, désespérément seul.

Vaughn Leland se fit apporter des sandwiches et du café, et JR et lui déjeunèrent tout en parcourant les documents autorisant les prêts bancaires à l'Ewing Oil. JR éplucha les textes avec une attention extrême puis les reposa sur le bureau de Vaughn et se cala dans son fauteuil.

– Ça paraît bien, Vaughn. Les arrangements conclus sont satisfaisants. Voulez-vous rassembler tous les documents et les envoyer à Wiggen, chez Wiggen et Leitner, à Fort Worth?

– Ce sont vos nouveaux avocats, JR? demanda Leland soudain intéressé.

– Oui. Je ne veux pas inquiéter papa avec cette affaire et je ne suis pas très sûr de la discrétion de Harry Smithfield. C'est un gaffeur-né.

L'attention de Leland fut distraite par un coup frappé à la porte.

– Oui, Janet, dit-il à sa secrétaire qui entrouvrait la porte.

– Il y a un coup de téléphone pour M. Ewing. Sur la 2, monsieur.

– Merci, Janet.

Elle se retira et le banquier tendit le récepteur à JR.

– Allô? dit JR.

– Bonjour, JR, c'est Kristin.

– Je croyais t'avoir dit que je ne voulais pas qu'on me dérange ici, Kristin? dit-il d'un ton sec.

Il fallait que cette fille comprenne que leurs relations étaient une chose et le travail une autre.

– Bon, qu'y a-t-il de si important?

– Loyal Hansen a téléphoné. Il semblait vouloir

te joindre à tout prix. Il m'a dit qu'il avait quelque chose de très important à te dire.

– Il a laissé un message?

– Oui, justement. Il m'a dit de te dire que tout allait bien et que tu comprendrais.

– Ah, très bien... Merci, Kristin.

Et il raccrocha.

– De mauvaises nouvelles, JR?

– Non, au contraire. Les concessions sont à moi. C'est moi qui ai fait la meilleure offre. Il ne me manque plus que le prêt pour démarrer.

– Eh bien, JR, si j'étais vous, je prierais...

– Pour que ce soit un gros coup?

– Non. Pour que Southfork reste dans votre famille.

Kristin raccrocha le téléphone et, songeuse, resta assise derrière son bureau. L'autre secrétaire, Connie, était partie déjeuner et la pièce était tranquille. Elle avait appâté JR avec brio, le travaillant avec l'habileté d'un pêcheur de truites. Mais si JR était un poisson, il appartenait aux espèces les plus redoutables et les plus habiles. Le roi des mers. Seul le danger l'attirait et il jouait constamment avec le feu. Et il ne permettait à personne de venir le troubler ni lui encombrer l'esprit. Certains aspects de sa personnalité fascinaient Kristin. Avec lui, elle allait vivre une vie riche et passionnante. Mais il fallait être prudente et s'informer. Avant tout s'informer. De là viendrait sa force, et peut-être même sa puissance. Elle n'avait pas la prétention de dominer JR, mais peut-être parviendrait-elle à le manipuler dans un sens qui la favoriserait. Pour le moment, elle le tenait. JR était fou d'elle et prêt à n'importe quoi pour coucher avec elle. Il fallait exploiter ça et lui faire tirer un peu la langue. En attendant, elle allait constituer sur JR Ewing un dossier qui lui servirait peut-être un jour.

Elle rassembla une poignée de lettres à faire signer à JR et entra dans son bureau. Aussitôt, elle se mit à fouiller dans ses papiers, à la recherche de quelque chose d'intéressant. Soudain, une feuille dactylographiée attira son attention.

AFFAIRE DU PÉTROLE ASIATIQUE

1. *Leland – 100 000 000 $.*
2. *Hansen – Rémunération pour l'enlèvement des enchères.*
3. *Southfork???*

Elle remit le papier à sa place, persuadée qu'elle venait de tomber sur une information importante. Elle se demanda quel rapport pouvait bien avoir Southfork avec l'affaire asiatique. Elle trouverait. Elle finirait bien par trouver. Elle avait les bonnes cartes en main pour le jeu qu'elle jouait.

Ce soir-là, JR passa voir Kristin. Vêtue d'un fin déshabillé, elle le fit entrer et lui tendit un verre qu'elle avait préparé à l'avance. Ils s'assirent sur le canapé et se portèrent un toast silencieux. Il la regardait avec admiration. Jamais elle n'avait été aussi belle et jamais il n'en avait eu autant envie.

– Tu es une créature extrêmement provocante, Kristin. Quand je te vois dans ton petit déshabillé en dentelle, je n'ai plus qu'une idée en tête.

Elle lui sourit en buvant une gorgée de whisky.

– JR, tu n'as pas besoin de moi pour avoir ce genre d'idée, tu le sais très bien. Ta réunion a duré un temps fou aujourd'hui.

– Tu m'as chronométré?

– Non, mais tu m'as manqué cet après-midi.

– Tu as pensé à notre dernière discussion?

Elle ignora la question.

– Tu sais, cette école d'architecture, ça ne me dit plus grand-chose, maintenant. Comparé aux affaires pétrolières, c'est vraiment sans aucun intérêt.

JR s'agita sur le canapé.

– Eh bien, ça me fait plaisir que tu apprécies la maison.

– C'est tellement excitant pour moi de travailler avec toi, JR! Nous partageons tant de choses..., tant de secrets... c'est fantastique!

– Des secrets? De quoi parles-tu, Kristin?

– Rien qui puisse t'inquiéter, JR. N'en parlons pas.

– Je crois que tu as un point commun avec ta sœur, ma chère épouse, c'est ton imagination débordante.

– N'en parlons plus, JR.

Il la regarda d'un air sombre, puis un sourire cruel flotta sur ses lèvres.

– Que crois-tu savoir de si intéressant, Kristin?

– Oh, eh bien, par exemple, tes rendez-vous avec M. Leland et M. Hansen, répliqua-t-elle d'un ton léger.

– Je vois toutes sortes de gens, tu sais.

Elle décida de tenter sa chance.

– Sans parler des transactions concernant l'Asie du Sud-Est. Les cent millions de dollars et... (Elle s'interrompit une seconde dans l'espoir qu'il allait se trahir, mais il demeura silencieux.) Et Southfork, termina-t-elle.

Il la regarda longuement, une expression indéchiffrable sur le visage. Cette petite vipère était beaucoup plus forte qu'il ne l'aurait pensé. Elle s'était arrangé pour en savoir suffisamment long sur cette affaire pour le tenir. Etait-elle prête à utiliser ses informations contre lui? Peut-être pas, mais en sa faveur à elle, oui, sûrement. Il reconnut qu'elle avait marqué un point.

– Tu ne sais rien, dit-il, sans se laisser démonter.

– Tu as raison, je ne sais pas grand-chose, lui concéda-t-elle. Sauf qu'il s'agit d'une énorme affaire qui nécessite des millions de dollars. Moi, je n'en sais pas plus, mais je suis sûre que Jock et Bobby comprendraient très vite tous les tenants et aboutissants de cette transaction.

– Tu me fascines, Kristin. Comment une fille aussi belle que toi peut-elle être aussi tordue? Peu d'hommes oseraient me provoquer comme tu le fais. Tu es brillante et courageuse... et légèrement cinglée. J'apprécie cette combinaison, ça me met en appétit. J'aime les petites salopes tortueuses.

Elle eut un rire nerveux.

– Je le sais, JR.

– Que comptes-tu faire de tes informations?

– Rien.

– Tu vas en parler à mon père et à Bobby?

– Bien sûr que non. Ton père risquerait de te vider de l'Ewing Oil et qu'est-ce que je deviendrais, moi?

– Très bien pensé. (Il se rapprocha d'elle et l'enlaça. Ils s'embrassèrent à perdre haleine. Les mains de JR parcouraient le corps de Kristin, et elle commença à gémir et à se tortiller.) Viens, dit-il d'une voix rauque, prends-la dans ta main, prends-la...

– Oh, JR, quel homme tu es...

– Viens dans la chambre...

– Non, JR, pas maintenant. Bientôt. Quand je serai prête, c'est moi qui viendrai. Je te le promets. Tu n'auras pas à me le demander. Et tu verras ce que je ferai pour toi, ce que je serai pour toi. Mais il faut que tu attendes que je sois prête.

Il se leva, contenant difficilement sa colère.

– Et qu'est-ce que je suis censé faire jusque-là?

– Oh, JR, j'ai confiance en toi. Tu ne manques pas d'imagination. Tu trouveras bien quelque chose, dit-elle en lui caressant la joue.

CINQUIÈME PARTIE

LES EWING AUJOURD'HUI

12

JR avait soigneusement préparé la manœuvre. Il avait laissé suffisamment d'initiative à ces marionnettes pour leur laisser croire qu'elles étaient maîtresses de leur destin. Il était maintenant temps de tirer fermement sur les ficelles, de les faire danser sur sa propre musique et de leur apprendre les limites de leur indépendance. Quels imbéciles ils faisaient, se bousculant et se piétinant pour essayer de contrôler leurs destinées, alors que JR, seul, prenait les décisions importantes.

Comme tout cela avait été facile! Avec leurs rêves fumeux et leur appétit de gloire, leur avidité, leurs tentatives dérisoires pour jouer avec les géants alors qu'ils étaient incapables de comprendre les règles du jeu ou d'avoir en main les cartes qu'il fallait pour gagner!

Tout d'abord, Lucy. Il était temps de faire rentrer dans le rang cette petite pute arrogante et de lui donner à réfléchir pour les années à venir. Oh, bien sûr, Lucy était une Ewing de naissance, mais elle était odieuse avec JR, allant même jusqu'à adopter un ton légèrement menaçant avec lui. Il valait mieux briser cette révolte dans l'œuf, bien lui faire comprendre qu'elle ne serait jamais à la hauteur de ses ambitions, affaiblir ses résolutions et saper son courage. Quand elle serait adulte, suffisamment intelligente et expérimentée pour lui nuire, elle serait depuis longtemps sous son influence.

Tout d'abord Lucy, les autres ensuite. Ils tomberaient les uns après les autres, comme au jeu de quilles. Ils n'avaient pas conscience de leur vulnérabilité, pas plus que de l'inanité de leurs efforts pour lui cacher ce qu'ils tramaient contre lui. Il attendit l'occasion et la saisit quelques jours plus tard. Toute la famille, réunie au salon, prenait un verre en attendant le dîner.

Lucy entra dans la pièce et JR décida sur-le-champ de passer à l'attaque.

– Qu'est-ce qui nous vaut l'insigne honneur de t'avoir parmi nous ce soir, Lucy? demanda-t-il avec un sourire narquois.

Malgré l'expression goguenarde de JR, Lucy flaira immédiatement un danger. Elle se tourna vers lui, les sourcils froncés, se demandant où il voulait en venir, et opta pour un ton conciliant.

– J'ai tourné une page, répondit-elle d'un ton léger. J'ai décidé de me consacrer à ma famille.

– Pas possible, s'exclama-t-il, ricanant de façon déplaisante.

– Oh, fiche-lui la paix, JR, intervint Sue Ellen.

– J'ai tout de même le droit de parler à ma nièce, non? dit-il, les yeux fixés sur la plus jeune des Ewing. Je suis content que nous soyons tous réunis ici ce soir parce que, malheureusement, j'ai des nouvelles très déplaisantes à vous annoncer...

– Ça ne peut pas attendre la fin du dîner, JR? demanda miss Ellie, l'air ennuyé.

JR sortit une enveloppe de sa poche. Tous les regards étaient fixés sur lui.

– Ce que contient cette enveloppe concerne toute la famille, dit-il.

– A qui vas-tu t'en prendre ce soir, JR? demanda Sue Ellen.

– Ne te mêle pas de ça, Sue Ellen.

– C'est moi qu'il a décidé d'emmerder, dit Lucy. Quel type haineux tu es, JR.

– Voyons, Lucy, protesta Jock, mal à l'aise.

Il avait un faible pour sa petite-fille, bien qu'il fût conscient du fossé qui les séparait. Il n'y avait pas que l'âge. Leur vision de la vie était totalement différente. Il ne comprenait pas Lucy et, de ce fait, avait tendance à considérer tous les jeunes comme une énigme vaguement inquiétante. Peut-être était-il trop vieux, hors du coup comme ils disaient.

– JR ne te veut aucun mal, chérie, ajouta-t-il.

– Au contraire, dit JR d'un ton doucereux. Il n'y a que le bien de la famille qui m'intéresse. (Il sortit de l'enveloppe une demi-douzaine de clichés.) Tu connais ces photos, Lucy?

Inquiète, elle frissonna et demeura silencieuse.

JR regarda chaque photo en hochant la tête.

– Qu'est-ce que c'est que ça, JR? grogna Jock.

Sans un mot, JR lui tendit les clichés, et Bobby se rapprocha de son père pour regarder à son tour. Lucy était transformée en statue de sel.

– Je n'aime pas ce genre de chose, JR, dit Jock d'une voix vibrante de colère. Tu aurais mieux fait de brûler tout ça.

– Tu as reconnu les protagonistes, Papa?

– Non, tu sais bien que je vois mal sans lunettes. Mais je n'ai pas envie d'en voir davantage.

– Je crois que le dîner est servi, dit miss Ellie, tentant une diversion.

– La fille est notre petite Lucy, entièrement à poil...

– Ça suffit, JR, s'exclama miss Ellie, furieuse.

Sue Ellen, bouche bée, regardait Lucy.

– Tout ça est de très mauvais goût, JR. Range ces photos ou, plutôt, jette-les. Je ne vois pas la nécessité de regarder ça, dit Bobby.

– Mêle-toi de tes affaires, petit frère, veux-tu? La mignonne, l'innocente Lucy s'est compromise avec un homme...

– Espèce de salaud, s'exclama Lucy, soudain folle de rage.

– Surveille ton langage, Lucy, gronda Jock. Qui est l'homme?

– Alan Beam, répondit JR.

– Tu en es sûr? demanda Jock.

– Certain. Tu n'as pas le culot de nier, Lucy?

– Comment t'es-tu procuré ces photos? demanda Lucy d'une voix hésitante.

– D'abord, qu'as-tu à dire pour ta défense?

– Que veux-tu que je te dise? J'ignorais totalement l'existence de ces photos. Je n'aurais jamais...

– En tout cas, l'interrompit JR d'une voix coupante, c'est bien Beam et toi qui vous êtes livrés à cette exhibition écœurante. Tu le voyais en cachette...

– En cachette? Pas du tout. Nous ne nous sommes jamais cachés.

– A qui en as-tu parlé? Et Beam, à qui en a-t-il parlé? Personne ne connaissait ta liaison – si on peut appeler ça une liaison. En tout cas, personne dans la famille.

– Pourquoi fais-tu ça, JR? demanda Lucy.

– Je suis un Ewing. Je tiens à protéger ma famille.

– En accablant Lucy? demanda Sue Ellen.

– Ferme-la, Sue Ellen. Cette histoire ne te regarde pas. (Il reporta son attention sur sa nièce :) Toutes ces soirées que tu passais soi-disant chez ton amie Muriel, à travailler, c'est chez Beam que tu les passais. Et voilà ce que tu faisais, dit-il, jetant d'un air écœuré le paquet de photos sur la table basse. Tu me fais honte, Lucy, tu nous fais honte à tous.

– C'est vrai, Lucy? demanda calmement miss Ellie. Quand tu étais censée aller chez Muriel, c'est chez Beam que tu te rendais?

– Oui, la plupart du temps, répondit la jeune fille.

– Ça fait des mois qu'elle nous ment. Jolie nature! commenta JR.

– Pourquoi mentais-tu, Lucy? demanda Jock. Tu n'as pas confiance en nous? Nous aurions pu t'aider, te comprendre...

– Oh non! intervint JR. Elle avait de bonnes raisons pour ne pas vous en parler. Cet Alan Beam n'est qu'un sale petit arriviste et elle le sait. Elle a préféré mentir, se cacher...

– Premièrement, je ne suis pas obligée de parler de ma vie privée à toute la famille. Deuxièmement, je savais parfaitement que tu réagirais ainsi, JR. Je ne voulais pas d'histoires. Tu détestes Alan parce qu'il travaille pour Cliff Barnes, parce qu'il orchestre la campagne électorale de Barnes. C'est pour ça que tu fais ce scandale? Tu cherches à atteindre Barnes à travers Alan et à travers moi?

– C'est trop facile, Lucy, dit JR. Je méprise Beam parce que je le connais, un point c'est tout. J'ai enquêté sur lui et sur ses activités. C'est un petit arriviste sans le sou, un salopard qui a décidé d'exploiter sa liaison avec toi.

Lucy chercha autour d'elle un soutien, un visage ami.

– Bobby, dit-elle, je suis sûre que tu désapprouves la conduite de JR. Je suis sûre que tu comprends...

– Je connais Beam, Lucy. Je désapprouve cet esclandre, et je n'aurais, personnellement, jamais agi comme JR. Mais je suis d'accord avec lui en ce qui concerne ton choix. Tu aurais pu difficilement tomber sur pire.

Encouragé par ce soutien imprévu, JR décida d'avancer un nouveau pion.

– Lucy, je t'interdis de revoir Alan Beam.

Stupéfaite, l'œil rond et la bouche ouverte, elle regarda fixement JR.

– Quoi? dit-elle.

– Tu as très bien compris.

– Non, j'ai dû mal comprendre. Je ne peux pas croire que tu aies le culot de me dire qui je dois voir ou ne pas voir.

– C'est pourtant ça.

– Va te faire foutre, JR, dit calmement Lucy.

– Lucy, je t'en prie, dit miss Ellie. JR, cette scène a assez duré.

– Tu vas m'obéir, tu m'entends? explosa JR.

– Certainement pas.

– Je t'interdis de revoir cet individu, c'est compris?

– Laisse tomber, JR, dit Bobby.

– Je pensais que pour une fois, tu serais de mon côté, Bobby. Cette histoire te concerne tout autant que moi.

– JR, mets-toi en tête que non seulement je vais continuer à voir Alan et à être sa maîtresse, mais que je vais probablement l'épouser comme il le souhaite, dit Lucy.

– L'épouser? (JR éclata de rire.) Je sais que tu es portée sur l'autodestruction, Lucy, mais pas à ce point-là.

Lucy se leva.

– Je profite de l'occasion pour vous inviter tous à la noce, dit-elle, provocante.

Et elle sortit de la pièce.

– Elle nous fait marcher, dit Jock. Je suis sûr qu'elle nous fait marcher.

– Espérons-le, dit Bobby.

– Je ne peux pas croire qu'elle envisage sérieusement d'épouser Beam, dit miss Ellie en secouant la tête. Je sais bien que Lucy a la tête dure et qu'elle est entêtée comme une mule, mais de là à épouser ce type!

– Non, je ne le crois pas non plus, répondit-il, secrètement ravi de la façon habile dont il avait manœuvré. Elle cherchait à nous faire bondir, rien de plus. Je me charge de remettre cette jeune personne dans le droit chemin.

– Laisse-la tranquille, JR, dit miss Ellie d'un ton tranchant. Tu en as assez fait comme ça.

– Tu as envie qu'elle continue, maman?

– Lucy est une adulte. C'est à elle de prendre sa décision. Si elle commet la bêtise d'épouser ce garçon, elle en paiera le prix, voilà tout. Mais ça ne rcgardc qu'cllc. Jc nc crois d'ailleurs pas qu'elle le fasse. Après tout, c'est une Ewing...

– J'essaie simplement d'empêcher une catastrophe, maman.

– Tu es sûr de ne pas avoir une autre idée en tête, JR? demanda Bobby.

– Qu'est-ce que tu insinues, petit frère?
– Je me renseigne, grand frère, c'est tout.
– Je n'aime pas ce genre de question.
Bobby haussa les épaules et se tut.
– Lucy est loin d'être une idiote, fit remarquer Jock. Si ce Beam n'est pas le type qu'il lui faut, elle le découvrira d'elle-même.
– Oui, mais peut-être trop tard. C'est pour elle que je fais ça, papa.
– Ça suffit, JR, répondit son père. Occupe-toi de tes affaires, tu m'entends?
– Très bien... très bien. Je ne demande que ça, tu sais.
Ils le regardèrent se diriger vers le bar et se verser un scotch. Puis il se retourna et, avec un sourire triomphant, il leur porta un toast silencieux.

Alan Beam n'avait aucune envie de voir Lucy, mais elle était l'enjeu du marché qu'il avait conclu avec JR et il n'y avait pas moyen de l'éviter. En la voyant arriver, il éprouva une sourde irritation. Alan s'apprêtait à aller chez Kristin lorsqu'on avait sonné à la porte. En voyant Lucy en face de lui, il fit mentalement la comparaison entre les deux femmes. Bien qu'elles n'eussent qu'une petite différence d'âge, Kristin et Lucy étaient très différentes. Kristin était une jeune femme habile et sophistiquée, tandis que Lucy n'était qu'une petite jeune fille névrosée, sans but dans la vie.
Il la fit entrer dans le living-room et s'assit loin d'elle, sur une chaise. Elle ressemblait à un petit chiot que son maître vient de corriger.
– Tu m'en veux toujours, Alan?
– Je ne t'en ai jamais voulu, mais je suis comme tout le monde, je n'aime pas être rejeté.

– Oh non, Alan, je ne t'ai jamais rejeté.

Elle s'agenouilla à ses pieds et l'odeur de sa peau le troubla un instant. Il l'imagina nue, avec son jeune corps vigoureux et souple, toujours prêt à se donner, à prendre des positions acrobatiques dans sa recherche effrénée du plaisir. Et maintenant, elle était là, à ses pieds, le regardant avec de grands yeux, ses mains sur ses cuisses.

– Tu étais sincère l'autre jour, Alan?

– A propos de quoi?

Il sentit son cœur battre plus fort. Le rêve de sa vie allait-il se réaliser?

– A propos de notre mariage. Tu veux vraiment m'épouser?

– Plus que tout au monde, répondit-il sobrement.

Les mains de Lucy glissèrent le long des cuisses du garçon et elle appuya sa joue contre sa jambe. Ses muscles se tendirent et il sentit que son corps réagissait. Elle prononça doucement son nom et se mit à le caresser. Il éprouvait pour elle un désir chargé de ressentiment. Tout ce qu'elle offrait, tout ce qu'elle pouvait lui donner n'était rien comparé aux promesses de JR. Oh bon Dieu, comme il avait envie que tout ça se réalise! Il en crevait d'envie. Mais voilà, il fallait d'abord se laisser passer la corde au cou par cette femelle névrosée, et jouer la comédie de l'amour.

Il repoussa sa main.

– Tu n'as plus envie de moi, Alan?

– Je te l'ai dit, je ne veux plus faire l'amour dans ces conditions. Pourquoi pas à l'arrière d'une voiture, comme les gamins de quinze ans? J'en ai assez des baisers volés et des caresses furtives.

– Je te veux, Alan, j'ai tellement envie de toi..., murmura-t-elle.

– Mais moi aussi, j'ai envie de toi. La question n'est pas là.

Et soudain, elle sut qu'elle allait le dire. Elle ne songeait qu'à JR et à la haine qu'elle ressentait à son égard. Elle ne pensait qu'à le faire souffrir, qu'à le détruire. Elle était prête à tout pour y parvenir.

– Je vais t'épouser, Alan, dit-elle.

– Tu en as vraiment envie?

– Oui, j'y ai beaucoup réfléchi. Je ne peux pas me passer de toi.

– Un vrai mariage en bonne et due forme?

– Si tu veux. (Elle introduisit ses doigts dans sa braguette.) Oh, fit-elle, ouvrant de grands yeux, l'escargot est rentré dans sa coquille.

– Peut-être devrions-nous attendre d'être mariés...

– Ah non, cette fois, tu exagères!

– Tu veux vraiment faire l'amour?

– J'en crève, tu le sais bien, salaud.

– Montre ce que tu sais faire.

– Je sais tout faire, tout.

– Absolument tout?

– Tu peux me demander n'importe quoi.

– Supplie-moi.

– Quoi?

– Je veux t'entendre me supplier.

– Salaud, murmura-t-elle, la tête entre les cuisses d'Alan.

– C'est ça dont tu as envie, hein?

– Oui, dit-elle, effleurant son sexe de ses lèvres.

Il la prit brutalement par les cheveux et lui releva la tête.

– Supplie-moi, avant. Je veux t'entendre me supplier.

– Alan, je t'en supplie, laisse-moi te faire l'amour... avec ma bouche, avec mes mains, avec tout mon corps...

– Bien, tu peux me servir, maintenant.

– Ah oui, c'est ça que je veux... Je veux être ton esclave.

– Tu veux être à mon entière disposition? M'appartenir complètement?

– Oui, je veux que tu me prennes chaque fois que tu en auras envie.

– Tu me donneras d'autres femmes? Je veux d'autres mains, d'autres lèvres sur moi...

– Je ferai tout ce que tu voudras, mais laisse-moi te prendre dans ma bouche...

– Vas-y, je te le permets. Fais-le comme tu l'as fait si souvent à tant d'hommes.

Elle obéit, les yeux fermés, et l'odeur aigrelette de sa sueur lui emplit les narines. Elle s'imaginait nue, avec des projecteurs braqués sur elle et une foule d'hommes et de femmes la regardaient faire, l'encourageant par leurs cris excités, la pressant de le faire jouir avec sa langue merveilleuse...

Puis son fantasme s'évanouit pour faire immédiatement place à un autre. Cette fois, elle était dans une cathédrale silencieuse, vêtue d'une robe de mariée et elle se dirigeait avec grâce vers Alan qui, au côté du prêtre, l'attendait devant l'autel. Soudain, elle regardait le prêtre et s'apercevait qu'il était nu comme un ver. Alan la faisait alors s'agenouiller et lui poussait la tête entre les cuisses du prêtre et elle lui obéissait docilement. Tous les gens l'applaudissaient. Elle levait alors les yeux vers le prêtre qui lui souriait de ce sourire effrayant qu'elle connaissait si bien, et elle comprenait alors que c'était JR. Elle le mordait de toutes ses forces.

– Bon Dieu, dit Alan d'une voix sourde, fais attention, tu m'as fait mal.
– Pardon, murmura-t-elle.
– Si tu n'es pas capable de faire ça correctement, ne le fais pas.
– Oh, laisse-moi continuer, Alan, c'est si bon. Je ferai attention, pardonne-moi.

Lorsqu'elle se réveilla, elle était nue dans un lit. Une lumière tournant lentement sur elle-même projetait des éclairs rouges, verts et bleus dans la pièce. Une âcre odeur d'herbe et d'alcool flottait dans l'air. Elle s'assit et chercha à se souvenir : où était-elle? A qui appartenait cette chambre? Elle avait un goût familier dans la bouche, le goût du sperme. Elle retomba sur son oreiller, les yeux clos, souhaitant désespérément être dans l'appartement d'Alan Beam, mais sachant bien qu'elle n'était jamais venue ici auparavant. Ce sperme qu'elle avait dans la bouche, c'était celui d'un étranger et elle se détesta encore davantage pour lui avoir laissé faire ça.

Elle sortit du lit et chercha fébrilement ses vêtements. Ses panties étaient sous le lit et elle s'apprêtait à les enfiler lorsqu'un homme entra dans la chambre. Il était trapu, musclé, à peine plus grand qu'elle et tout aussi nu. Deux autres types le suivaient.
– La voilà, les gars.
– Pas mal, pas mal du tout...
– Ouais, c'est une belle petite pouliche.
– Qui êtes-vous? demanda Lucy.
– J'suis pas là pour faire les présentations, répondit le courtaud. D'ailleurs, à ce stade, y'en a plus besoin, ajouta-t-il en ricanant. Ça vous va, les gars?

– Ça pouvait pas être mieux, mon pote.

– Bon, alors, y'a plus qu'à passer à la caisse, conclut-il en tendant la main.

Les deux autres y déposèrent quelques billets et l'homme sortit en refermant la porte derrière lui. Les deux types commencèrent à se déshabiller.

– Je m'en vais, dit-elle.

Ils se mirent à rire.

– Bouge pas, fillette.

– Je ne sais pas ce qu'il vous a raconté sur moi, dit Lucy d'une voix tremblante, mais je ne fais pas ce genre de chose.

– On a payé avec notre bon fric, t'as bien vu? Tu voudrais pas qu'on soit volé, tout de même? Regarde, ma beauté, ce que j'ai pour toi? C'est pas beau, ça?

Ils s'approchèrent d'elle.

– Bon, mon pote, à toi de choisir. Tu veux la porte principale ou l'petit guichet?

– La porte principale. On changera après.

– C'est d'accord. Et maintenant, chacun pour soi. Mais j'parie dix dollars que j'explose avant toi.

Ils lui écartèrent brutalement les cuisses et tous ses efforts pour résister furent vains. Ils la prirent sauvagement et ses cris les déchaînèrent encore davantage. Faire souffrir faisait partie du jeu et leur fouettait le sang.

Lorsque le viol fut consommé, les deux hommes la laissèrent sur le sol, couverte de bleus et de sang. Elle parvint à s'habiller et quitta l'appartement comme une somnambule. Le courtaud qui regardait la télévision dans le living-room ne tenta pas de l'en empêcher.

Dehors, elle marcha au hasard, cherchant à se souvenir de l'endroit où elle avait garé sa voiture. Et soudain, à travers son désarroi, une pensée prit lentement forme jusqu'à s'imposer à son esprit embrumé. C'était JR. C'était JR qui avait organisé ce viol, elle en était certaine. Il allait lui payer ça. JR allait être puni. Il fallait qu'il souffre, qu'il ait peur, qu'il crève. Il fallait l'empêcher une bonne fois pour toutes d'exercer sa cruauté sur les êtres humains. JR devait mourir.

13

Le lendemain matin, Bobby était dans le bureau de JR lorsque la ligne intérieure sonna.

– JR, dit sa secrétaire d'une voix troublée, M. Cliff Barnes voudrait vous voir. Il vient d'arriver.

JR était stupéfait.

– Qu'est-ce qu'il peut bien me vouloir? demanda-t-il à Bobby.

Bobby fit une grimace.

– Comment veux-tu que je le sache? Ce type est la duplicité faite homme. Il est totalement imprévisible.

– Qu'est-ce que je fais? Je le reçois?

– Mais oui, bien sûr, sinon tu ne sauras jamais ce qu'il te voulait.

Pour une fois, JR n'était pas mécontent d'avoir son frère à ses côtés. Il n'attendait rien de bon d'une visite de Cliff Barnes.

– Faites-le entrer, dit-il à sa secrétaire.

Quelques secondes plus tard, la porte s'ouvrit et

Cliff entra dans le bureau. Manifestement très à l'aise, il regarda JR, puis Bobby. Il avisa une chaise en face de JR, s'y assit sans y avoir été invité et jeta une grosse enveloppe brune sur le bureau.

– Que faites-vous ici, Barnes? demanda sèchement JR.

– Bonjour, Cliff, dit Bobby.

– Ouvrez-la, dit Barnes, désignant l'enveloppe du doigt.

JR regardait l'enveloppe avec répugnance.

– Qu'est-ce que c'est que ça?

– Ouvrez-la, insista Barnes, vous verrez vous-même.

– Oh, bon Dieu, vous êtes ridicules, tous les deux, intervint Bobby. On dirait deux mômes. De quoi s'agit-il, Cliff? Est-ce que vous êtes venu pour affaires ou seulement pour remuer un peu de merde? Quoi qu'il en soit, faites vite mon vieux. Nous avons beaucoup de boulot.

Cliff ne se départit pas de son impassibilité habituelle.

– Bobby, de tous les Ewing, vous êtes le seul à être à peu près convenable. Mais malgré tout, vous êtes un Ewing, donc un ennemi pour moi. JR, si vous ne voulez pas régler cette affaire ici, nous la réglerons en justice.

– Mais bon Dieu, de quoi parlez-vous, Barnes?

– Ouvrez l'enveloppe et vous le saurez.

JR hésita puis la prit. Il en sortit la photocopie d'un document rédigé à la main.

– Qu'est-ce que c'est que ce truc-là?

– Lisez...

– Ne me donnez pas d'ordres, Barnes. Je vous rappelle que je suis dans mon bureau.

– Lisez tout haut de façon à ce que Bobby puisse

entendre. Ce papier concerne tous les Ewing.

JR le regarda avec dégoût puis se mit à parcourir le document. Les joues empourprées par la colère, les paupières mi-closes, il s'écria :

– Vous n'espérez tout de même pas me faire croire que ce bout de papier est légal?

En silence, Cliff jeta sur le bureau deux autres documents.

– Ces papiers sont légaux, JR, ce sont des actes notariés. Je les ai fait examiner par des experts pour m'en assurer. Vous n'imaginez tout de même pas que je suis venu ici sans armes, n'est-ce pas?

– Est-ce qu'on pourrait m'expliquer de quoi il s'agit? demanda Bobby, agacé.

– Lisez tout haut, JR, insista Barnes.

– D'accord, allons-y, dit JR. Ce papier certifie que tous les revenus et bénéfices provenant du champ de pétrole connu sous le nom de l'Ewing 23 seront partagés à égalité entre Jock Ewing et Willard Barnes, et leurs héritiers à perpétuité. Ça va? Je n'ai rien omis? demanda JR d'un air ironique.

Bobby se leva et prit le document qu'il relut avec une expression incrédule.

– Je viens juste d'ouvrir ces puits, Barnes, dit-il, on peut dire que vous n'avez pas perdu de temps.

– Mais non, pourquoi en perdrais-je?

Bobby jeta un coup d'œil sur le papier qu'il tenait encore à la main.

– Avant toute chose, je vais soumettre ce document à nos propres experts.

– Allez-y, ne vous gênez pas. Ça ne changera rien. La moitié du pétrole qui sort des puits de l'Ewing 23 m'appartient. Ainsi que la moitié des bénéfices.

– Eh bien, Bobby, dit JR d'un ton léger, imaginais-tu, en ouvrant ces puits, que tu ferais de ton cher beau-frère un homme riche?

– Qu'est-ce que tu insinues?

– Mais rien... rien du tout. Je fais simplement ressortir le piquant de la situation.

– De toute façon, ça ne nous ruinera pas, dit Bobby.

– Non, mais c'est tout de même un champ d'une bonne taille, fit remarquer JR.

– C'est tout à fait mon avis, dit Cliff.

– Ça représente un bon paquet d'argent pour ceux qui en sont propriétaires, souligna JR.

– Propriétaire, ce mot me plaît, dit Cliff en se frottant les mains.

JR se dirigea vers le bar.

– Eh bien, il ne nous reste plus qu'à arroser ça. Les événements prennent une curieuse tournure. Voilà que les ennemis héréditaires deviennent associés. Ça va être un joli panier de crabes.

– Garde ton whisky, JR, dit Bobby, glacial. Je ne bois pas avec n'importe qui.

– Bah, il faut savoir être bon perdant, dit JR, l'air insouciant.

Bobby ouvrit la porte et se retourna.

– Félicitations, Cliff. Vous avez finalement réussi à avoir ce que vous vouliez : une revanche sur les Ewing et une part importante de leurs affaires. Vous devez être fier de vous, mais ça m'étonnerait que Pamela le soit.

Pendant quelques secondes, Cliff eut l'air décontenancé.

– Ne vous tracassez pas, mon vieux, dit JR, lui mettant un verre entre les mains. Bobby a tendance à être un peu agressif quand les intérêts de la famille sont en jeu. A votre santé, mon cher associé.

Cliff se leva brusquement et posa son verre sur le bureau.

– Je prendrai rendez-vous avec vos comptables la semaine prochaine, JR. Je veux le compte exact du nombre de barils remplis chaque jour et je veux également me faire communiquer les coûts de raffinage, le prix de vente, les marges bénéficiaires, etc. Tout sera vérifié, JR.

– Bon Dieu, quel type irascible vous faites, Cliff. Et méfiant, avec ça. Allez, mon vieux, détendez-vous, reprenez votre verre. (Il prit son téléphone.) J'ai un coup de fil à passer, ça ne sera pas long. (Il composa un numéro.) Harry Owens, s'il vous plaît, demanda-t-il. Vous connaissez ce vieil Harry, non? dit-il à Barnes. C'est le chef de chantier de l'Ewing 23. Un type épatant. Il fait ce qu'on lui dit de faire sans poser de questions idiotes...

– Je vous tire mon chapeau, JR, dit Barnes. J'étais sûr que vous alliez tout faire pour m'évincer, ce qui n'aurait servi à rien d'ailleurs, puisque cet acte est parfaitement légal et que ce qui appartenait à mon père m'appartient aujourd'hui. Mais enfin, je dois reconnaître que vous avez été beau joueur.

– Il faut savoir encaisser les coups, mon vieux. C'est ce que je dis toujours. Allô? C'est vous, Harry? Comment ça va, mon pote? Très bien, Harry, formidable. (Il plaqua la main sur le récepteur.) Harry dit que l'Ewing 23 crache le pétrole à une cadence record. Dites-moi, Harry, dit-il dans l'appareil, combien de barils comptez-vous aligner par mois? Mille au début et plus par la suite? C'est fantastique. (Il se tourna vers Barnes.) Vous allez gagner au moins cinq cent mille dollars la première année, et certainement plus par la suite. Mon vieux, ça fait un gentil revenu annuel, ça.

– Ne vous inquiétez pas, JR, je saurai quoi en faire.

– Oh, je vous fais confiance à cet égard. (Puis, s'adressant de nouveau à Harry Owens :) Vous êtes toujours en ligne, Harry? Bon, je vous demande de m'écouter très attentivement, Harry : arrêtez tout sur l'Ewing 23... c'est ça. Démontez toutes les installations. Nous fermons. Aucun puits ne doit plus fonctionner. C'est clair? Faites ça tout de suite, Harry... C'est ça. Allez, bon courage, vieux, à bientôt. (Il raccrocha le téléphone.) Alors, petit mariolle? dit-il à Cliff. Finis les rêves de puissance et d'argent! Enfouis dans la terre, les cinq cent mille dollars par an! Chaque puits plus bouché qu'un trou de balle. Et aucun ne fonctionnera plus tant que vous respirerez sur cette terre.

Cliff était blême.

– Vous me paierez ça, JR, bredouilla-t-il. Cette fois-ci, vous avez passé la mesure. Un de ces jours, je vous foutrai une balle en plein cœur, je vous tuerai de mes propres mains.

Et il se précipita hors de la pièce, poursuivi par le rire sardonique de JR.

14

Pam ne rentra à Southfork que quelques minutes avant le dîner. Elle monta directement dans sa chambre et, tout en vidant son sac de voyage, elle raconta à Bobby sa journée à Corpus et sa rencontre avec une vieille dame qui avait connu sa mère autrefois.

– Je suis persuadée que maman est vivante, dit-elle en levant la tête vers Bobby. Elle est je ne sais où et elle attend que je vienne la chercher.

Bobby s'abstint de tout commentaire.

– J'ai quelque chose à te dire, Pam.

– Ah! Quoi donc? demanda-t-elle, tout en commençant à ranger ses affaires.

– Quelque chose de très important pour toi et pour Cliff.

– Ça concerne maman?

– Non.

– Oh, alors... ça ne m'intéresse pas.

Bobby ignora sa réponse.

– Il s'agit de l'Ewing 23, tu sais, le champ de pétrole...

– Je ne m'intéresse pas à tes champs de pétrole, Bobby.

– Je le sais, mais celui-ci a une particularité, c'est que la moitié t'appartient.

– Je ne comprends rien à ce que tu dis.

– Je vais t'expliquer. Ton frère Cliff nous a apporté un document prouvant que ton père et le mien étaient associés dans l'affaire de l'Ewing 23. En d'autres termes, Cliff et toi étant les héritiers de Digger, vous devenez nos associés et partagez les bénéfices de l'Ewing 23 avec nous.

– Ecoute, Bobby, je me fiche de ton Ewing 23 et de ce vieux document. Ça ne m'intéresse pas de posséder un champ de pétrole, ni quoi que ce soit, d'ailleurs. Pas en ce moment, tu comprends?

Il serra les mâchoires.

– Je t'adore, Pam, mais il y a vraiment des moments où il est inutile d'essayer de te parler.

– Je suis ta femme, pas un homme d'affaires. Ne me parles pas affaires.

– Très bien, c'est ton droit de te désintéresser de cet argent, mais pense à Cliff. Pour lui, ça signifie l'indépendance jusqu'à la fin de ses jours.

– Ça regarde Cliff. Laisse-moi finir de t'expliquer pour maman. Je n'ai trouvé trace de son décès ni à l'état civil de Corpus ni à l'hôpital du comté. Personne de ce nom n'a jamais été admis, tu comprends? Quelle chance j'ai eu de rencontrer cette vieille femme qui la connaissait. Je n'en reviens pas.

Elle rangea son sac vide dans un placard et entreprit de se changer pour le dîner.

Il la regarda quelques instants, ému par son corps. Il avait envie de la prendre dans ses bras, de lui faire doucement l'amour, mais quand elle était de cette humeur, mieux valait y renoncer. Cela ne ferait que creuser le fossé qui les séparait déjà.

– Pam, écoute-moi. Je comprends que tu veuilles savoir la vérité à propos de ta mère, mais pourquoi cette hâte?

– N'essaie pas de m'en dissuader, Bobby. Il faut que j'aille jusqu'au bout. J'ai décidé de laisser tomber mon job à la boutique.

– Bon Dieu! explosa-t-il, tu es complètement folle!

– Epargne-moi ta désapprobation, Bobby. De toute façon, ça ne t'a jamais emballé que je travaille.

– Si tu avais une bonne raison pour donner ta démission, je serais le premier à t'y encourager, mais ça...

– Tu considères que rechercher ma mère n'est pas une bonne raison, c'est ça?

– Pam, je t'en prie... Le Dr Danvers dit lui-même que la mort de ton père t'a causé un gros choc et qu'il te faudra plusieurs mois pour le surmonter, pour te retrouver et savoir où tu en es. Tu peux regretter plus tard des décisions prises à la hâte.

– Je sais très bien ce que je fais.

– Mais tu aurais peut-être besoin d'aide, de conseils. Au lieu de faire les choses calmement, tu te précipites...

Elle le regardait fixement, et soudain la sincérité et la chaleur de Bobby eurent raison de sa colère. Elle s'approcha de lui, le prit dans ses bras et resta un long moment immobile, pressant la tête de Bobby contre ses seins nus.

– Chéri... je t'en supplie, essaie de comprendre.

– J'essaie, soupira-t-il.

– Donne-moi un peu de temps.

– Nous avons tous les deux besoin d'un peu de temps – ensemble. Du temps pour se rapprocher, pour s'aimer, pour être l'un avec l'autre.

– Il faut que je le fasse, s'obstina-t-elle.

Il se dégagea.

– Ce n'est pas le moment, Pam. Ni pour toi ni pour moi. Quand le moment sera venu, je serai là, à tes côtés, et je t'aiderai. Je me battrai pour toi.

– Dans ce cas, dit-elle en reculant d'un pas, je préfère me passer de ton aide. Je ne veux pas différer mes recherches, Bobby. Je veux m'occuper de ça maintenant et rien ni personne ne m'en empêchera. Personne...

Il n'y avait rien à ajouter à cela, aussi Bobby demeura-t-il silencieux.

McSween ressemblait à un flic. Ou plus précisément à la version hollywoodienne du flic têtu et abruti qui avait rendu populaires les séries B américaines des années 30.

Et, en fait, McSween était flic. Il avait le visage écrasé, un nez cassé une dizaine de fois et une longue et vilaine cicatrice qui partait de l'œil gauche pour aboutir à l'oreille. McSween était patient. Il avait développé ce trait de caractère au cours de nombreuses filatures. C'était un homme rusé, dénué de scrupules et de morale, fonctionnant de façon très primaire et décidé à exploiter toutes les situations susceptibles de lui procurer un peu d'argent ou de plaisir. Il regarda sa montre. Beam aurait dû être rentré chez lui depuis longtemps. Il était probablement en train de grimper quelque poule de luxe, tandis que McSween poireautait dans sa bagnole avec, pour toute compagne, une bouteille de gnole.

Une voiture entra dans le parking et se gara à côté de celle de McSween. Il avala une dernière gorgée de bourbon, sortit de sa voiture et s'approcha silencieusement de Beam. Sans un mot, il lui balança son gauche dans les reins. Alan poussa un cri rauque vite étouffé par l'énorme main de McSween.

– Sage, mon gars, ou je t'en vire un autre aussi sec, dit McSween. T'as compris?

Alan parvint à hocher la tête et McSween retira sa main.

– On va prendre ma voiture.

– Qui êtes-vous?

McSween le poussa brutalement devant lui.

– Qu'est-ce que vous me voulez?

– Ferme ta gueule et monte. Je suis de mauvais poil aujourd'hui, alors me souffle pas sur les moustaches.

Ils sortirent du parking.

– Où m'emmenez-vous?

McSween lui donna un coup à l'estomac avec le tranchant de la main. Alan se courba en deux et émit un sifflement d'asthmatique.

– Va pas dégueuler dans ma bagnole ou ça chiera pour toi, dit calmement McSween. T'as intérêt à la boucler jusqu'à ce qu'on arrive, mon pote.

JR était assis derrière son bureau. Le menton reposant sur ses mains croisées, il contemplait le ciel étoilé de Dallas. Sans presque bouger les yeux, il pouvait voir l'enseigne lumineuse de l'immeuble de la Southland Life, la pendule au-dessus de Central Stock Manager's Tower et le scintillement doux de la façade en verre fumé de la Texas Banking and Loan qui se reflétait dans le lac tout proche. JR aimait la beauté moderne et lisse de Dallas et la fièvre dans laquelle vivaient nuit et jour ses habitants. Un bruit le fit se retourner : Alan Beam entrait dans le bureau, suivi de McSween.

– Qu'est-ce que tout ça signifie? demanda Beam.

JR apprécia au passage la tactique du jeune homme : attaquer, toujours attaquer. Mais cette fois-ci, ça ne lui servirait à rien. Il était fait comme un rat.

– Il vous a donné du fil à retordre, McSween?

– Lui? s'esclaffa McSween. Il pèse pas plus lourd qu'un pigeon.

– Renvoyez votre gorille, JR. Si vous vouliez me voir, vous n'aviez qu'à me le demander. A quoi rime tout ce cirque?

– N'insultez pas le sergent, Alan. C'est un homme susceptible. Vous avez raison, j'aurais pu vous demander de venir et vous auriez rappliqué immédiatement. Mais je voulais vous faire comprendre les limites de votre liberté, Alan. Vous faire toucher du doigt l'étendue de mon autorité. Le sergent McSween est un officier de police qui accepte, de temps en temps, de faire quelques petites choses pour moi. Si je lui en donne l'ordre, il vous obligera à quitter la ville. Ou il vous arrêtera. Ou encore, il vous collera une balle entre les deux yeux, dit-il d'un ton parfaitement paisible.

Alan frissonna.

– Je ne comprends rien à tout cela.

JR se leva, fit le tour du bureau et se planta devant Alan.

– Vous êtes disposé à parler, Alan?

– Mais bien sûr. Que voulez-vous savoir?

– Ne prenez pas ce ton léger, il ne convient pas à la situation. (Il pointa un doigt accusateur contre la poitrine d'Alan.) Maintenant, dites-moi donc ce que vous aviez manigancé, Kristin et vous?

Alan blêmit, ses paumes devinrent moites, ses jambes molles.

– Je ne sais pas de quoi vous parlez.

JR s'appuya contre le bureau. La présence du policier augmentait le malaise de Beam. Il évita le regard inquisiteur de JR et recula d'un pas.

– Ne bougez pas, ordonna JR. Regardez-moi. Vous ne devez jamais me mentir, Alan. Ça me rend nerveux et ça me donne de drôles d'idées. Alors, reprenons : vous et Kristin?

– Je vous le répète, je ne sais pas de quoi vous voulez parler.

JR hocha la tête en regardant McSween, et le

policier frappa Alan qui s'écroula sur le sol. Toujours appuyé contre son bureau, JR attendit patiemment que Beam se relève.

– Parlez, Alan...

– Je ne sais pas ce que Kristin vous a raconté, balbutia Alan, cherchant à reprendre haleine, mais c'est faux. Je ne sais rien.

– Vous et Kristin, dit JR d'un air incrédule, semblant douter qu'une pareille association fût possible. Deux personnalités insignifiantes à la recherche d'un avenir. Qu'est-ce qui vous a pris, mon vieux? Je vous avais pourtant mis sur des rails... Avec Lucy, vous n'auriez manqué de rien, vous auriez eu la bonne vie...

Alan tenta de jouer cette carte qui était pour lui la dernière.

– Lucy est d'accord pour m'épouser, dit-il vivement.

– Bien sûr, elle est d'accord. Je l'ai manipulée de façon à ce qu'elle le soit. Mais ce n'était pas suffisant pour vous – Lucy et un cabinet d'avocat à Chicago. Il a fallu que vous et Kristin conspiriez contre moi. Je suis convaincu que vous avez cherché à m'avoir, Alan, et ça, en toute franchise, je ne peux pas le laisser passer. Bien entendu, vous pouvez dire adieu à votre mariage avec Lucy.

– Vous n'allez pas me faire ça?

– Notre marché est annulé, Alan. Plus de mariage, plus d'installation à Chicago.

Alan rassembla le peu de courage qui lui restait.

– Ça ne se passera pas comme ça... je ne me laisserai pas traiter comme ça.

– Vous n'avez pas le choix, Alan, répliqua doucement JR. Vous allez quitter Dallas dès demain. Je vous donne jusqu'à demain après-midi pour décamper.

– Mais bon Dieu, pour qui vous prenez-vous? Vous ne pouvez pas me donner d'ordres. Vous ne pouvez rien me faire... rien, vous m'entendez?

JR se mit à rire.

– Et comment comptez-vous gagner votre vie? Vous avez des revenus personnels?

– Je suis avocat, j'ai un métier et je continuerai à l'exercer.

– J'ai bien peur que ce soit impossible, dit JR. Sergent, ça va chercher dans les combien, un viol?

McSween regarda JR d'un air morne. Il savait qu'il n'avait pas besoin de répondre. Un vent de panique souffla sur Beam.

– Je n'ai violé personne, cria-t-il.

– Je pense que McSween trouverait facilement une fille prête à jurer le contraire.

– Vous feriez ça?

– Pourriez-vous nous trouver une victime, Harry? demanda JR au policier.

– Vous voulez une blonde, une brune ou une rousse?

JR sourit à Alan.

– Vous voyez que ce n'est pas bien compliqué, Beam.

– Pourquoi me faites-vous ça? demanda Alan d'une voix blanche.

– Vous aviez un choix à faire. Travailler pour moi ou contre moi. Apparemment vous et Kristin avez fait le mauvais choix. Quand on fait une faute, on la paie tôt ou tard en ce monde. Et maintenant, sortez. Je vous ai assez vu. Vous êtes un minable doublé d'un imbécile. Vous me donnez des boutons!

Alan ouvrit la porte, puis se retourna.

– Vous ne vous en tirerez pas comme ça, JR, lança-t-il d'une voix haineuse. Je vous aurai, je vous ferai payer ça... Une nuit, JR, quelqu'un prononcera votre nom, et quand vous vous retournerez, vous me verrez. Je vous jure que vous regretterez de m'avoir traité ainsi.

McSween bondit vers l'avocat mais Alan avait déjà refermé la porte.

– Laissez-le filer, dit JR. Ce n'est pas le premier qui me menace et ce n'est certainement pas le dernier.

– Vous voulez que je m'en occupe?

– Pas la peine, Harry. Il est inoffensif. Ils sont tous inoffensifs. Ils ne sont bons qu'à faire du bruit avec leur bouche.

– Je souhaite que vous ayez raison, monsieur Ewing, dit McSween en fronçant les sourcils.

JR fut surpris par le ton grave du policier et il se demanda si, cette fois-ci, il n'avait pas commis une faute.

15

– Je suis désolé, Kristin.

Vaughn Leland ne cessait de prononcer ces mots comme si le fait de les répéter pût en quelque sorte atténuer sa confusion.

– Il n'y a pas de quoi être désolé, mon chou, répondit-elle distraitement.

Elle pensait, en fait, à tout autre chose. Elle

échafaudait fébrilement des plans dont elle percevait l'inanité quelques secondes plus tard, et cherchait un moyen de se sortir d'affaire et de se venger de JR.

– C'est la première fois que ça m'arrive, continua-t-il.

– Ça peut arriver à tout le monde.

– Vous devez penser que je suis un bien piètre amant.

Elle lui caressa la cuisse d'un geste machinal. Vaughn Leland n'avait plus d'intérêt pour elle. Elle ne pouvait tirer de lui ni plaisir ni soutien. JR avait lessivé le malheureux Leland. Il gémit et roula vers elle.

– Ce salaud m'a châtré. Il m'a coupé les couilles comme aux taureaux de Southfork.

– N'exagérons rien, Vaughn, dit sèchement Kristin que ces lamentations commençaient à agacer.

Il la caressa sans passion, cherchant dans ce corps jeune et frais un baume pour ses souffrances. Elle s'écarta de lui de façon à éviter le contact de sa peau qui lui faisait horreur. Pour elle, c'était un étranger, presque un ennemi. Si le banquier ne pouvait lui être d'aucune aide, il fallait trouver quelqu'un d'autre. Mais qui?

Pourtant, Dallas ne manquait pas d'hommes riches et puissants. De ces hommes qui auraient été ravis de retrouver deux fois par semaine une jeune et jolie fille pour un après-midi ou une soirée de pure sensualité. Pas d'attaches, pas de liens. Rien qui puisse menacer maîtresses et épouses en titre. Tout ce qu'elle demandait en échange, c'était un peu de cette puissance et de cette richesse, et la promesse d'un avenir excitant. Que JR aille au diable avec ses menaces! Elle verrait cela plus tard.

Leland se blottit contre elle et embrassa son sein. Elle décida qu'elle avait perdu assez de temps avec ce pauvre type et le repoussa sans ménagement.

– Habillez-vous, Vaughn, dit-elle en se levant. Il est tard.

Quelques minutes plus tard, elle sortit de la salle de bains et le retrouva pleurnichant dans la même position fœtale.

– Qu'est-ce que je vais devenir? gémit-il.

– Vous pouvez toujours vous tuer, comme Seth Stone, dit-elle, glaciale.

– Vous n'êtes qu'une garce, dit-il, écœuré.

Elle enfila une robe d'été qui mettait en valeur son corps parfait et la rendait encore plus tentante.

– Pleurer ne sert à rien, Vaughn. Et puis, votre situation n'est pas dramatique. Vous avez des amis, des relations d'affaires et, après tout, vous avez toujours votre job. Vous arriverez bien à retomber sur vos pattes. (Un sourire venimeux tordit sa belle bouche.) Si vous ne pouvez pas vous tuer, pourquoi ne pas tuer JR? Vous seriez le héros de Dallas.

Il s'assit brusquement.

– Ce n'est pas l'envie qui m'en manque, croyez-moi.

– Mais vous ne le ferez pas.

– N'en soyez pas si sûre.

– Bah, vous manquez de tripes, Vaughn. Allez, habillez-vous. La vue de votre corps blanchâtre et adipeux me donne la nausée.

Il leva la main comme pour la frapper. Elle le

toisa et se mit à rire tandis qu'il laissait retomber sa main. Elle s'apprêtait à le congédier définitivement lorsque le téléphone sonna. Elle décrocha sans quitter Leland des yeux.

– Allô, oui?

– C'est Alan, Kristin. Il faut que je vous voie immédiatement.

– Désolée, je ne suis pas d'humeur, mon cher. Une déception par jour me suffit.

– Je ne sais pas de quoi vous parlez et je m'en fous. C'est important, Kristin. Il s'agit de JR.

Elle vit avec satisfaction que Leland s'habillait.

– Il s'agit toujours de JR, soupira-t-elle. Eh bien, parlez. Je vous écoute.

– Pas au téléphone. Je serai là dans vingt minutes.

– Non, pas avant une heure, dit-elle avec fermeté.

– Bon, d'accord, je serai là dans une heure. Il raccrocha.

– Qui était-ce? Votre prochaine passe? dit Leland avec amertume.

– Quelqu'un de plus jeune et de plus beau que vous, Vaughn. Quelqu'un dont la carrière n'est pas foutue et qui est encore capable de bander. Cette réponse vous suffit?

Il demeura silencieux.

– Je vais prendre une douche. Quand j'en sortirai, je veux que vous soyez parti. C'est clair?

Il hocha la tête sans la regarder, toujours incapable de comprendre comment sa vie avait pu basculer ainsi. Il ne lui restait rien et tous ses espoirs étaient anéantis. Sa carrière était foutue, il était déshonoré. Il brûlait d'accomplir le seul acte qui ferait de lui à nouveau un homme.

Mais comment s'y prendre?

Une heure plus tard, Alan Beam sonnait à la porte. Kristin ne savait trop si elle avait eu raison de le laisser venir. Elle admirait l'ambition forcenée d'Alan, mais quelque chose clochait en lui. Pourquoi, en dépit de ses réelles qualités, n'avait-il pas mieux réussi?

Cependant, il était encore en contact avec JR et c'était ça l'important. Elle se proposait d'en tirer parti, mais ses illusions furent de courte durée. En quelques mots, Alan détruisit tous ses espoirs.

Il se laissa tomber lourdement dans un fauteuil, les jambes allongées, le visage ravagé.

– JR m'a viré, Kristin.

Ces mots résonnèrent dans sa tête et elle resta pétrifiée. Sa vie sombrait sans qu'elle pût faire quoi que ce soit pour l'en empêcher. Ses alliés n'étaient plus que de dérisoires tigres en papier.

– Que s'est-il passé? lui demanda-t-elle.

– Lucy est venue chez moi pour m'annoncer qu'elle était disposée à m'épouser.

– C'est ce que vous vouliez, JR et vous, non?

Tout ça ne la concernait plus et elle prêta une oreille distraite aux malheurs de Beam.

– JR m'a envoyé un de ses gorilles...

– McSween?

– Vous le connaissez?

– Oui, c'est un type dangereux. JR fait appel à lui pour les sales besognes.

– JR m'a déclaré qu'il n'était plus question que j'épouse sa nièce. Bien entendu, le cabinet d'avocat à Chicago, c'est foutu également. Il m'a donné vingt-quatre heures pour quitter Dallas.

– JR a décidé de nous éliminer tous. Nous sommes désormais indésirables.

– Il est au courant de notre liaison, ajouta-t-il.

– Bien entendu, vous n'avez pas essayé de protester...

– Je ne lui ai rien dit du tout, l'interrompit calmement Alan. Ce type a des yeux et des oreilles qui traînent partout. J'ai l'impression qu'il sait absolument tout ce qui se passe à Dallas. J'ai le sentiment qu'il sait tout de ma vie privée. Tout ce que j'ai fait ou même voulu faire.

– Vous êtes foutu, mon vieux. Vous ne pouvez plus rester ici.

– Ce n'est pas sûr.

Elle se lamentait silencieusement en pensant à toutes ces planches pourries : Vaughn Leland, Jordan Lee, Alan Beam. Ils étaient maintenant tous brûlés.

– Un bon conseil, Alan : si JR vous a dit de quitter Dallas, filez.

– Nous n'allons tout de même pas nous laisser terroriser par cet individu, Kristin. Ce n'est tout de même pas Dracula. Je vais me défendre.

Elle le regarda fixement. Il lui semblait de plus en plus insignifiant, comme l'ombre falote de l'homme qu'elle admirait encore quelques jours auparavant. Il n'y avait rien à ajouter. Pour elle, Alan Beam avait perdu tout intérêt.

– Merci d'être venu, Alan, dit-elle poliment, et elle se leva pour le raccompagner.

– Ecoutez, dit-il en lui saisissant le bras. Vous et moi, nous formons une sacrée équipe. Il n'y a aucune raison pour ne pas continuer... au lit et hors du lit. Nous sommes jeunes, intelligents, pleins d'énergie. Nous aurons JR, Kristin, nous finirons par l'avoir.

Elle ouvrit la porte.

– Mon pauvre vieux, vous vous êtes laissé bouffer par cet alligator. Vous avez cru qu'il était endormi, mais il ne dormait que d'un œil. En fait, je crois qu'il ne dormait pas du tout. Franchement, Alan, j'ai besoin de réfléchir à tout ça et vous m'encombrez plutôt en ce moment.

Elle le poussa fermement et referma définitivement la porte derrière lui.

Bobby entra dans l'appartement et regarda autour de lui comme s'il le voyait pour la première fois.

– C'est très bien arrangé, Kristin. On reconnaît ta patte.

– Je suis contente que ça te plaise. Tu veux boire quelque chose?

– Une bière peut-être, si tu en as.

– Oui, j'en ai. Je sais que tu n'aimes que la bière. Je reviens tout de suite. (Elle alla chercher deux Lone Star.) Je te la verse?

– Pas la peine. Je préfère boire à la bouteille.

Il but une grande gorgée et s'installa confortablement sur le canapé.

– J'avoue que ton coup de fil m'a surpris, Kristin.

– Ah bon? Il y avait longtemps que j'avais envie de t'appeler, Bobby.

Elle s'assit à côté de lui mais pas trop près. Elle s'était soigneusement maquillée et habillée pour cette rencontre. Elle avait décidé d'être jolie mais pas provocante et elle avait passé une robe d'intérieur de chez Lord & Taylor qui mettait son corps en valeur sans trop en montrer. Il fallait faire les choses en douceur... le laisser rêver un peu, lui donner envie d'en voir plus.

– J'ai beaucoup pensé à toi ces derniers temps, dit-elle.

Il jugea préférable de ne pas répondre et but tranquillement sa bière.

– Je n'ai jamais oublié comment c'était, nous deux, dit-elle.

– Comment était-ce, Kristin?

Elle sourit tristement.

– Peut-être suis-je la seule à m'en souvenir... c'est probable, même. Mais à ce moment-là, j'ai pensé... bon, enfin j'ai pensé qu'il s'était passé entre nous quelque chose d'important.

Il se tourna pour la regarder bien en face.

– C'est curieux, Kristin, mais tu me donnes toujours l'impression d'avoir une idée derrière la tête.

Ce n'était pas la peine d'essayer de faire du charme à Bobby ou de jouer au plus fin avec lui. Ce n'était pas JR. JR aimait ce genre d'approche, mais pas Bobby. Lui était direct, franc et honnête.

– J'ai envie de toi, Bobby, dit-elle doucement.

Il examina l'étiquette de la Lone Star comme s'il la voyait pour la première fois.

– Il y a deux empêchements majeurs à notre bonheur, ma chère Kristin, dit-il d'un ton ironique.

Elle toucha sa joue, suivit du doigt le contour de son maxillaire, caressa ses lèvres.

– Tu es un homme extrêmement séduisant, dit-elle, et je ne vois pas de quels empêchements tu veux parler.

– Premièrement, ta liaison avec JR.

Elle fit une grimace.

– C'est terminé, Bobby.

– Ah bon?

– Totalement terminé.
– Depuis quand?
Elle pinça les lèvres.
– Je ne me souviens pas qu'il y ait eu quelque chose entre JR et moi, dit-elle.
– Deuxièmement, ajouta-t-il, je suis marié.
Elle se rapprocha de lui.
– Bobby, je ne prétends pas être une petite vierge naïve arrivant de sa ferme. J'ai pas mal roulé ma bosse. Suffisamment pour savoir ce qui est bien et ce qui est mal. Ce que je veux et ce que je refuse. Et toi, je te veux, même si c'est mal.
– C'est très flatteur, Kristin, mais je garde cette impression désagréable que tu n'es pas sincère, que tu poursuis un but. Que cherches-tu exactement?
– Tu sais que tu es vraiment vexant, Bobby? Je me jette à ta tête et toi tu ne cesses de répéter : Que cherches-tu? Que veux-tu? C'est toi que je veux, je te l'ai dit.
– Pourquoi as-tu rompu avec JR? Je le connais et je crois te connaître un peu. Aucun de vous n'est du genre à lâcher spontanément une bonne affaire. Pourquoi est-ce que ça a mal tourné entre vous?
Elle se blottit contre lui. Ses seins étaient lourds et doux contre son épaule, ses lèvres tout près des siennes.
– Arrêtons ce bavardage, Bobby... embrasse-moi... je n'en peux plus.
– Tu es tentante, Kristin, bon Dieu que tu es tentante!
– Détends-toi, chéri, murmura-t-elle. (Elle lui prit la main, la posa sur son sein et gémit au contact de ses doigts. Elle lui caressa la poitrine, glissa sa main sous sa ceinture.) Ah, Bobby, tu vois bien. Je savais que tu en avais envie, toi aussi.

Il se leva.

– Tu es une très belle fille, Kristin, et je suis un homme normalement constitué. Mais ne t'y trompe pas, c'est un simple réflexe. Nous avons déjà eu ce genre de séance. Tu n'en pouvais plus, j'étais l'homme de ta vie... Je n'y ai pas cru alors et je n'y crois pas davantage aujourd'hui.

Elle ravala sa fureur. Elle ne pouvait pas se permettre de se faire un ennemi de plus. La famille Ewing était vitale pour son avenir. Si elle ne ralliait pas Bobby à sa cause en couchant avec lui, peut-être le ferait-elle en lui avouant la vérité.

– Bon, dit-elle, c'est vrai que j'ai une idée derrière la tête. Mais ça ne change rien au fait que j'ai envie de toi. Si, par la suite, tu te ravises, tu n'auras qu'à m'appeler.

– D'accord. Maintenant, dis-moi ce qui se passe.

Elle se redressa.

– JR m'a ordonné de quitter Dallas.

– Mais c'est incroyable! De quel droit?

– C'est exactement ce que je me demande, mais c'est un fait.

Bobby se mit à rire.

– Mon cher frère doit s'imaginer que Dallas est encore une petite ville de cow-boys dont il est le shérif. Il veut chasser les méchants.

– J'espère que je ne fais pas partie des méchants dans ton esprit, Bobby.

– Je vais te dire, Kristin : plus je vieillis et moins je sais qui appartient ou n'appartient pas à cette catégorie. Peut-être sommes-nous tous des méchants. Peut-être que l'histoire des bons qui finissent par l'emporter sur les méchants n'est qu'un mythe. Et puis, ça change souvent. Tout dépend comment on écrit l'histoire. Bon, raconte-moi ce qui s'est passé.

– Eh bien, JR s'est mis dans la tête que j'essayais de le faire chanter. Naturellement, c'est ridicule. J'ai toujours été d'une parfaite loyauté envers lui, les Ewing et l'Ewing Oil. Après tout, je fais presque partie de la famille.

– Et tu veux que je t'aide.

– J'ai besoin d'un ami dans la place, Bobby.

– Tu veux dire à Southfork?

– Exactement. JR veut me chasser de Dallas, de la famille, il veut ruiner mon avenir. Je veux rester ici et y faire mon trou, tu comprends?

– Oui, bien sûr... mais comment puis-je t'aider?

– La seule façon de m'aider, c'est de prendre mon parti contre JR.

– Je ne sais pas si je peux faire ça, Kristin.

– Pourquoi pas? Tu ne l'aimes pas plus que moi. JR est un salaud, Bobby, tu le sais parfaitement. Tout le monde le sait.

– Peut-être... mais il y a une chose que tu sembles oublier...

– Quoi? dit-elle, le cœur battant.

– C'est que je suis un Ewing, moi aussi. JR est mon frère, nous sommes de la même famille et nous le serons toujours.

16

Le lendemain soir, Bobby rentra à Southfork de bonne heure. Il coupa le moteur de sa voiture et resta un moment assis, fixant l'horizon d'un regard aveugle, comme tourmenté par d'invisibles démons. Des images sans ordre ni cohérence lui traversaient l'esprit, des souvenirs lointains et presque oubliés, des mots toujours vivants et qui faisaient encore mal. Sa vie se déroulait devant lui si vite et de façon si désordonnée qu'il avait du mal à s'y retrouver.

Il prit les journaux sur le siège de la voiture. Les titres, noirs symboles d'une vie dénuée de moralité et de préoccupations spirituelles, lui sautèrent aux yeux. Par quelque habile tour de passe-passe, la liberté, donnée à toute créature humaine par Dieu et par la loi, avait été transformée en une sorte d'encouragement implicite à exploiter ses voisins, à écraser ses amis pour satisfaire un appétit effréné de puissance et d'argent. Et, pour survivre, il était obligé de suivre ce train infernal.

Il sortit de sa voiture puis s'arrêta. Et si c'était JR qui avait raison? Si, après tout, la fin justifiait toujours les moyens? Peut-être avait-il raison de considérer l'ancienne éthique – loyauté, amitié, honneur – comme périmée. Toutes ces valeurs, autrefois si importantes, étaient-elles tombées en désuétude, comme une sorte de bagage encombrant dont plus personne ne voulait?

L'image troublante de Kristin lui traversa l'esprit et il sentit durcir son sexe. La plupart des hommes qu'il connaissait auraient saisi l'occasion de faire l'amour avec elle, de percer le secret de cette extraordinaire féminité. Kristin n'avait pas été créée pour l'amour mais plutôt pour faire l'amour, pour des moments de passion fugitifs et moites dans la pénombre, avec, à l'arrière-plan, l'idée délicieuse du fruit défendu. Mais se rouler dans un lit avec cette créature trouble aurait fait appel chez lui, comme chez tout homme d'ailleurs, aux sentiments les moins avouables de son être. Et il n'en aurait retiré que des sensations éphémères et frustrantes, des remords et un dégoût de soi.

Ce n'était pas JR qui aurait eu des préoccupations de cet ordre. Pas de doutes, pas de questions. JR satisfaisait tous ses caprices. Il fonçait, cajolait, menaçait, achetait et parvenait toujours à ses fins. Et rien n'était trop cher pour JR lorsqu'il le voulait vraiment, certain qu'il était de toucher les intérêts de son investissement. JR connaissait les règles du jeu et savait comment gagner.

Bobby entra dans la maison. Dans le bureau, JR et son père prenaient un verre en attendant le dîner. Bobby tendit le journal.

– Tu as vu les titres, papa?

Jock, dont le regard aigu enregistrait tout, regarda Bobby avec insistance avant de jeter un coup d'œil sur le journal.

– Qu'est-ce que c'est que ça? demanda-t-il, machinalement.

Bobby lut le titre à haute voix : *Un banquier compromis dans une affaire de prêt. Vaughn Leland en fuite.*

– Mais, qu'est-ce que ça signifie? dit Jock.

Il avait pris l'habitude de prononcer des phrases de ce genre pour se laisser le temps de réfléchir et éventuellement de glaner quelques informations supplémentaires.

– Ça signifie que Vaughn est en fuite, dit sèchement Bobby, tout en décapsulant une bière.

– Vaughn n'a jamais été très courageux, commenta JR tout en jetant un coup d'œil au journal.

Bobby se retourna brusquement.

– C'est tout ce que tu trouves à dire là-dessus, JR? Vaughn Leland manque de courage et Seth Stone était un faible. Mais toi, bien entendu, tu n'y es pour rien.

– Mais qu'est-ce que tu racontes, Bobby? Pourquoi t'excites-tu comme ça? demanda JR.

Une rage froide envahit Bobby.
– Tu te fous vraiment de cette histoire, JR? Et toi aussi, papa? Ces deux hommes, Seth et Leland, étaient nos associés. Du jour au lendemain, ils se sont trouvés ruinés, incapables de regarder leurs amis en face, incapables d'affronter leurs familles. L'un s'est suicidé, l'autre est en fuite. C'est ça que tu voulais, JR?
– Calme-toi, Bobby, dit Jock en fronçant les sourcils.
– Ne t'inquiète pas, papa, dit JR d'un ton ironique. Bobby boit un peu trop et surtout trop vite. Je suis habitué à son comportement.
Bobby fit un pas menaçant vers lui.
– Bobby, cria Jock, quittant brusquement son fauteuil.
JR recula, tout en surveillant son frère.
– Mon vieux, quand on ne supporte pas de perdre, il faut s'abstenir de jouer, c'est tout.
– JR, tu as vraiment un cœur d'or, dit Bobby, détachant chaque syllabe.
– Je suis un homme d'affaires, pas un moine bénédictin.
– Tu n'es pas un homme d'affaires, tu es un gangster.
– Arrêtez, dit Jock, exaspéré. Ça suffit. Vous êtes chez moi et vous faites partie de la même famille.
– Tu défends Leland, Bobby? dit JR. Je te rappelle qu'il était prêt à nous chasser de notre maison. C'est lui qui a eu l'idée d'hypothéquer le ranch, au cas où tu l'aurais oublié.
– Ce que je n'ai pas oublié, c'est que c'est toi qui as hypothéqué Southfork, JR, et toi seul.
JR ne parut nullement troublé.
– Eh bien, cette fois-ci, la chance a tourné. Leland

est un vautour et, quel que soit son sort, il le mérite bien.

– JR, as-tu pensé à dire à papa que nous avions un nouvel associé? lança Bobby.

JR jeta à son frère un regard meurtrier.

– Que veux-tu dire? demanda-t-il, regardant tour à tour Bobby puis Jock.

– De qui parles-tu? demanda Jock.

– Où est le document, JR? dit Bobby, décidé à garder son calme.

Jock secoua la tête d'un air excédé.

– De quel document s'agit-il?

– D'un certain papier que Digger et toi avez signé jadis.

– Bon Dieu, Bobby, s'exclama Jock, parle clairement. Quel papier? Quel document? Qu'est-ce que Digger a à voir là-dedans?

Peu et beaucoup, songea Bobby. Ce pauvre vieux bonhomme avait eu une vie très dure et ceci sans aucune raison. Il avait travaillé comme une brute pour survivre alors qu'il était, en fait, totalement à l'abri du besoin. On l'avait dépossédé de son bien, et Jock s'apprêtait maintenant à commettre la même injustice envers les enfants de Digger.

– Allez, accouche, Bobby, dit Jock, élevant la voix, le visage empourpré par l'irritation.

– Ne t'énerve pas, papa, lui dit JR d'une voix suave. Voilà ce qui s'est passé : l'autre jour, Cliff Barnes est passé au bureau et m'a brandi sous le nez un vieux papier mais qui, Dieu merci, n'a plus aucun sens.

Que voulait-il dire? Bobby décida de tirer l'affaire au clair.

– Papa, dit-il, te souviens-tu avoir signé un papier donnant la moitié de l'Ewing 23 à ton associé, Digger Barnes?

Les sourcils froncés, Jock réfléchissait.

– Non, Bobby, je ne m'en souviens pas. Tu sais, le vieux Digger et moi nous avons plus souvent signé des papiers que creusé des puits. Et puis, ma mémoire fout le camp. Explique-moi ce dont il s'agit, fils.

– Eh bien, il s'agit d'un document, cosigné par Digger et par toi, qui fait de Digger ton associé pour tout ce qui concerne l'Ewing 23. Ce qui veut dire, bien sûr, que ses héritiers deviennent à leur tour nos associés.

– Pamela, tu veux dire?

– Pamela, mais Cliff également.

– Cliff Barnes, mon associé? Ah ça, je préférerais crever!

JR fit un pas vers son père.

– Rassure toi, papa. Comme toujours, j'ai fait immédiatement le nécessaire. Cliff Barnes ne sera jamais notre associé.

– Tu as fait le nécessaire? répéta Bobby sans comprendre. Que veux-tu dire par là, JR? Cet acte est parfaitement légal, nos experts me l'ont certifié. Il faut se résoudre à ce que Cliff devienne notre associé.

JR commençait à s'amuser.

– C'est notre associé, oui, mais malheureusement, ce champ ne produit plus rien.

– Mais qu'est-ce que tu racontes, bon Dieu? s'impatienta Bobby. J'ai ouvert ces puits moi-même.

– Et moi, rétorqua JR d'une voix emphatique, je les ai fermés. Plus un puits ne fonctionne à l'Ewing 23.

Bobby sentit renaître sa fureur. Il serra les poings à en avoir les jointures blanches.

– Qui t'a permis de faire ça? demanda-t-il d'une voix sifflante.

– J'ai l'habitude de prendre mes décisions moi-même, petit frère, et il n'y a pas à revenir là-dessus.

Bobby se tourna vers son père.

– Papa, c'est toi qui m'as donné l'autorisation d'ouvrir l'Ewing 23. Personne n'avait le droit de prendre la décision d'arrêter tout, sauf moi.

– Et tu l'aurais fait? demanda JR d'une voix moqueuse.

– Non, bien sûr que non. Si Cliff a légalement droit à la moitié des parts, il faut se résigner à partager les bénéfices, un point c'est tout.

– Qu'en penses-tu, papa? demanda JR.

Jock contemplait le bout de ses bottes en lézard noir. Bon Dieu que tout ça devenait compliqué! Il était fatigué d'arbitrer les conflits permanents entre ses deux fils. Peut-être devrait-il songer à faire le partage de ses biens et laisser JR et Bobby diriger chacun leur entreprise. Oui, il finirait par le faire, mais ça lui paraissait un peu prématuré.

– JR a bien fait, dit-il.

– Tu approuves ce qu'il a fait?

– Je ne veux pas de Cliff Barnes pour associé. En aucun cas.

– Mais c'est parfaitement malhonnête.

– J'aurais fait exactement la même chose, s'obstina Jock.

Incapable de supporter plus longtemps la présence de son père et de son frère, Bobby se dirigea vers la porte.

– J'avais peur que tu réagisses comme ça, papa, dit-il en se retournant. JR, j'ai eu une fois de plus l'occasion de vérifier que tu es un véritable salaud. Mais tu finiras par payer tout ça un jour ou l'autre. Tu n'as plus que des ennemis...

– Des menaces, petit frère? l'interrompit JR.

– Ne me pousse pas à bout, JR. Je suis un Ewing, moi aussi, ne l'oublie pas. Moi aussi, je peux devenir mauvais, tu n'en as pas le privilège exclusif. Ne commets pas l'erreur de me sous-estimer, JR, parce que tu pourrais bien te retrouver les mains vides.

Il sortit en claquant la porte.

JR leva les bras dans un geste de résignation.

– Papa, je crois que Bobby perd un peu les pédales en ce moment. Ce que nous venons d'entendre était indigne d'un véritable Ewing...

Jock détourna son regard. JR prit son silence pour une approbation et il se versa un grand verre de whisky pour fêter sa victoire.

Pam s'habillait pour le dîner lorsque Bobby ouvrit violemment la porte. Son regard était sombre, ses mâchoires serrées.

– Qu'est-ce qui t'arrive, Bobby? Tu en fais une tête! dit-elle, s'approchant pour l'embrasser.

– Cinq minutes dans la même pièce que JR me donnent l'impression de me vautrer dans une soue!

Elle voulut l'enlacer, mais il se dégagea.

– Qu'est-ce qui s'est passé, Bobby?

– Je n'en suis pas encore revenu.

– De quoi parles-tu, mon chéri?

– Je viens enfin de comprendre ce qu'est vraiment mon père.

– Jock? C'est avec lui que tu t'es disputé?

– Il soutient toujours JR, quelles que soient les saloperies que manigance l'autre. Bon Dieu, cette famille est en train de sombrer complètement.

– Explique-toi, chéri.

– Tu sais, le champ dont je t'ai parlé l'autre jour, l'Ewing 23?

– Oui, eh bien quoi?

– Quand mon frère a découvert que toi et Cliff en possédiez la moitié, tu sais ce qu'il a fait? Il a froidement arrêté tous les forages. Sans en parler à personne. Et le comble, c'est que papa l'approuve. Tu vois, finalement, il ne vaut pas mieux que JR.

– Si, Bobby, et tu le sais bien.

– Non, je l'ai cru longtemps mais j'étais naïf. Je n'en peux plus, Pam. Ils me donnent la nausée. Si je reste à Southfork, Dieu sait ce que je suis capable de faire.

– Tu veux partir d'ici?

Il la regarda longuement, cherchant à deviner ce qu'elle en pensait. Mais rien dans son regard ne lui donna la moindre indication. Il comprit qu'il lui fallait prendre sa décision tout seul.

– Oui, Pam. Partons demain matin. Quittons Southfork une bonne fois pour toutes.

Elle secoua la tête.

– Tu ne le feras pas.

– Je pensais que tu serais contente.

– Mais Bobby, ce n'est pas ma réaction qui compte, c'est la tienne. Réfléchis bien. C'est une décision qu'il ne faut pas prendre sous l'effet de la colère. Malgré tout, c'est ta famille. Tu es un Ewing.

– Non, je ne me sens plus aucun lien avec eux. Il faut que je parte le plus tôt possible, pendant que je fais encore la différence entre le bien et le mal.

Elle lui mit les bras autour de la taille, le serra contre elle.

– Je te donne le conseil que tu me donnes si souvent : attends un peu. Calme-toi et donne-toi un peu de temps pour réfléchir. Ne prends pas cette décision sur un coup de tête.

– Ce n'est pas un coup de tête. J'en ai jusque-là, tu comprends? Jusque-là des magouilles et des saloperies. Je ne peux plus le supporter. Je partirai demain matin. J'espère que tu viendras avec moi!

Elle ne sut que répondre. A son expression, elle comprit qu'il était inutile d'espérer le voir changer d'avis. C'était maintenant à elle de prendre une décision.

SIXIÈME PARTIE

LES EWING HIER

Quelques mois auparavant, par un matin frisquet et sous un beau ciel bleu, Valene Ewing était revenue à Dallas. Elle arriva dans une voiture poussiéreuse d'une année incertaine, immatriculée dans le Kansas. La circulation sur l'autoroute était encore assez fluide à cette heure-ci, et pourtant Valene était tendue. En dépit de ses efforts pour se calmer, elle sentait ses mains se crisper sur le volant. C'était une sensation à la fois déconcertante et un peu effrayante de rentrer ainsi chez elle. Elle était surprise de songer à Dallas comme à sa propre ville. En fait, rien n'était plus éloigné de la vérité. Elle ne se sentait chez elle nulle part, pas plus à Dallas qu'ailleurs. Elle était comme l'oiseau sur la branche. Elle avait envie d'un endroit à elle, un endroit chaud et confortable où elle aurait été vraiment chez elle. Dallas n'était qu'une étape de son voyage. Mais de quel voyage s'agissait-il au juste? Elle ne le savait même pas. Les seules réponses qui lui venaient à l'esprit l'effrayaient tellement qu'elle devait lutter pour ne pas rebrousser chemin ou pour ne pas continuer droit devant elle et s'arrêter dans un endroit complètement inconnu. Oh, si seulement elle pouvait recommencer sa vie, repartir de zéro!

Mais elle savait bien que c'était impossible.

Presque au même moment, Pam Ewing, en jean et chemise délavée, sortit de la grande maison et se dirigea vers l'écurie. Derrière une barrière blanche, une douzaine de chevaux paissaient. Le soleil chauffait la prairie, les chevaux hennissaient de plaisir et les poulains, crinière au vent, gambadaient le long du corral.

Pam s'accouda à la barrière pour les regarder, mais en fait elle ne les voyait pas, son esprit était ailleurs. Elle songeait à John Ewing III, le fils de Sue Ellen et de JR. Pam savait, tout comme JR, que le petit John était le fils de Cliff Barnes, son propre frère. Ce malheureux gosse était donc menacé de neurofibromatose, cette terrible maladie héréditaire que les Barnes se transmettaient d'une génération à l'autre.

Elle n'était pas seulement angoissée par la malédiction qui pesait sur son neveu, mais aussi par le sort cruel qui attendait ses propres enfants. Auraient-ils une vie fatalement brève? Et s'ils arrivaient à l'âge d'homme, transmettraient-ils à leur tour cette terrible maladie? Ce cauchemar finirait-il un jour? Plongée dans ses douloureuses pensées, elle n'entendit pas Ray s'approcher d'elle.

– Vous voulez que je vous en selle un? demanda-t-il doucement, avec son accent traînant du Texas.

Elle sursauta.

– Oh, bonjour, Ray.

– Pardonnez-moi, je vous ai fait peur.

Il se tenait devant elle, grand et mince et, une fois de plus, elle fut frappée par son physique et sa présence. Un physique de cow-boy authentique, remarquable, dont l'homme qui posait pour la publicité de Marlboro ne donnait qu'une faible idée. Ray était vraiment un homme de ranch, heureux parmi les vaches et les chevaux, au soleil ou sous la pluie. Un pur produit texan, encore que, même au Texas, cette race d'hommes fût en voie de disparition.

– J'étais perdue dans mes pensées, dit-elle.

– Vous savez, ça m'arrive souvent à moi aussi. A force de surveiller les vaches en train de brouter des journées entières, la tête finit par partir en voyage toute seule.

– Oui, j'imagine... Vous menez une vie solitaire, Ray.

– Seul ne signifie pas forcément solitaire. C'est autre chose.

– Vous êtes profond, ce matin, dit-elle avec un sourire malicieux.

Il rougit.

– Ce que je veux dire, c'est que le matin, c'est le meilleur moment de la journée pour réfléchir.

– Vous avez raison, Ray.

– Alors, ce cheval, je vous le selle?

– Non merci, une autre fois.

– D'accord. Vous n'aurez qu'à me faire signe.

Elle se dirigea lentement vers la maison.

– A propos, cria-t-il, comment va John?

Surprise, elle se retourna. Pourquoi lui posait-il cette question? Probablement sans arrière-pensée. Ray Krebs était un homme à ne pas tourner autour du pot lorsqu'il voulait savoir quelque chose.

– Très bien, répondit-elle en s'éloignant. Venez le voir à la maison, un de ces jours.

Dans le patio de la grande maison, deux domestiques dressaient le couvert sur une longue table en fer forgé, recouverte de carreaux mexicains, pour le petit déjeuner familial. A quelques mètres de là, Bobby piqua une tête dans la piscine et fit quelques longueurs de bassin. En émergeant de l'eau, il aperçut Pam qui revenait de l'écurie et il sortit de la piscine. Pam se dirigea vers lui et, lorsqu'elle ne fut plus qu'à deux mètres de son mari, elle ramassa une serviette et la lui lança. Bobby commença à s'essuyer.

– Bonjour, Pam, dit-il d'un ton un peu contraint.

– Bonjour, chéri. (Quelque chose les séparait ce matin et Pamela soupçonnait Bobby d'en être tout aussi conscient qu'elle.) Tu as bien dormi?

Il lui jeta un coup d'œil à la dérobée.

– Ce matin, quand je me suis réveillé, j'ai constaté avec surprise que tu étais déjà partie.

– J'ai passé une très mauvaise nuit.

– Je sais... je me suis réveillé à 3 heures du matin et tu n'étais pas là non plus.

Elle regardait au loin, songeant que tout, dans cet immense pays, suggérait la distance et la solitude.

– J'ai entendu John crier...

– Et, bien entendu, ton premier réflexe a été de te précipiter dans sa chambre, coupa-t-il d'un ton agressif. Je t'ai vue.

– Mais pourquoi n'es-tu pas entré?

– Je ne voulais pas interrompre cette scène touchante. Tu étais si absorbée que tu ne m'as même pas entendu.

– Je le berçais pour essayer de le calmer, c'est tout.

– John a une nurse, Pam, répondit-il sèchement. Et il a également une mère.

– Tu sais bien qu'on ne peut pas compter sur Sue Ellen.

– Je sais, mais apparemment il y a quelque chose que tu as du mal à te mettre dans la tête...

– Quoi?

– C'est que John n'est pas notre enfant.

– Pourquoi me dis-tu ça, Bobby?

– Parce que je voudrais te voir bercer notre enfant, et pas celui de ta belle-sœur, tu comprends?

– Mais nous étions d'accord pour attendre un peu.

– Nous? Ah non, pas nous, toi. Nous étions d'accord pour avoir un enfant et tu as brusquement décidé d'attendre. Pourquoi? Ça, c'est un mystère. Tu as l'air d'adorer les enfants, tu t'occupes constamment du petit John, alors, pourquoi n'en veux-tu pas?

– C'est ridicule. Tu sais très bien que je veux des enfants, voyons.

– Mais alors, explique-moi, Pamela. Pourquoi pas maintenant?

Avant qu'elle ait pu répondre, Jock et miss Ellie crièrent du patio :

– Bonjour, Pam... bonjour, Bobby. Venez... le café va être froid.

– Bonjour.

Bobby fit un signe de la main.

– Nous arrivons, dit Pam.

Ils se dirigèrent lentement vers le patio.

– Je t'en prie, Bobby, ne me fais pas la tête. Essaie de comprendre...

– Si tu daignais t'expliquer, j'aurais peut-être une chance de comprendre, répondit-il d'un ton sec.

– Oui, mais ce n'est pas le moment, dit-elle.

Ils rejoignirent Jock et Ellie, attablés devant un confortable petit déjeuner. Jock mangeait goulûment, comme s'il s'apprêtait à partir pour une longue journée de travail.

– Jock, mange moins vite, voyons. Tu engloutis littéralement tout, lui reprocha miss Ellie.

– Ce n'est pas le moment de lambiner, répondit-il. J'ai un tas de choses à acheter en ville.

– Mais les magasins n'ouvrent pas avant dix heures, objecta sa femme.

– Je sais, mais au train où tu manges, toi, on sera encore ici à midi, grogna-t-il.

– Ça n'a pas tellement d'importance. Nous n'avons plus rien à acheter pour John.

– Plus rien? Mais je n'ai encore presque rien acheté.

– Je t'en prie, Jock, ne pourris pas cet enfant.

– Bah, j'en ai fait autant pour Bobby et ça ne l'a pas pourri, n'est-ce pas, Pamela? demanda-t-il avec un sourire malicieux.

– Non, pas du tout, répondit-elle distraitement, regardant Bobby se verser une tasse de café. Bon, il faut que je file à la boutique.

Bobby lui dit au revoir sans la regarder et elle partit. Ni Jock ni miss Ellie ne parurent s'apercevoir de la tension qui régnait entre Pam et lui.

– C'est tout ce que tu manges, fiston? demanda Jock.

– Je n'ai pas très faim, papa. Je vais faire un saut à Little Creek avec Ray ce matin.

– Ah bon? Pour quoi faire?

– On a décidé de mettre quelques têtes de bétail supplémentaires là-bas. Bon, à tout à l'heure.

En partant, il croisa JR et les deux frères se saluèrent distraitement. JR prit une assiette et commença à la remplir.

Sa mère l'observa un moment en silence.
– Ça ne va pas, JR? Tu as des ennuis?
– Des ennuis? Pourquoi aurais-je des ennuis, maman?
– J'ai remarqué que les ennuis t'ouvraient l'appétit et, à voir la façon dont tu garnis ton assiette...
Il s'assit et regarda son assiette avec un sourire forcé.
– Oui, c'est vrai, je n'ai pas fait attention à ce que je prenais. Et le comble, c'est que je n'ai pas très faim.
Jock leva les yeux vers son fils.
– Tu ne nous caches rien, JR? Tout va bien au bureau?
– Oui, ça va, mais je me demande comment je vais parvenir à me débarrasser de Cliff Barnes. Il est de plus en plus virulent.
– Est-ce que je peux te donner un coup de main?
– Non, je suis capable de régler ça tout seul, répondit-il vivement.
Il ne voulait en aucun cas de son père au bureau. Il regarderait par-dessus son épaule, se mêlerait de tout et saperait son autorité.
– En fait, poursuivit-il, j'ai rendez-vous aujourd'hui avec deux avocats pour en discuter.
– Ecoute, dit Jock, nous avions décidé ta mère et moi de faire des courses à Dallas, mais j'ai bien envie de remettre ça à plus tard et de t'accompagner à cette réunion. Ça me paraît plus important.
– C'est vraiment inutile, papa, insista JR.
Miss Ellie jeta à son fils un coup d'œil agacé.
– Ton père a dirigé l'Ewing Oil pendant des années, JR, ne sous-estime pas son aide.

– Mais non, loin de moi cette idée. Mais c'est plutôt que ces séances avec les avocats sont toujours tellement ennuyeuses!

– Ah ça, oui, tu peux le dire, approuva Jock.

JR espérait que le sujet était clos et il vit avec satisfaction Lucy s'approcher d'un pas décidé.

– Salut, tout le monde, dit-elle d'un air enjoué.

– Eh bien, tu m'as l'air en pleine forme ce matin, Lucy, lança JR.

Elle se dirigea vers son grand-père et lui planta un baiser sonore sur la joue.

– Bonjour, chérie, dit-il.

– Qu'est-ce qui te rend de si bonne humeur, Lucy? demanda miss Ellie, amusée.

– Cet après-midi, on sélectionne l'équipe de majorettes et je suis certaine d'en faire partie.

– Bravo, dit Jock, ravi. C'est formidable.

– Je ne savais pas que tu voulais être majorette, dit miss Ellie.

– Je ne voulais pas vous en parler avant de voir ce dont j'étais capable.

– C'est très bien, Lucy, dit JR, pontifiant. Papa devrait peut-être faire un saut à l'université cet après-midi pour t'encourager?

– Oh non, répondit-elle vivement, ça me rendrait nerveuse de savoir grand-père dans les tribunes.

– Je te rappelle que ton père va au bureau cet après-midi, JR, dit Ellie d'un ton sec. Quant à moi, j'ai l'intention de dessiner.

– Ah, très bien, répondit JR, s'efforçant de dissimuler son irritation.

Lucy termina son jus d'orange et se leva.

– Souhaitez-moi bonne chance, dit-elle en se dirigeant vers sa voiture.

– Oui, bonne chance, chérie, cria Jock, et miss Ellie lui fit écho.

Jock la regarda monter dans sa voiture et démarrer.

– Eh bien, dit-il, c'est heureux que nous ayons le petit John, parce que Lucy est presque une adulte maintenant.

Son cahier de croquis à la main, miss Ellie décida de chercher un site qui l'inspirerait. Comme elle traversait le patio, elle croisa Sue Ellen qui se dirigeait vers la maison.

– Bonjour, Sue Ellen, comment ça va?

– Bonjour, miss Ellie.

– Comment vous sentez-vous, aujourd'hui? insista miss Ellie.

– Pas trop mal. Je vais lire un peu dans ma chambre.

– Quelle idée de vous enfermer par ce temps! Pourquoi ne venez-vous pas avec moi? Vous pourriez lire pendant que je dessinerai. Qu'en pensez-vous?

– Non, je ne me sens pas assez bien pour ça, miss Ellie. En fait, j'avais décidé de lire, mais je crois que je vais dormir un peu. Je tombe de sommeil.

– Sue Ellen, je ne veux pas me mêler de ce qui ne me regarde pas et je comprends que vous ayez besoin de vous remettre de cet accouchement, mais je ne crois pas que ce soit une bonne chose de vous enfermer des journées entières dans la maison.

Le joli visage de Sue Ellen se ferma et elle fit semblant de tendre l'oreille.

– Excusez-moi, miss Ellie, je crois que John pleure.

Miss Ellie la regarda s'éloigner. Sue Ellen s'était-elle vraiment imaginé que son fils pleurait? Elle poussa un soupir et se dirigea vers l'écurie. Elle s'installa confortablement dans l'herbe et commença à dessiner l'arrière de la grande maison. Quelques minutes plus tard, Bobby arriva, sauta de cheval et embrassa sa mère sur la joue.

– Papa est là?

– Non, pourquoi?

– Je voulais juste lui donner des nouvelles du bétail. Je crois qu'il va être content.

– Ton père a accompagné JR à une réunion.

Bobby haussa les sourcils.

– J'imagine que ce n'est pas JR qui le lui a demandé?

Miss Ellie se mit à rire. Bobby et elle connaissaient JR par cœur.

– Non, bien sûr. Cette perspective n'a pas paru réjouir JR, d'ailleurs. Mais ça me rassure de savoir ton père avec lui. J'ai l'impression que JR continue à avoir de gros problèmes avec le Bureau des concessions.

– Oui, Cliff Barnes nous harcèle littéralement. Mon cher beau-frère! J'adore ma femme, mais quelle malchance d'être tombé sur cette famille!

– Pam doit en dire autant de nous.

– Je ne sais pas. Je ne sais plus très bien ce que pense Pamela, répondit-il, l'air désemparé.

Miss Ellie posa son carnet de croquis à côté d'elle et regarda attentivement son fils.

– Je ne sais pas si c'est dû au fait que c'est une Barnes, ou simplement au fait que c'est une femme, mais je ne la comprends pas.

– Dis-moi, mon fils, dit miss Ellie, l'air malicieux, n'y aurait-il pas un relent de machisme dans tes propos? Tu vois, j'ai beau vivre à la campagne, je me recycle, comme on dit.

Bobby sourit à sa mère.

– En l'occurrence, il s'agit plutôt de confusion masculine, dit-il. Comment avez-vous fait, papa et toi, pour vous entendre si bien et pendant tant d'années? Je ne vous vois jamais vous disputer et vous avez toujours l'air d'accord sur tout.

Elle haussa les sourcils.

– C'est vrai que la plupart du temps, nous nous entendons bien, mais si tu t'imagines que nous ne nous disputons jamais, tu te trompes. Vous autres Ewing n'êtes pas particulièrement faciles à vivre tu sais.

– Nous autres Ewing! On dirait que tu n'en fais pas partie.

– Oui et non. Je suis née Southworth, ne l'oublie pas. De même que Pamela est née Barnes et sera toujours une Barnes.

– Oui, c'est probable, soupira Bobby. Et ça n'arrange rien.

Miss Ellie hésita un instant.

– Bobby, si tu veux me dire quelque chose concernant ton ménage, dis-le, mais ne tourne pas comme ça autour du pot.

Bobby se mit à rire.

– Maman, tu es la personne la plus directe que je connaisse. Mais à vrai dire, je n'ai rien de bien précis à raconter. Sinon que j'ai été injuste envers elle ce matin.

– Et elle est furieuse contre toi?

– C'est probable.

– Eh bien, excuse-toi.

– Oui, mais ça ne résoudra rien. Nous sommes en désaccord sur un point important de notre vie.

Miss Ellie s'apprêtait à répondre, mais elle jugea finalement préférable de se taire et de laisser son fils continuer.

– Ce n'est pas ton problème, maman. C'est le mien et celui de Pam. Nous finirons bien par le résoudre. En tout cas, je l'espère. Mais ce matin, je me suis un peu énervé et je lui ai dit des choses désagréables. C'est drôle, ajouta-t-il, depuis que je suis tout petit, tu es la seule personne de la famille à qui je puisse parler.

Elle lui prit la main et la serra.

– Tu es toujours mon petit garçon, tu sais. Et malgré tout ce que tu peux en penser, JR l'est également. Et maintenant, laisse-moi dessiner, je me sens inspirée aujourd'hui.

Elle le regarda s'éloigner vers la maison. Parfois, elle aimait bien son rôle de mère... parfois.

Le parking de Southern Methodist University se remplissait rapidement. Les portières claquaient et les étudiants se hâtaient de gagner leurs classes respectives. Cherchant une place, Lucy ne remarqua pas la voiture poussiéreuse avec sa plaque du Kansas qui roulait derrière elle. Lorsque la jeune fille se gara, la voiture qui la suivait se gara tout près d'elle.

Lucy prit ses livres et se dirigea vers sa classe. La conductrice de la voiture du Kansas se précipita derrière elle. Valene Ewing était plus grande que Lucy, mais elle avait les mêmes cheveux blonds et longs, décolorés par le soleil. C'était une jolie femme, mais son expression soucieuse la vieillissait. Lorsqu'elle ne fut plus qu'à deux mètres de Lucy, Valene l'appela.

– Lucy!

Lucy s'arrêta net, mais ne se retourna pas. Pendant un instant, elle eut l'impression que son sang se figeait dans ses veines. Il n'y avait pas de doute possible, c'était bien sa voix douce et mélodieuse.

– Lucy, c'est moi.

Cette fois, elle se retourna avec une parfaite maîtrise d'elle-même. Elle leva le menton et regarda tranquillement sa mère.

Valene en fut déconcertée. Sa fille avait l'air si froid, si indifférent. Un groupe d'étudiants les sépara un instant, puis Valene s'approcha de sa fille, mais sans oser l'embrasser.

– Bonjour, chérie, dit-elle avec un entrain forcé.

Un frisson parcourut Lucy.

– Bonjour, maman, répondit-elle d'un ton glacial.

– Tu es devenue jolie, Lucy, très jolie même, dit Valene en hochant la tête.

– Epargne-moi tes amabilités. Pourquoi es-tu revenue au Texas?

Valene ne s'était pas attendue à des retrouvailles très tendres, mais la dureté de sa fille lui fit tout de même mal. Elle ravala la protestation qui lui montait aux lèvres et les larmes qu'elle sentait toutes proches.

– Ta réaction ne me surprend pas tellement, Lucy, dit-elle doucement.

– Que veux-tu? dit Lucy.

– Tu t'es durcie, Lucy. Tu étais adorable quand tu étais enfant. Je ne peux pas croire que tu aies changé à ce point. Pourquoi me traites-tu comme si j'étais ta pire ennemie?

– Pense ce que tu veux. Il faut que je m'en aille, maintenant. J'ai un cours et je suis déjà en retard.

– Je suis venue pour te voir, Lucy.

– Pas possible? dit Lucy d'un ton sarcastique.

– Ce ton te va mal, chérie, dit Valene. Ce n'est pas toi.

– Tu aurais dû passer par le ranch, prendre rendez-vous. J'aurais peut-être pu te consacrer une heure ou deux. Peut-être JR t'aurait-il donné un peu d'argent pour que tu partes sans me revoir.

Elle se mit soudain à courir et disparut dans le bâtiment de l'université. Valene avait la gorge serrée. Sa fille lui semblait très jeune et sans défense. Elle respira profondément, lutta pour retrouver son calme et se dirigea vers sa voiture. Les choses étaient bien pires qu'elle ne se les était imaginées.

Vêtue d'une blouse d'hôpital verte, les pieds dans des étriers, Pam était allongée sur la table d'examen. Des médecins, des hôpitaux, des examens. Rien de tout cela ne l'aurait effrayée quelques mois plus tôt, mais aujourd'hui elle était terrifiée. Alternativement couverte de sueur puis glacée. Elle était consciente de la gravité du moment; tout ce qu'elle apprendrait aujourd'hui risquait de bouleverser non pas seulement sa propre vie, mais celle de son mari, de tous les Ewing et de ses futurs enfants.

La porte s'ouvrit derrière elle et le Dr Holliston entra, un dossier à la main.

– Madame Ewing, dit-il, de cette voix autoritaire qui semblait être une caractéristique commune à tout le corps médical, nous n'avons pas encore le résultat complet de vos examens, mais en voici déjà quelques-uns, dit-il, tapant du doigt sur le dossier.

– Alors, je l'ai ou je ne l'ai pas?

– Vous n'avez aucun symptôme de neurofibromatose, si c'est ce que vous voulez dire, répondit-il.

– Alors, je n'ai pas la maladie?

– Madame Ewing, tout ce que je puis vous dire, c'est que vous n'en présentez pas les symptômes, rien de plus, dit-il sèchement. Mais ça ne prouve rien. Regardez comme, chez votre père, les signes sont apparus tardivement. Cela dit, même si les examens révélaient des symptômes de neurofibromatose, il y a toutes les chances pour que vous en réchappiez à votre âge.

– Mais si je ne présente aucun symptôme, dit Pam, revenant à son idée fixe, je ne vois pas comment je pourrais la transmettre à mes enfants.

– Vous n'avez pas d'enfant pour le moment, n'est-ce pas?

– Non, pas encore. Mais j'en veux et mon mari aussi. Nous adorons les enfants.

Holliston plaça le dossier sur son bureau après s'être assuré qu'aucune feuille ne dépassait.

– Madame Ewing, reprit-il patiemment, la neurofibromatose est une maladie héreditaire. Elle se transmet donc de génération en génération. Cependant, même chez le nourrisson, elle n'est pas nécessairement fatale.

– Non, mais souvent, n'est-ce pas?

– Assez souvent. Mais voyez, votre frère et vous avez survécu, bien que vous soyez porteurs, car, malheureusement, cela ne fait aucun doute. Je pensais que vous aviez compris ça quand j'ai examiné votre père.

– Oui, j'ai bien compris mais je pensais... je pensais que peut-être si je ne présentais aucun symptôme, c'est que j'y avais échappé... et que si j'avais un enfant...

Holliston secoua la tête.

– Madame Ewing, je voudrais pouvoir vous donner l'assurance que vos enfants naîtront et grandiront sans problème, dit-il doucement, touché par la détresse de la jeune femme. Mais honnêtement, je n'en sais rien. Cette maladie frappe au hasard, et on ne sait jamais si elle aura ou non un caractère bénin. Vos enfants peuvent fort bien en réchapper toute leur vie, mais je n'ai aucun moyen de vous le garantir.

Elle ferma les yeux et tenta de chasser ces paroles de son esprit.

– Mais si j'avais un enfant, il risquerait de mourir avant un an, n'est-ce pas?

– Oui, dit-il. Je suis désolé mais il faut que vous le sachiez. Pour le moment, nous sommes tout à fait impuissants devant cette maladie. Mais il ne faut pas perdre courage. Nous finirons bien par en venir à bout. De celle-ci comme des autres.

– Oui, mais quand? dit-elle d'un ton amer.

– Impossible de le savoir dans l'état actuel de nos connaissances. Beaucoup de maladies sont héréditaires, madame Ewing. Certaines formes de leucémie, l'anémie falciforme, etc. Et il y a incontestablement un facteur héréditaire dans les maladies de cœur ou le cancer. La neurofibromatose fait partie de ces maladies, et c'est celle de la famille Barnes. (Il fit un pas en arrière.) Vous pouvez vous rhabiller, maintenant.

Il quitta la pièce et referma la porte derrière lui.

Accablée, Pam demeura un instant encore sur la table d'examen. C'était sans espoir, totalement sans espoir.

Pendant ce temps, une réunion avait lieu dans le bureau de JR. Jock, Alan Beam et Harve Smithfield faisaient face à JR, assis derrière sa table. Ils analysaient des courbes, des graphiques et des documents comptables, essayant d'imaginer comment parer ce nouveau coup que leur portait Cliff Barnes.

– Je ne comprends pas quel but poursuit Barnes, déclara Smithfield, l'un des plus vieux membres du cabinet d'avocat qui portait son nom.

– Il veut notre peau, voilà ce qu'il cherche, dit JR. La peau de l'Ewing Oil. Il refuse de nous donner le feu vert pour le forage de Midlands Odessa. Ils enquêtent sur nos opérations de raffinage...

– Ah bon? Pourquoi ça? demanda Jock.

– Pour s'assurer qu'on ne transforme pas du pétrole ancien en pétrole nouveau dans nos raffineries.

– Quel petit fouille-merde, celui-là! Quelle différence avec son père! On pouvait ne pas s'entendre avec Digger, mais au moins c'était un homme, personne ne le contestait...

– Le pire, c'est qu'il nous pousse constamment au bord du gouffre, l'interrompit JR.

– Et j'ai l'impression que nous sommes les seuls à être soumis à cette surveillance incessante, grogna Jock. Tous les pétroliers du Texas font des forages sauvages, mais nous, dès que nous enfonçons un trépan à un pied sous terre, nous avons le B.C.P. sur le râble.

– Vous n'êtes pas les seuls, Jock, dit Smithfield. Il a fait fermer d'autres puits que les vôtres.

JR hocha la tête.

– C'est vrai, mais vous remarquerez que c'est toujours dans un secteur où l'Ewing Oil dispose de permis de recherche.

– Pardonnez-moi d'insister là-dessus, dit Alan

d'un ton légèrement agressif destiné à impressionner ses aînés, mais Barnes n'est pas un imbécile. S'il fait arrêter d'autres forages, c'est qu'il lui est difficile d'appliquer aux Ewing une loi différente de celle à laquelle il soumet les autres pétroliers. Il aurait vraiment trop l'air de poursuivre une vengeance personnelle. Mais c'est bien de cela qu'il s'agit.

Jock leva sa main noueuse.

– Harve, vous êtes mon avocat depuis pratiquement les débuts de l'Ewing Oil. Voulez-vous nous faire croire qu'il n'y a aucun moyen de lutter efficacement contre Barnes ? On ne peut pas tourner, d'une manière ou d'une autre, la réglementation ?

– Nous avons essayé, Jock. Mais Barnes a tous les écologistes derrière lui. Les gens sont persuadés qu'il va sauver le Texas, et il se prend pour un héros. Mais jusqu'à présent il a toujours agi dans la plus stricte légalité.

– Nous revoici donc devant le même problème : comment se débarrasser de Cliff Barnes ?

– On peut peut-être l'acheter, dit tranquillement Alan.

Harve le regarda, choqué.

– Ce n'est vraiment pas le genre de réflexion que j'attends de la part d'un membre de mon cabinet, répliqua-t-il sèchement. Il y a certainement une autre façon de procéder.

– Ne vous énervez pas, Harve, dit Jock. Si c'était faisable, ce serait certainement la meilleure solution.

– De toute façon, c'est impossible, dit JR. Il n'y a pas suffisamment d'argent dans tout le Texas pour nous débarrasser de Barnes. Le fric ne l'intéresse pas.

– Il doit bien y avoir une chose à laquelle Barnes est sensible. Qu'est-ce qui fait courir ce type? Qu'est-ce qu'il veut?

– Ce qu'il veut, c'est couler l'Ewing Oil et nous voir sur la paille comme son vieil ivrogne de père. Je ne vois pas ce qui pourrait lui faire lâcher le B.C.P.

– Monsieur, dit Alan s'adressant à Jock, avant de diriger le B.C.P., Barnes visait un siège au Congrès.

– Oui, je sais ça, mais il a dû y renoncer avant les élections. Il n'avait personne pour le soutenir.

Fronçant les sourcils, JR avança son fauteuil. Une idée venait de germer dans son esprit et se précisait lentement.

– Barnes rêvait de se faire élire, dit-il. Il rêve de puissance et de gloire. Le choix du peuple, vous voyez? C'est ça qui l'excite. Un poste au gouvernement, un grand bureau, de l'influence, des types qui lui font de la lèche... il se voyait déjà au Sénat, ou même gouverneur du Texas, ou – pourquoi pas? – président des Etats-Unis.

– Barnes à la présidence, ricana Alan. Pour un slogan de ce genre, je crois qu'il laisserait immédiatement tomber le B.C.P.

– C'est certain, renchérit JR.

– Je ne vois pas très bien à quoi rime ce bavardage, grogna Jock, agacé. Ce serait idéal, mais c'est irréalisable. Il n'y a pas actuellement dans tout le Texas un type assez cinglé pour appuyer Barnes dans ses rêves de conquête. Pas un seul.

JR regarda son père, puis Alan qui avait visiblement la même idée que lui.

– C'est évident, papa, tu as cent fois raison, dit-il.

Qui songerait à aider Barnes à se faire élire? Personne n'est assez fou pour ça, en tout cas parmi les gens que nous connaissons.

Mais un léger sourire flottait sur ses lèvres minces.

A l'université, c'était l'heure du déjeuner, et les étudiants se dirigeaient vers le réfectoire ou bien, munis de paniers à pique-nique, s'installaient sur la pelouse du campus. Accompagnée de deux autres filles, Lucy se rendait au stade où avait lieu la sélection des majorettes.

– Vous vous rendez compte, s'exclama Sherril, l'une des deux filles, c'est nous qui allons défendre les couleurs de l'université à la télé!

Wanda, une petite rousse vive comme un écureuil, gloussa.

– J'espère qu'ils nous dégoteront une tenue plus chouette que celle de l'année dernière, parce que c'était vraiment tarte.

– J'aimerais bien avoir un corsage échancré, dit Sherril. Un truc qui se boutonne devant mais pas trop haut. Tu voix ce que je veux dire?

– Ouais... ce serait chouette avec un short ultracourt, ajouta Wanda.

– J'espère qu'ils vont me sélectionner, dit Lucy.

– Ma vieille, tu n'as aucun souci à te faire. C'est sûr qu'ils vont te sélectionner.

Soudain, Lucy se frappa le front.

– Merde... j'ai oublié mes godasses dans ma voiture. Allez-y sans moi, je vous retrouverai sur le terrain.

Elle courut vers le parking, repéra sa voiture et prit ses chaussures dans le coffre. Elle n'entendit pas sa mère approcher et sursauta en entendant sa voix.

– Lucy?

Elle se retourna brusquement.

– Tu es encore là? Je pensais que tu avais touché ton fric et que tu avais déjà filé.

– Chérie, dit patiemment Valene, je t'ai écrit à ce sujet, tu t'en souviens? Tu sais très bien que je n'ai jamais accepté un dollar de JR.

– Pourquoi te croirais-je?

– Mais parce que c'est la vérité, parce que je suis ta mère. Je vois qu'il faut que nous reparlions de tout cela, Lucy.

– Ne te donne pas ce mal, maman. Je m'en fous maintenant. Rien de ce que tu peux me dire ne m'intéresse le moins du monde.

Valene fit un pas vers sa fille qui recula, se protégeant avec la main comme pour parer un coup.

– Chérie, je sais ce que tu éprouves...

– Non, tu ne le sais pas. Si tu étais capable de le sentir, tu ne serais jamais partie en m'abandonnant. Tu ne sais rien de moi.

Et elle tourna les talons.

– Je sais une chose, dit sa mère derrière elle, je t'ai mise au monde, je t'aime et je t'ai toujours aimée, quoi que tu en penses.

– Tu m'aimes comme tu as aimé mon père, ricana Lucy. Tu l'aimais tellement que tu l'as laissé tomber, comme moi.

– Ça n'a pas marché entre nous, Lucy. Ce n'est pas notre faute.

– Ça n'a pas marché, alors vous avez décidé froidement de vous tirer en m'abandonnant... Mon père et ma mère m'ont tous les deux abandonnée.

– Mais le ranch, c'était ta maison, Lucy. Tu y as

été élevée, tes grands-parents et tes oncles t'adorent...

– Mais oui, c'est merveilleux. A t'entendre, tout le monde a une passion pour moi, répliqua Lucy, exaspérée. Seulement, figure-toi que c'est faux. Je ne me sens pas aimée du tout. Tu veux que je te dise vraiment ce que je ressens, maman? Eh bien, j'ai l'impression d'être orpheline.

– Mais Lucy, tu nous as, répondit doucement Valene. Tu es à nous comme nous sommes à toi.

– Ah oui? Et où étais-tu pendant que je grandissais? Quand j'avais besoin de vêtements, c'est grand-mère qui m'emmenait faire des courses. Et quand j'ai commencé à sortir avec des garçons, à qui pouvais-je en parler? Ce n'est pas à une grand-mère qu'on a envie de raconter sa vie. Quand j'ai eu mon diplôme au collège, tous les Ewing étaient là sauf papa et toi. Et... Oh et puis, à quoi bon? Vous m'avez abandonnée et je ne vous le pardonnerai jamais, dit-elle, des larmes plein les yeux.

– Ma chérie... ma petite chérie..., balbutia Val en pleurant.

Elle chercha à prendre sa fille dans ses bras mais Lucy lui échappa.

– Oh, tu sais, maman, reprit-elle, quelquefois, ça me fait encore souffrir, mais la plupart du temps, je m'en arrange très bien. J'ai appris à m'en arranger. Ce qui me rend malade, c'est ta façon d'arriver soudain et d'essayer de me faire croire que j'ai vraiment une mère, alors que je sais que c'est faux.

– Lucy, je suis revenue parce que je ne supportais plus de vivre sans toi. Quelles que soient mes erreurs passées...

– Et un jour tu foutras le camp à nouveau. Ah non, merci! dit Lucy violemment. J'ai subi ça une fois, ça me suffit pour la vie. Fiche-moi la paix, maman, tu m'entends? N'essaie pas de me récupérer, c'est trop tard. Tu ne comprends pas que c'est trop tard? Qu'est-ce que tu t'imaginais? Que j'allais me jeter dans tes bras?

Elle la quitta précipitamment et se mit à courir vers le stade, ses chaussures à la main.

Les yeux pleins de larmes, Val la regarda s'éloigner.

– Mon pauvre petit chaton, murmura-t-elle, ma petite fille...

John Ewing III dormait profondément. Sue Ellen se pencha au-dessus du berceau et observa un instant cet enfant qui était pour elle une source de chagrin et de remords. Il lui rappelait constamment la façon dont les hommes l'avaient utilisée dans sa vie. Et cependant elle l'avait conçu et laissé naître.

Le bébé bougea et se mit à crier. Désemparée, Sue Ellen tendit une main vers lui puis la retira.

– Madame Reeves, appela-t-elle en reculant d'un pas.

La nurse arriva précipitamment et prit l'enfant dans ses bras.

– Là... là... calme-toi, mon bonhomme, on va te changer.

– Qu'est-ce qu'il a? demanda Sue Ellen.

– Rien, madame. Il est mouillé et les enfants détestent ça. Vous voulez le changer vous-même?

Sue Ellen regarda fixement la nurse.

– Changez-le, je vous paie pour ça, dit-elle sèchement.

En sortant de la pièce, elle faillit heurter miss Ellie sur le seuil de la porte. Derrière elle, le bébé se mit à crier plus fort. Sans se retourner, Sue Ellen passa devant sa belle-mère et s'éloigna. Mon Dieu, que lui est-il arrivé pour qu'elle fasse cette tête? se demanda miss Ellie.

Bobby venait d'arriver à son bureau lorsque sa secrétaire entra.

– Il y a un coup de téléphone pour vous, Bobby. C'est une dame qui ne veut pas dire son nom ni de quoi il s'agit. Elle a simplement dit que c'était personnel et que ça concernait votre nièce. Vous la prenez?

Bobby acquiesça d'un hochement de tête.

– Allô? Bobby Ewing à l'appareil, dit-il.

– Bobby, c'est Val. Valene Ewing.

– Val! D'où m'appelles-tu?

– De Dallas. Je suis désolée d'avoir fait tout ce cinéma avec ta secrétaire mais j'avais peur que JR soit dans les parages, alors j'ai préféré ne pas dire mon nom.

– Oui, je comprends. Est-ce que tu as des nouvelles de Gary? Quand puis-je te voir?

– Bobby, je ne veux pas entrer dans les détails au téléphone, mais il faut que je te voie d'urgence. Où pourrions-nous nous donner rendez-vous? Je ne veux pas aller à ton bureau ni à Southfork.

– Où tu veux, à l'heure qui te conviendra.

– Est-ce que demain ça irait pour toi? Je travaille dans un petit café de 4 heures à minuit et je ne peux pas me permettre d'être en retard.

– D'accord. Où et à quelle heure veux-tu?

– A 10 heures demain matin? On pourrait se retrouver à Bachman Bridge?

– Parfait, alors à 10 heures à Bachman Bridge. Je t'embrasse.
– Moi aussi, Bobby. Et merci.

Tandis que Bobby parlait à Valene, sa femme, Pamela, téléphonait également.
– Docteur Holliston? dit-elle. Pamela Ewing à l'appareil.
– Merci de me rappeler, madame Ewing. J'ai dit « M. Holliston » à votre belle-mère et non pas « docteur », au cas où vous n'auriez pas mentionné votre visite à mon cabinet.
– Je vous en remercie. Effectivement, je n'en ai pas parlé. Vous avez eu les derniers résultats de mes examens?
Elle sentit son cœur battre plus fort.
– Pas encore tous, mais ça ne saurait tarder. Madame Ewing, nous venons de découvrir une chose qui risque de vous poser un problème.
– Concernant la maladie?
– En quelque sorte, oui. Vos analyses d'urine montrent clairement que vous êtes enceinte...

Pam ne pouvait penser à rien d'autre. Elle attendait un enfant. La joie et le désespoir la submergeaient comme des courants contraires.
La nuit tombait sur Southfork, et Pam, étendue sur son lit, contemplait le plafond de plus en plus sombre. Malgré son chagrin et son trouble, elle songea que Bobby n'allait pas tarder à rentrer. Qu'allait-elle lui dire? Qu'elle était enceinte? Elle savait qu'il mourait d'envie d'être père, de fonder une famille.
Avec ses racines profondément enfoncées dans la terre de Southfork, Bobby était un homme telle-

ment sain et simple! Il accordait son rythme à celui des saisons et se soumettait aux lois de la nature avec une confiance animale. Comment lui faire comprendre sa frayeur? Comment lui faire accepter l'idée d'un avortement?

Il ne fallait pas lui en parler, il fallait agir toute seule, sans en parler à personne. Une larme coula sur sa joue. Serait-elle assez courageuse pour ça? Et si finalement Bobby découvrait ce qu'elle avait fait? Continuerait-il à l'aimer? Et elle, ne s'accuserait-elle pas de lâcheté? Etait-elle incapable de prendre un risque?

Une voiture roula sur le gravier et s'arrêta devant le porche. Une portière claqua et elle entendit quelqu'un traverser le patio et entrer dans la maison. Elle connaissait ce pas mieux que le sien. Soulagée, elle tenta de se détendre. Il allait la libérer de cette affreuse angoisse... Elle ne pensait plus à rien sauf à l'amour qu'elle éprouvait pour son mari.

Bobby ouvrit la porte, et un rayon lumineux éclaira la pièce un instant. Il se dirigea vers elle, comme une grande ombre menaçante, et soudain elle retrouva les terreurs de son enfance, lorsque, blottie dans son lit, elle attendait la punition pour une bêtise qu'elle avait faite ou simplement imaginée.

– Pam?

Incapable de proférer une parole elle demeura silencieuse.

– Ça ne va pas, mon amour?

Il s'assit au bord du lit, l'embrassa doucement sur le front et prit sa main.

– Tu ne te sens pas bien, Pam?

– Je suis un peu fatiguée.

Les mots sonnèrent faux à ses propres oreilles, et

elle réalisa qu'elle n'avait encore jamais menti à Bobby, même pas par omission.

Mais il parut accepter l'explication.

– Pam, dit-il, plein d'entrain, devine qui m'a appelé aujourd'hui?

– Qui? demanda-t-elle d'une voix morne.

– Valene.

Elle chercha à mettre un visage sur ce nom.

– Valene?

– La mère de Lucy. Elle est de retour à Dallas.

– Ah bon?

– C'est tout l'effet que ça te fait? dit-il en fronçant les sourcils. Je croyais que tu aimais beaucoup Valene.

– Mais oui, je l'ai toujours trouvée très sympathique.

– J'ai rendez-vous avec elle demain matin. Tu veux m'accompagner? Je suis sûr qu'elle serait très contente de te revoir.

Valene, Lucy, Gary. Tous les Ewing avaient des problèmes. Et elle-même en avait actuellement de trop graves pour se pencher sur ceux des autres.

– Je n'aurai pas le temps, Bobby. J'ai une journée très chargée demain.

Elle se leva lourdement et se planta devant la glace. Les commissures de ses lèvres tombaient, ses paupières étaient gonflées et quelques rides étaient apparues au coin de ses yeux. J'ai vieilli, se dit-elle.

Bobby l'observait avec inquiétude. Etait-elle toujours furieuse à cause de cette dispute qu'ils avaient eue ce matin? Peut-être bien. Lui-même en avait été perturbé toute la journée. Mais au fond c'était absurde. Leurs liens étaient tellement forts que rien ni personne ne pourraient les dénouer. Il s'approcha d'elle.

– Je suis désolé pour ce matin, chérie. J'ai été très désagréable.

– Oui, dit-elle, mais sur le fond tu n'avais pas tout à fait tort.

– Si! Si tu n'as pas envie d'avoir un enfant tout de suite, c'est ton droit. Mais quand je te vois avec le petit John, c'est plus fort que moi, tu comprends, je voudrais que ce soit le nôtre.

– Tu penses que je ne sais pas ce que représenterait un enfant pour toi?

– Parfois je me demande si tu le réalises vraiment.

Elle avait envie de crier « Je suis enceinte! » mais elle demeura silencieuse.

– Tu sais, Pam, reprit-il en lui souriant tendrement, si cela devait nous désunir, je crois que je préférerais ne jamais avoir d'enfant avec toi.

– Bobby, dit-elle, en le regardant droit dans les yeux, il y a une chose qu'il faut que tu saches : il n'y a rien au monde que je souhaite davantage que d'avoir un enfant de toi. Un petit garçon avec de grands yeux noir profond, comme toi...

Il hocha la tête.

– Je suis sûr qu'il y a un mais.

Elle ne répondit pas et détourna son regard.

– Bon, parlons d'autre chose, dit-il, frappé par son expression désemparée. Mais quelles que soient tes raisons, Pam, quel que soit le problème qu'une éventuelle grossesse te pose, il faudra bien que tu m'en parles, et le plus tôt sera le mieux.

– Oui, répondit-elle, l'air effrayé, je sais.

Le lendemain matin, JR s'éveilla de fort bonne humeur. Il se rasa, prit une douche et choisit ses vêtements avec soin tout en sifflotant. Il achevait de nouer sa cravate devant la glace lorsque Sue Ellen apparut.

– Quelle bonne humeur! s'exclama-t-elle d'un ton sarcastique...

– Mais tu devrais la partager, chérie. Ta mère ne va pas tarder à arriver.

– C'est la venue de maman qui te rend si joyeux, JR? Ne serait-ce pas plutôt la venue de mon adorable petite sœur?

– Qu'est-ce que tu insinues?

– Que tu es incapable de résister à un joli visage ou à une belle paire de fesses, et il se trouve que Kristin a les deux.

– Tu as vraiment l'esprit tordu, Sue Ellen. Tu devrais avoir honte de parler de ta sœur comme ça. J'espérais qu'en cessant de boire tu deviendrais moins odieuse, mais je vois que j'étais plein d'illusions.

Sue Ellen éclata d'un rire sardonique, blessant.

– Il y a longtemps que ce que tu dis n'a plus aucun effet sur moi, JR. Comme disait Rhett Butler, franchement, mon cher, je m'en fous éperdument.

– Eh bien, dans ce cas, pourquoi restes-tu ici, à Southfork? Dans ma chambre, dans mon lit?

– Je reste uniquement pour voir ta gueule quand ton précieux père se pâme sur John et trouve que c'est ton portrait tout craché. Ça me fait tordre de rire, ça, parce que, entre nous, John ressemble comme deux gouttes d'eau à Cliff Barnes.

– Tu es une véritable salope.

– Possible, mais pour décrire ce que tu es, toi, il faudrait inventer un nouveau mot. Aucun n'est assez ordurier.

Il lui jeta un regard haineux.

– Au fond, je te préférais encore quand tu buvais. Tu étais abrutie mais moins vulgaire. Quant à Cliff Barnes, j'ai le sentiment qu'il ne va pas tarder à tomber de son piédestal.

Il se dirigea vers la porte.

– C'est toi qui vas le faire tomber? demanda-t-elle.

– Tu as tout compris, je vois. C'est ton serviteur, JR Ewing, qui va se livrer à cet exploit.

Et cette idée le réjouit tellement qu'il retrouva soudain sa bonne humeur et descendit l'escalier en sifflotant.

Bobby gara sa voiture près de Bachman Bridge. Frappé par la beauté du site, il regarda un moment le lac scintillant sous le soleil, les pelouses vertes et luisantes où jouaient de jeunes enfants. Soudain, il repéra Valene sur le pont et lui fit un grand signe en se hâtant de la rejoindre. Ravi de revoir sa belle-sœur, il lui fit un grand sourire auquel elle répondit par un sourire contraint.

– Bobby, tu es gentil d'être venu, dit-elle, mal à l'aise.

Il la serra dans ses bras et sentit son corps se raidir. Il la lâcha aussitôt.

– Tu as une mine superbe, Val. Tu as l'air en pleine forme. Qu'est-ce que tu deviens? demanda-t-il, observant son visage, attristé d'y voir les marques du temps et puis aussi cette trace de méfiance dans le regard autrefois si franc et si gai.

– Ça va bien, dit-elle, sans conviction.

– Tu as vu Lucy?

Elle hocha la tête.

– C'est pour ça que je voulais te voir.

– Ah! tu as des problèmes?

– Je suis allée à l'université hier et j'ai essayé de lui parler. Elle ne veut plus me voir, Bobby.

Il lui prit le bras et ils marchèrent sans hâte.

– Lucy a souffert, Val. Ce n'est pas tellement surprenant qu'elle réagisse comme ça. Elle se protège.

– Oui, je sais, je m'y attendais un peu, mais elle est si méprisante... Je sais que je n'ai jamais été une mère pour elle, mais, crois-moi, elle ne me l'a pas envoyé dire. Je pense que j'ai commis une erreur en revenant comme ça.

– Pourquoi es-tu revenue?

– Lucy me manquait terriblement. Je voulais la revoir.

– Mais pourquoi maintenant, après tout ce temps? insista-t-il.

– Les choses ont changé... J'ai revu Gary.

Les yeux de Bobby brillèrent.

– Comment va-t-il? Où est-il?

Elle emplit ses poumons d'air comme pour se laisser le temps de réfléchir.

– Il va plutôt bien, il ne boit plus du tout, répondit-elle, jetant un coup d'œil vers son beau-frère pour voir sa réaction.

– C'est bien, c'est vraiment une bonne nouvelle, dit-il simplement.

– Il a travaillé sur la côte ouest et il m'a dit qu'il avait réussi à mettre un peu d'argent de côté. C'est pour ça que je voulais voir Lucy. Je ne peux rien promettre encore bien sûr, pas plus que Gary, mais nous allons essayer de nous revoir, lui et moi, et peut-être par la suite de revivre ensemble.

– Oui, mais ne crois-tu pas qu'il est un peu tôt pour en parler à Lucy? Il ne faut pas lui donner de fausses joies, tu comprends?

– Je sais, mais il faut que je lui parle. Je pensais que tu pourrais peut-être m'aider.

Le regard de Bobby s'assombrit et il fronça les sourcils.

– Je ne sais pas, Val...

– Nous avons toujours été amis tous les deux.

– Oui, mais en l'occurrence, je pense à Lucy. Tu sais combien cette gamine a souffert. Elle va beaucoup mieux maintenant, mais c'est récent. Ça ne me paraît pas une très bonne idée d'aller lui mettre dans la tête l'idée que vous allez reformer tous les trois une famille heureuse, alors que rien n'est moins sûr. Suppose que vos projets tournent court, comment prendra-t-elle ça? Je ne crois pas qu'elle supporte de te perdre une seconde fois, tu comprends?

– Je sais, Bobby, je sais qu'elle a souffert... J'aurais tant voulu l'éviter!

– J'en suis convaincu, mais il se trouve qu'elle a été très traumatisée.

– Je n'ai pas l'intention de lui faire des promesses. Mais il y a deux êtres que j'aime sur cette terre, c'est ton frère Gary et ma fille. Et je ne supporte pas d'avoir des rapports aussi tendus avec elle. Ça me rend malade. (Elle s'interrompit et regarda Bobby d'un air suppliant :) Aide-moi, Bobby, je t'en prie, ne me laisse pas tomber. Je ne sais plus quoi faire.

Comment refuser? Elle semblait si perdue, si désemparée. Et il savait qu'elle était sincère, qu'elle aimait sa fille.

– Nous irons la chercher après ses cours, dit-il. Veux-tu que je passe te prendre? Où es-tu descendue?

– Au motel *Big Sky*. Tu vois où c'est?

– Oui, je connais. J'y serai à 4 heures et demie.

– D'accord, merci Bobby. Et surtout, ne parle pas de moi. Il ne faut pas que JR sache que je suis à Dallas.

Les majorettes évoluaient sur le terrain de sport devant un public composé essentiellement de mâles. Les filles étaient jeunes, jolies pour la plupart, avec des corps minces et vigoureux. Vêtues de shorts ultracourts en satin, elles bondissaient et dansaient, applaudies par un public de connaisseurs.

Bobby se gara le plus près possible du stade, et Valene et lui cherchèrent Lucy des yeux.

– Ah, la voilà, dit Bobby. Au milieu du groupe... tu la vois? Regarde comme elle s'en sort bien.

Ils sortirent de la voiture et se dirigèrent vers le stade. Valene mit sa main sur le bras de Bobby.

– Bobby, j'aimerais mieux que tu y ailles tout seul et que tu la ramènes. Elle risque d'être furieuse de me voir arriver au milieu du groupe de ses copines...

– Entendu, Val, c'est peut-être mieux, en effet.

Il se dirigea vers les majorettes et arriva juste après le bouquet final. Les spectateurs applaudirent à tout rompre, et l'entraîneur, satisfait, rejoignit son équipe sur le terrain. Les filles formaient de petits groupes, bavardaient et se félicitaient.

Bobby repéra Lucy et l'appela.

Elle lui fit un grand signe et se précipita vers lui.

– Salut, Bobby, dit-elle en l'embrassant sur la joue. Alors? Comment nous as-tu trouvées? Est-ce qu'on était formidables ou est-ce qu'on était extraordinaires?

– Les deux... Lucy, ta mère est dans la voiture.

Lucy recula comme si on l'avait frappée et son visage se figea.

– Elle veut te parler, Lucy, et je crois que tu devrais écouter ce qu'elle veut te dire, dans votre intérêt à toutes les deux, à tous les trois, en fait.

– Alors, elle a réussi à te décider à venir. Eh bien, dis-lui qu'elle s'est donné du mal pour rien. Je ne veux plus entendre parler d'elle.

– Ecoute-la au moins une dernière fois, Lucy.

– Non, si tu veux écouter ce qu'elle a à dire, écoute-la, toi. Ecoute-la, bon Dieu, ce n'est pas moi qui t'en empêche.

Et elle tourna les talons pour aller rejoindre ses amies.

Dans la voiture, Val vit Bobby revenir tout seul et elle lutta pour refouler ses larmes.

– Je suis désolé, dit-il en montant dans la voiture. J'essaierai de nouveau un peu plus tard. A la maison.

Incapable de proférer une parole, elle hocha la tête.

Bobby mit le moteur en marche et démarra.

Derrière eux, au milieu d'un groupe de spectateurs, JR les regarda partir à travers son énorme paire de jumelles. Il n'avait aucune envie d'assister à l'exhibition des majorettes, mais on avait fait pression sur lui et, au fond, il ne le regrettait pas. C'était le genre de chose qui vous valait une photo avec une légende flatteuse dans les journaux de Dallas. Mais il n'avait pas prévu que ce serait aussi fructueux. Valene à Dallas. Eh bien, pour une surprise, c'était une surprise. Et c'était une bonne chose de l'avoir découvert tout seul, une excellente chose, même.

Miss Ellie était en train d'arroser les massifs de

fleurs qui bordaient le patio lorsque Pam arriva.
– Bonjour Pam. Votre journée s'est bien passée?
– Couci-couça. Et la vôtre?
– Pas très stimulante. Je suis habituée à ce que mes hommes partent toute la journée, mais, avant, Sue Ellen me tenait compagnie, tandis que maintenant elle ne quitte plus sa chambre.
– Elle ira mieux dans quelque temps.
– Je l'espère. Si je n'avais pas le petit John dont je m'occupe souvent, je ne saurais pas quoi faire de moi-même.
– C'est un amour, ce gosse, n'est-ce pas?
– Oui, un amour. Ça fait longtemps qu'il n'y a pas eu de bébé à Southfork, et je dois dire que j'en suis folle.
– Ça vous manquait?
– Oui, mais moins qu'à Jock. J'en ai quand même élevé trois, ça a duré un bout de temps.
Pam se mit à rire.
– Avez-vous jamais pensé à ce qu'aurait été votre vie si vous n'aviez pas eu d'cnfant? demanda-t-elle.
Miss Ellie sourit d'un air pensif.
– J'aurais parfois considéré cela comme une bénédiction, vous savez.
– Est-ce que votre entente avec Jock en aurait été modifiée à votre avis?
– Oui, c'est certain. Je ne sais pas si elle aurait été meilleure ou pire, mais différente, sûrement.
Pam hocha la tête et regarda au loin.
– Je n'ai pas épousé Jock uniquement pour avoir des enfants, enchaîna miss Ellie. Les enfant ont été le fruit de notre amour.
» Cependant il est certain que notre vie aurait été moins joyeuse sans nos garçons. Moins joyeuse

et aussi moins compliquée. Mais à travers tous ces soucis, nous nous sommes toujours aimés et nous avons toujours été fidèles l'un à l'autre. Au total, nous avons eu une vie heureuse, tous les deux. (Elle se mit à rire.) Ça c'est tout moi, vous voyez. Vous me posez une simple question et je vous raconte ma vie.

– Ce n'est pas une question en l'air. C'est une question qui m'importe vraiment.

Miss Ellie comprit que quelque chose tourmentait sa belle-fille. La jeune femme semblait avoir besoin de réconfort.

– Pourquoi cela vous importe-t-il, Pam? demanda-t-elle doucement.

– Parce que je comprends que les enfants, c'est quelque chose de capital pour Bobby. Au point que je suis persuadée que notre mariage ne tiendrait pas si nous ne pouvions en avoir.

Et elle éclata en sanglots et courut vers la maison. Consternée, miss Ellie la suivit des yeux, ne sachant que dire ni que faire pour l'aider.

Ce soir-là, JR et Jock bavardaient dans le living-room, un verre à la main. En fait, c'était plutôt JR qui parlait.

– Je crois que c'est une excellente chose que Bobby dirige le ranch à l'heure actuelle. Southfork a besoin d'un homme à poigne, faisant partie de la famille.

– Ce n'est pas une mauvaise chose, c'est certain, approuva Jock.

– Mais, malgré tout, il nous serait plus utile à Austin en ce moment.

– Explique-toi, JR.

– J'y viens. Plus on fera pression sur Cliff Barnes,

plus il sera tenté de gicler vers autre chose, quelque chose de prometteur, bien entendu.

– Tu es toujours décidé à le propulser vers le Congrès?

– Plus que jamais. Tu serais surpris du nombre de types qui pensent qu'il ferait un excellent congressiste. Ce ne serait pas une mauvaise idée pour nous de sauter dans ce wagon.

Jock fronça les sourcils.

– Ce n'est pas évident. Je me demande dans quelle mesure il ne serait pas plus gênant pour nous à Washington qu'ici.

– Mais il y a une énorme différence entre vouloir se faire élire et y parvenir. Je dis simplement que ce serait une bonne chose d'envoyer Bobby à Austin pour emmerder un peu Barnes pendant que moi, je le manipule.

– De quoi parlez-vous? demanda Bobby en entrant dans le living-room avec sa mère et Pam.

– Bobby, dit Jock, JR pense que tu devrais faire un saut à Austin pour réveiller un peu nos appuis.

– De quels appuis parles-tu, papa? demanda Bobby.

– De tous ceux qui seraient susceptibles de foutre le feu au B.C.P. pour nous obliger.

Bobby secoua la tête.

– Nous avons déjà essayé et ça n'a rien donné.

– C'est vrai, mais maintenant les circonstances sont différentes, répliqua vivement JR. Barnes marche sur trop d'orteils en ce moment. Les types de la Chambre commencent à trouver qu'il y va un peu fort. Je crois qu'ils auraient l'oreille plus compréhensive qu'il y a quelques mois.

Bobby réfléchissait. Il n'avait aucune confiance en JR, persuadé que celui-ci n'agissait qu'en fonction de ses propres intérêts dont quelqu'un faisait toujours les frais. Mais, d'autre part, il ne nourrissait aucune affection particulière pour Barnes, bien au contraire. Et si le B.C.P. persistait à faire peser de pareilles contraintes sur l'Ewing Oil, toute la famille finirait par se retrouver sur la paille.

– Quand voudriez-vous que j'aille à Austin?

– Le plus tôt possible, dit doucement JR. Demain, si tu peux.

– Demain, j'ai beaucoup de choses à faire.

Jock but une gorgée de whisky.

– Bobby, je suis d'accord avec JR, le plus tôt sera le mieux.

– Papa, je suis tout disposé à y aller, si tu considères que nous avons une chance d'aboutir, mais pas demain.

Il prit son verre et sortit de la pièce.

JR fit une grimace.

– Je n'ai jamais vu un type aussi entêté, dit-il.

– Il a dit qu'il irait. Contentons-nous de ça pour le moment, grogna Jock.

Un coq chanta comme pour saluer le lever du jour à Southfork. A l'est, le ciel était rose et une lumière encore pâle éclairait la prairie. Dans le patio, Bobby, vêtu d'un jean, d'une chemise et coiffé d'un sombrero, prit la cafetière en céramique blanche et se versa une tasse de café. Il poussa sa chaise contre le mur et posa ses pieds bottés sur une autre chaise en face de lui. Il aimait le calme et la solitude de l'aube. Ils lui rappelaient ce qu'avait été le Texas des années auparavant. Il fut tiré de sa rêverie par un bruit de porte. Lucy apparut et marcha doucement, visiblement soucieuse de ne pas être entendue.

– Bonjour, Lucy, dit Bobby.

Elle sursauta et se retourna, agacée.
– Ah, c'est toi!
– Je t'ai attendue jusqu'à 2 heures hier soir.
– Je suis rentrée très tard. J'avais une soirée.
– J'ai l'impression que tu cherches à m'éviter, Lucy. Pourquoi pars-tu si tôt?
– J'ai un entraînement très tôt ce matin.
– A 6 heures? Lucy, il faut que nous parlions de ta mère.
– J'ai dit tout ce que j'avais à dire sur le sujet, dit-elle d'un ton sec.
– On a du mal à te faire faire ce que tu ne veux pas faire, n'est-ce pas? Je n'ai jamais vu quelqu'un d'aussi entêté.
Elle sourit.
– Je prends ça pour un compliment, mais j'en ai autant à ton service, mon cher oncle.
– Mais la différence entre nous, c'est que moi, je suis prêt à entendre raison.
Le petit visage de Lucy se crispa un instant.
– Elle a fui, c'est ça que je ne peux pas supporter. Elle a foutu le camp en m'abandonnant sans explications, sans même me dire au revoir. J'ai tout de même des raisons de lui en vouloir, non?
– Chérie, tout ça, je l'ai dit à Val et, d'ailleurs, elle le sait. Mais quelle que soit sa conduite passée, elle est revenue parce qu'elle t'aime et que cette histoire la ronge.
– Elle m'aime. Voilà le mot magique qui est censé vous faire tout oublier. C'est un peu facile, non?
– Bon, ne parlons plus d'amour. C'est ta mère, Lucy. Tu crois que c'était facile pour elle de revenir? Elle sait ce que tu penses d'elle. Elle ne te fera pas souffrir, Lucy. Elle voudrait simplement parler quelques minutes avec toi.
Un silence pesant s'installa entre eux.

– Bon, si tu veux, finit-elle par dire.
– Eh bien, allons-y maintenant, alors, dit Bobby en se levant.
– Non, je ne peux pas, j'ai mon entraînement. Et puis il faut que je réfléchisse. Viens me prendre au stade cet après-midi. J'irai la voir avec toi, je te le promets.
– Oui, mais avant 4 heures. Ta mère travaille à 4 heures.
– Rendez-vous à 3 heures au stade, ça te va?
– Entendu. Je vais appeler Val pour la prévenir.

A 3 heures et demie, Val se mit à faire les cent pas dans sa chambre. Elle regardait sa montre, se mordait la lèvre inférieure, lissait ses cheveux. Quand finalement la sonnette retentit, elle hésita un instant puis se précipita pour ouvrir : ce ne fut pas Lucy qui entra, mais JR Ewing, un sourire sardonique sur le visage.
Il regarda ostensiblement autour de lui :
– Pas terrible ce motel, dit-il en hochant la tête. Plutôt minable, même. Mais ça correspond à ce que tu es et à ce que tu as toujours été. (Il se tourna brusquement vers elle.) Je ne pensais pas que tu aurais le culot de revenir à Dallas, Valene.
– Comment m'as-tu retrouvée?
– Oh, très facilement. J'ai demandé à quelques amis de faire le tour des motels miteux de la région. Je savais que je t'y retrouverais. On ne change pas de style si facilement, n'est-ce pas?
– Fous le camp.
JR s'approcha d'elle comme un gros animal méfiant.
– Combien veux-tu pour te tirer? demanda-t-il d'un air mauvais. Je t'avais prévenue de ce qui t'attendait si tu remettais les pieds ici.

– Je veux voir ma fille.
– J'imagine... et je sais pourquoi.
– Oh non ! Tu es incapable d'imaginer ce genre de chose.
– Tu veux te réinstaller à Southfork avec mon ivrogne de frère pour manger ta part du gâteau avant qu'il ne soit trop tard.
– Pauvre JR, dit-elle, méprisante. Il n'y a vraiment que l'argent qui compte pour toi, n'est-ce pas ? Tu es incapable de concevoir une autre motivation. Eh bien, cette fois, tu te trompes.
– Je te connais, Valene, c'est tout. Je sais qu'on peut toujours acheter les gens de ton espèce. Tu as décidé d'essayer de récupérer Lucy, parce que tu es à la côte, c'est clair comme de l'eau de roche.
– Je me fiche de ce que tu penses. Mais tu peux être sûr d'une chose, JR, c'est que je ne quitterai pas Dallas avant d'avoir revu Lucy.
– Ma chère Valene, tu seras partie avant la tombée du jour.
– Fous le camp, JR, ou je te jure que j'appelle la police.
Il se mit à rire.
– J'ai toujours trouvé que tu avais le sens de l'humour, Valene. J'aime ça. Et maintenant fais tes bagages et file ou bien...
– Ou bien quoi ?
– Ou bien un de mes amis de la police viendra t'arrêter.
– Pas possible. Et pour quel motif, s'il te plaît ?
– Racolage et prostitution, Valene. Regarde-toi. Avec tes cheveux trop blonds, ta robe collante et tes gros seins, tu fais tellement pute que personne ne mettra en doute tes activités professionnelles.
– Tu es un ignoble salaud.
– Fais tes bagages. Il n'est pas question que tu

voies Lucy ni personne de la famille. Je croyais que tu avais compris que tu étais interdite de séjour dans cette ville.

Elle croisa les bras.

– J'ai fui une fois, JR, mais ça ne m'arrivera plus jamais. Tu ne me fais plus peur. Tu ne peux plus rien contre moi. La seule chose qui me reste, c'est Lucy, et je n'ai pas l'intention de la perdre une seconde fois.

– Tu l'as déjà perdue, seulement tu ne le sais pas.

Du seuil de la porte restée entrebâillée, s'éleva une voix familière :

– Je ne crois pas, JR.

Ils se retournèrent, stupéfaits : Bobby et Lucy entraient dans la chambre. Il était visible qu'ils avaient tout entendu.

JR réfléchit rapidement à la façon de tourner les choses à son avantage.

– Lucy, dit-il, je suis content que tu sois ici. J'ai fait ça pour toi, chérie. Je ne voulais pas qu'elle recommence à te faire souffrir.

Lucy se tourna vers Valene.

– Maman, merci de lui avoir tenu tête.

Bobby s'approcha de JR.

– Lucy, reste ici avec ta mère. Tu n'auras qu'à prendre ma voiture pour rentrer. JR va me raccompagner à Southfork. Il y a plusieurs choses dont je veux lui parler.

Et sans s'occuper des protestations de son frère, il prit JR par l'épaule et le poussa fermement vers la porte.

Restées seules, Lucy et Val se regardèrent, intimidées, puis Lucy prit la main de sa mère.

– Pardonne-moi pour l'autre jour, maman. Je n'aurais pas dû te parler comme ça.

– Je le méritais, soupira-t-elle, je n'ai jamais été une bonne mère, je le sais. Mais ce sont les circonstances qui m'en ont empêchée, tu comprends? Je t'ai toujours aimée et je n'ai jamais pu m'habituer à cette séparation.

– Oui, maintenant je te crois.

– Ma vie est encore un peu confuse, Lucy, et je ne sais pas comment tout ça va tourner. Mais nous pourrions essayer de devenir amies, de nous comprendre... ce serait toujours un début.

– Je ne demande que ça, maman. Mais qu'est-ce qui va se passer avec JR?

L'expression de Valene se durcit.

– S'il essaie à nouveau de se mêler de ma vie, je lui réglerai définitivement son compte.

Lucy jeta les bras autour du cou de sa mère.

– Maman, je t'aime, dit-elle d'une voix tremblante, le visage enfoui contre la poitrine de sa mère.

– Moi aussi, mon bébé, ma petite chérie.

SEPTIÈME PARTIE

LES EWING AUJOURD'HUI

17

Ce matin-là, comme d'habitude, les Ewing descendirent prendre leur petit déjeuner dans la salle à manger avant de vaquer à leurs occupations. Attablés devant un café noir et des œufs à la mexicaine, Jock et miss Ellie bavardaient avec leurs enfants.

Comme toujours, Lucy avala à la hâte son petit déjeuner, posa un baiser sur les cheveux argentés de son grand-père et embrassa sa grand-mère, impatiente de vivre sa vie.

– Ce soir, je ne dîne pas là, grand-mère.

– Où vas-tu? demanda miss Ellie.

– Chez Muriel. Nous travaillons toute la journée, dit-elle avec un sourire désarmant de candeur.

Jock lui jeta un regard soupçonneux et Lucy éclata de rire.

– La confiance ne règne pas, à ce que je vois! Ne me regarde pas comme ça, grand-père, je te jure que c'est vrai.

En quittant la pièce, elle croisa Bobby.

– Au revoir, Bobby, dit-elle machinalement, à tout à l'heure.

– Au revoir, Lucy, dit-il, tout aussi distraitement.

Il entra dans la salle à manger, se versa une tasse de café et s'assit en face de ses parents.

Miss Ellie remarqua son expression préoccupée.

– Qu'est-ce que tu as, Bobby? Tu n'as pas l'air dans ton assiette.

Il demeura un instant silencieux.

– Non, dit-il enfin, c'est le moins qu'on puisse dire. Pam et moi avons décidé de quitter Southfork.

Jock se leva brusquement.

– Quoi? Qu'est-ce que c'est que cette histoire?

Miss Ellie pâlit.

– Mais Bobby... pourquoi? balbutia-t-elle.

– Je suis désolé, maman, je sais que ça te fait de la peine, mais je ne peux plus vivre ici. Je ne peux plus habiter sous le même toit que JR.

Jock s'éclaircit la voix.

– Bobby, pourquoi as-tu pris une décision aussi grave sans en discuter d'abord avec nous?

– Pour la simple raison qu'il n'y a pas à en discuter, papa. A moins que tu veuilles discuter d'honnêteté et de moralité. Mais on sait à peine ce que ces mots veulent dire ici. On n'entend pas beaucoup parler de loyauté non plus.

– Bobby, je t'en prie, ne pars pas, dit miss Ellie, au bord des larmes. Quels que soient tes griefs contre JR, je suis sûre que ça peut s'arranger entre vous.

– Non, maman. Il est inutile de se faire des illusions. Ça ne pourra jamais s'arranger entre nous, tu le sais bien.

– Jock, ne le laisse pas partir, dit-elle d'une voix brisée.

– Il me semble que tu es de taille à tenir tête à JR, grogna Jock.

– Oui, mais je ne peux plus le supporter. Au bureau, ce sont des conflits quotidiens, et ça m'use les nerfs. Je ne peux pas vivre comme ça. Chaque fois que je le vois, j'ai envie de lui casser la gueule.

– Ton départ ressemble à une fuite, Bobby, et ça ne te ressemble pas, dit Jock.

– Je n'ai jamais fui de ma vie, papa, tu le sais. Mais cette situation est tout simplement invivable. Je peux à la rigueur m'opposer à JR, mais pas à vous deux. Or, tu le soutiens constamment. Je me demande vraiment pourquoi tu m'as demandé de revenir à l'Ewing Oil.

– Tu es injuste, Bobby. Je ne soutiens pas toujours ton frère, loin de là. Mais en l'occurrence, je trouvais qu'il avait raison. Avoir Barnes pour associé, c'est vraiment trop m'en demander.

– Eh oui, mais c'est ça qui a déterminé mon départ. C'est la goutte d'eau qui a fait déborder le vase. Je ne supporte pas la malhonnêteté. Spolier le fils après avoir spolié le père, c'est trop.

Il prit la main de sa mère en s'efforçant de ne pas voir ses larmes.

– Je suis désolé, maman. J'ai essayé, tu sais, j'ai vraiment essayé, mais JR me dégoûte.

– Bobby, dit Jock d'un ton solennel, quels que soient nos différends, tu es un Ewing. Nous devons nous serrer les coudes, tu ne comprends pas ça?

– Aux dépens de tout le monde ou à peu près? Non, papa, c'est contraire à mon éthique de vie.

– Où comptes-tu aller? demanda miss Ellie.

– Je n'en sais encore rien, mais je mettrai un maximum de kilomètres entre JR et moi.

Il serra la main de son père et embrassa tendrement sa mère.

– Je suis navré, maman, je sais ce que tu ressens, mais il n'y a vraiment rien d'autre à faire, dit-il avant de quitter la pièce.

Lorsque, quelques minutes plus tard, JR et Sue Ellen entrèrent dans la pièce, miss Ellie sanglotait, et Jock essayait vainement de la consoler.

Sue Ellen s'arrêta, interdite.

– Maman, qu'est-ce qui se passe? Pourquoi pleures-tu? demanda JR, stupéfait.

– Bobby s'en va, dit miss Ellie en hoquetant. Il nous quitte.

– Il s'en va? répéta JR d'un air incrédule.

– Oui, dit Jock, il quitte Southfork. Il ne supporte pas ta conception des affaires. Il dit qu'il préfère s'en aller.

Sue Ellen laissa échapper une sourde exclamation.

– Eh bien, tu as finalement obtenu ce dont tu rêvais, JR. Tu as fait partir Gary et, maintenant, c'est au tour de Bobby. Tu as essayé d'acheter Valene et tu as tenté de nous faire croire que Pam n'était qu'une pute et qu'une aventurière. Tu m'as traitée d'une façon incroyable et tu as roulé tes associés. Tu ne recules devant rien pour obtenir ce que tu veux, et, bien sûr, tu finis toujours par l'obtenir. Bravo! je te félicite. Te voilà maintenant seul en piste.

– Maman, dit JR d'une voix sourde, tu sais que c'est faux. Je n'ai jamais souhaité que Bobby s'en aille. Papa, tu le sais, toi.

Miss Ellie se redressa sur sa chaise et regarda fixement son fils.

– Tout ce que je sais, JR, c'est que deux sur trois

de mes enfants sont partis. Quelqu'un en est certainement responsable.

Elle sortit de la pièce, suivie de Jock.

Resté seul avec Sue Ellen, JR éclata.

– Tu es contente de toi, n'est-ce pas? Tu as réussi à me couler aux yeux de mes parents! Mais laisse-moi te dire une chose, Sue Ellen, ce sont tes dernières paroles dans cette maison. Tu vas me payer ça. Personne n'a le droit de me parler ainsi devant mon père et ma mère. Personne, tu m'entends? Tu es une alcoolique, une femme adultère, une épouse et une mère lamentables. Tu perds la tête et tu ne sais plus ce que tu dis. Plus tôt tu réintégreras la maison de santé mieux ce sera, Sue Ellen. Et cette fois-ci, crois-moi, je m'arrangerai pour que tu y restes pour de bon.

Elle le regarda quitter la pièce. Non, se dit-elle, non tu ne me feras pas ça. Je te tuerai avant, je te tuerai, JR.

Dans l'appartement de Kristin, Alan Beam et elle prenaient leur petit déjeuner. Il était habillé, prêt à partir, mais Kristin n'était encore vêtue que d'un fin négligé qui ne dissimulait aucune de ses rondeurs.

En dépit d'une nuit longue et active, Beam sentit renaître son désir pour Kristin. Il n'en était jamais rassasié. C'était la maîtresse la plus extraordinaire qu'il eût jamais possédée. Il refréna son envie de la toucher, de la caresser, de la presser nue contre lui, de la prendre brutalement pour l'entendre gémir, pour sentir ses ongles griffer son dos. Jamais il n'aurait cru possible d'être à ce point assujetti à une femme.

Il désigna du doigt l'attaché-case posé sur la table basse.

– Tu peux garder ça chez toi?

– Qu'est-ce qu'il y a là-dedans?

– Deux ou trois choses que je préfère ne pas avoir chez moi.

Kristin regardait fixement la mallette, comme si un diable allait en surgir et bondir sur elle. Malgré son extrême jeunesse, elle avait appris à séparer les diverses activités de son existence: l'argent, l'amour, le sexe et l'ambition étaient des éléments bien dissociés. Ils ne coexistaient que lorsque l'un de ces éléments avait une chance de faire avancer l'autre. Autrement, elle ne poursuivait toujours qu'un but à la fois et ne permettait à personne d'interférer dans ses affaires.

Elle ouvrit l'attaché-case: il y avait là plusieurs dossiers, un gros registre, quelques enveloppes cachetées et un revolver.

– Pourquoi mets-tu un revolver là-dedans? demanda-t-elle sèchement.

– On peut parfois avoir besoin de ces petits jouets. J'en ai un autre sur moi, dit-il, tapant sur sa ceinture.

– Tu as l'intention de tuer quelqu'un?

Le regard d'Alan soutint celui de Kristin.

– Qui sait? Il y a quelqu'un que j'aimerais vraiment descendre.

– Oui, répondit-elle d'un ton léger. Moi aussi. Mais en serions-nous capables?

On frappa à la porte.

– Je n'attends personne, dit-elle, vaguement inquiète.

– Il vaut mieux savoir qui c'est.

Kristin alla à la porte.

– Qui est là? demanda-t-elle.

– Police, dit une voix rude. Ouvrez.

Kristin et Alan échangèrent un regard. Alan referma l'attaché-case et lui fit signe d'ouvrir.

– Qu'est-ce qu'il y a? Qu'est-ce que vous voulez?

Le gros policier la regarda avec insistance.

– Pas mal, dit-il d'une voix traînante, beau brin de fille. Mais sûrement trop chère pour un pauvre flic comme moi.

– Qu'est-ce que vous voulez, McSween? demanda Alan, calmement.

– La ferme, monsieur l'avocat. Ne vous mêlez pas des affaires de la police.

– Je ne comprends pas, dit Kristin. De quoi s'agit-il?

– J'ai un mandat d'arrêt contre vous.

– Un mandat d'arrêt? Mais je n'ai rien fait...

– C'est de l'intimidation, dit Alan. L'une des spécialités de JR.

– Monsieur l'avocat, vous gênez un officier de police dans l'exercice de ses fonctions, dit McSween. Je pourrais vous faire boucler pour ça... vous seriez rayé du barreau.

– De quoi m'accuse-t-on? demanda Kristin d'une voix tremblante.

– Racolage et prostitution.

McSween regarda Alan.

– Ça doit être un bon coup, cette souris, non?

– Mais qu'est-ce que c'est que cette histoire? bredouilla-t-elle.

Mais, en prononçant ces paroles, elle avait l'air coupable. Qu'était-elle donc, se dit-elle, sinon une prostituée? Bien sûr, elle opérait à un autre niveau que ses malheureuses collègues des rues, mais c'était tout aussi sordide.

McSween se tourna vers elle.

– Vous avez la chance d'avoir des amis influents.

Si vous quittez la ville dans les vingt-quatre heures, je déchirerai ce mandat d'arrêt. (Il se dirigea vers la porte d'un pas pesant et Kristin suivit des yeux sa silhouette massive. Sur le seuil, il se retourna :) Ceci vaut également pour vous, maître. Quittez la ville au plus vite sinon vous risquez de recevoir des visites qui ne vous plairont pas, mais pas du tout.

Il referma la porte et Kristin se précipita vers Alan. Pendant un moment, tous deux furent incapables de proférer une parole. Elle tituba vers le canapé et s'y effondra, les joues empourprées, la bouche tordue par la haine.

– JR, murmura-t-elle, je vais le tuer. Je jure que je vais le tuer.

– Prends rang, chérie. Nous sommes quelques-uns à l'avoir décidé avant toi.

18

Assis derrière son bureau, JR était plongé dans ses pensées. Le téléphone sonna et il décrocha.

– Allô? JR Ewing à l'appareil.

– Ecoutez-moi, espèce de salopard, dit Vaughn Leland d'une voix sourde, je vais vous donner une dernière chance. Je vous demande pour la dernière fois de me rembourser mon argent.

– Voyons, Vaughn, vous n'êtes pas raisonnable. Vous savez bien que c'est impossible.

– Très bien, JR. Je sais ce qui me reste à faire.

– Dites-moi, Vaughn, d'où m'appelez-vous? Toute la police de Dallas, les rangers et le bureau fédéral sont à vos trousses. Bon Dieu, mon vieux, tout le monde est sens dessus dessous. Pourquoi avez-vous foutu le camp comme ça?

– Je vais vous dire où je suis, JR. Suffisamment près de vous pour vous faire payer ce que vous m'avez fait.

– Vaughn, voyons, vous ne pensez pas sérieusement ce que vous dites.

– Vous croyez ça? JR, vous avez commis là votre dernière escroquerie. Vous n'aurez plus l'occasion d'en commettre d'autres.

Et il raccrocha.

JR secoua la tête d'un air incrédule et raccrocha à son tour. Les types comme Vaughn Leland ne lui faisaient pas peur. Ce n'étaient que des menaces en l'air. Ce pauvre Leland était totalement inoffensif, même s'il essayait de se persuader du contraire. Il n'avait pas l'étoffe d'un tueur. Et il cessa de penser à ce coup de téléphone.

19

Assise sur son lit, Sue Ellen regardait fixement le P. 38 posé sur sa cuisse. Elle le prit et l'éleva devant elle, consciente de son poids meurtrier et de la terreur qu'il éveillait en elle. Elle le posa à côté d'elle, se leva et regarda par la fenêtre. Le patio où les Ewing prenaient si souvent leur petit déjeuner était vide. Il régnait dans la maison une atmosphère pesante, sinistre.

Bobby était parti.

Bientôt, il n'y aurait plus que JR à Southfork. Il serait le maître des lieux. De plus en plus riche, de plus en plus puissant, dispensant souffrance et humiliations au gré de ses humeurs. Elle regagna son lit et contempla le revolver.

Elle vérifia sa montre. Il était temps de partir. Elle sortit un manteau de son placard, prit son sac, y fourra le revolver et quitta la pièce.

20

Au moment précis où Sue Ellen quittait Southfork ce matin-là, Cliff arriva au cimetière. Il se dirigea lentement vers la tombe de Digger située sur une petite butte herbeuse et resta là un long moment, contemplant la terre sous laquelle reposait son père. Les épaules affaissées, le visage gris, il avait l'air d'un vaincu.

– Je suis désolé, papa, dit-il à mi-voix. Ils m'ont eu. Les Ewing m'ont eu. Ils m'ont tendu un piège pour que je tente ma chance aux élections et que je quitte le B.C.P., et je suis tombé dedans. JR Ewing m'a tout pris. Il n'y a plus rien à faire... sauf une chose : empêcher une bonne fois pour toutes JR de nuire. Je ne sais si là-haut ça te rendra plus heureux, mais je sens qu'il faut que je le fasse. Et je le ferai, papa.

21

Bobby s'arrêta sur le trottoir d'en face et contempla le building de l'Ewing Oil. Quel chemin ils avaient parcouru! Leurs ancêtres, qu'il s'agisse des Ewing ou des Southworth, étaient de simples manœuvres, des cow-boys ou bien des foreurs. Et maintenant, leurs arrière-petits-enfants étaient des ranchers puissants, des milliardaires du pétrole, des hommes qui, malgré leur tenue de trappeur, n'évoluaient que dans des bureaux à air conditionné. Tout Dallas avait changé, d'ailleurs.

Mais ça ne pouvait pas continuer ainsi. Pas avec un homme comme JR, dénué de scrupules, ruinant la vie des gens, écrasant amis et ennemis, y compris sa propre famille. JR incarnait le mal absolu. Il fallait faire quelque chose. Et Bobby conclut que c'était à lui de le faire. A lui seul.

En quelques secondes, il prit sa décision.

ÉPILOGUE

Ce fut une femme de ménage qui découvrit JR au petit jour.

La porte de son bureau était entrouverte et la lumière était allumée. Elle frappa.

– Monsieur Ewing, vous êtes là?

Pas de réponse. Surprise, elle entra et poussa un hurlement. Sur le sol, gisait JR, inconscient, baignant dans le sang.

Dix minutes plus tard, une ambulance arriva, et trois quarts d'heure après, JR était sur la table d'opération, à l'hôpital général de Dallas. Prévenus en hâte, les membres de la famille se précipitèrent à l'hôpital et arrivèrent au moment précis où JR sortait du bloc opératoire. Ils entrèrent dans la salle d'attente et firent les cent pas en silence, sans oser se regarder.

Un chirurgien, vêtu d'une blouse verte, apparut et ôta son masque.

– Est-ce qu'il va s'en tirer, docteur? demanda Jock.

– Difficile à dire, monsieur Ewing. Ses blessures sont graves et il a perdu beaucoup de sang. Il était extrêmement faible quand on nous l'a amené ici. Nous avons pu retirer l'une des deux balles. L'autre, malheureusement, est logée dans la colonne vertébrale, et on ne peut pas y toucher. Je ne vous cacherai pas qu'il est dans un état très critique.

Si je croyais en Dieu, je prierais pour votre fils.
– A-t-il dit quelque chose? demanda Sue Ellen.
– Sait-il qui a tiré sur lui? demanda Bobby.
– Nous avons permis à un détective de le voir quelques secondes à son réveil. Mon impression – qui est la même que celle de la police – est qu'il sait qui a tiré, mais qu'il ne veut pas le dire.
– Qui a pu faire une chose aussi affreuse? dit miss Ellie, décomposée.
– N'importe qui, maman, répondit simplement Bobby. JR s'est fait plus d'ennemis mortels que quiconque au Texas. Il a poussé des hommes au suicide, ruiné des carrières, détruit des ménages. Tout le monde le hait ou à peu près...
– Je ne peux pas croire ça...
– Bobby a raison, miss Ellie, dit doucement Sue Ellen en prenant la main de sa belle-mère.
– Mais pourquoi JR ne veut-il pas dire qui a tiré sur lui? demanda-t-elle en regardant le médecin.
Il haussa les épaules, s'excusa et quitta la pièce.
– Pourquoi? répéta miss Ellie.
– Je ne vois qu'une raison plausible, il veut se venger lui-même, dit Jock.
– Se venger? dit Pam, interloquée.
– JR est un Ewing, dit Jock avec une fierté empreinte de nostalgie. Il va s'en sortir et il traquera impitoyablement son assassin.
– Oh, mon Dieu, hoqueta miss Ellie.
– La loi du talion, ironisa Bobby. Tu ne comprends pas que cette époque est révolue, papa? La vengeance, les duels au revolver, tout ça c'est du passé. Il s'agit tout simplement d'une tentative de meurtre, ou d'un meurtre si JR y reste, mais c'est la police qui mènera l'enquête et le coupable sera puni par la loi.

– Il y a peut-être une autre raison au silence de JR, dit Pam.

Tous les regards se tournèrent vers elle.

– Laquelle? demanda Jock.

– Peut-être veut-il protéger celui ou celle qui a tiré sur lui, répondit-elle.

Miss Ellie enfouit son visage dans ses mains.

– Oh, mon Dieu, comment une chose pareille a-t-elle pu arriver dans notre famille?

Personne ne répondit. Tous étaient plongés dans leurs pensées et dans leurs souvenirs.

– Ça va vous paraître étrange, dit Sue Ellen d'une voix hésitante, mais d'une certaine façon, j'aime encore JR. L'amour et la haine sont les deux extrémités d'un même sentiment, j'imagine. Je l'ai épousé par amour et c'est probablement pour ça que je suis restée avec lui, malgré nos rapports désastreux. J'ai tout essayé pour qu'il m'aime...

Bobby l'embrassa gentiment.

– Je comprends ce que tu ressens, Sue Ellen. Moi-même, j'ai toujours eu des rapports très difficiles avec JR, mais malgré tout nous sommes frères et je ne peux pas l'oublier. Pas plus que lui, d'ailleurs. Tu te souviens, papa, de cet accident d'avion?

– Je ne vois pas comment j'aurais pu l'oublier. J'ai bien failli vous perdre tous les deux ce jour-là.

– Il faisait glacial dehors, poursuivit Bobby. Le pilote était trop faible pour faire le moindre geste. Mais JR, qui pourtant était très commotionné, a réagi immédiatement. Il nous a sortis de l'avion, il a bricolé un abri et il a envoyé des signaux de détresse. Je crois bien qu'il nous a sauvés, ce jour-là. Il avait un moral d'acier. Il nous disait que les secours allaient arriver, qu'il fallait tenir le coup. Tu sais, papa, je crois vraiment que sans lui nous serions morts.

– Il s'est rappelé toutes les choses que je lui avais enseignées dans son enfance, dit Jock. Comment survivre dans un milieu hostile. Et il a fait exactement ce qu'il fallait faire. Bobby, je sais qu'il a souvent été odieux avec toi, qu'il a essayé de t'évincer de l'Ewing Oil pour pouvoir diriger l'affaire tout seul, mais il n'empêche qu'il a le sens de la famille – à sa façon.

– C'est vrai, reconnut Pam, songeuse. Je me souviens qu'un jour il a insisté pour déjeuner avec moi. Il voulait me convaincre d'empêcher Bobby de faire des affaires avec Guzzler, ton vieux camarade de collège, Bobby. Il le considérait comme une nullité.

– Et je ne peux pas lui donner tort, dit Bobby, malgré l'affection que j'ai toujours éprouvée pour Guzzler.

– Et quand j'ai eu ma crise cardiaque, il a été d'une extraordinaire efficacité. Il a agi avec un sang-froid et une rapidité extrêmes. Il n'est pas impossible qu'il m'ait sauvé, moi aussi. Il ne perd jamais les pédales dans les cas graves.

Miss Ellie leva la tête.

– Quand Jock et moi, nous nous sommes mariés, mon père était furieux.

– Quel rapport? demanda Jock. De toute façon, personne n'était assez bien pour sa fille.

– Ce que je veux dire, dit miss Ellie, c'est que papa était persuadé que notre mariage ne durerait même pas cinq ans. Il s'est trompé de près de quarante ans et ce n'est pas fini. Les gens ne sont pas toujours ce qu'ils semblent être. Et puis souvent, ils changent. Ils se bonifient avec l'âge. Mais je crois que vous devriez complètement séparer vos activités, ton frère et toi. JR n'est excité que par les affaires. Toi, Bobby, tu es beaucoup plus heureux quand tu t'occupes du ranch. Tu t'en occupes admirablement, d'ailleurs. Tu aimes la terre, le bétail, les choses naturelles.

– Et mon père? demanda Lucy d'une petite voix.

– Gary, dit Jock, c'est en quelque sorte le fils prodigue. Il s'en sortira, j'en suis sûr. J'ai confiance en lui, il va trouver sa voie et se faire une bonne vie. Après tout, c'est un Ewing, lui aussi.

– Comme nous. Et c'est une sacrée famille, les Ewing.

– Oui, c'est vrai, dit Bobby, regardant sa mère. Et quelles que soient nos différences, il faut rester soudés.

– Et si JR ne s'en sort pas? demanda Sue Ellen.

– JR est un battant, répondit miss Ellie. S'il a une chance de s'en tirer, il s'en tirera.

– En attendant, nous allons rester dans les parages, attendre et espérer. Mais ensemble. Bon Dieu, nous sommes tous du même sang, non? Et au fond, c'est la seule chose qui compte vraiment, dit Jock.

Ils attendirent en silence, réconfortés par ces paroles, puisant force et courage dans les liens qui les unissaient et dont ils semblaient conscients pour la première fois.

Oui, ils étaient tous des Ewing.

J'ai Lu Cinéma

Une centaine de romans J'ai Lu ont fait l'objet d'adaptations pour le cinéma ou la télévision. En voici une sélection.

Demandez à votre libraire le catalogue semestriel gratuit.

ANDREVON Jean-Pierre
Cauchemar... cauchemars! (1281★★)
Répétitive et différente, l'horrible réalité, pire que le plus terrifiant des cauchemars. Inédit.

ARSENIEV Vladimir
Dersou Ouzala (928★★★★)
Un nouvel art de vivre à travers la steppe sibérienne.

BENCHLEY Peter
Dans les grands fonds (833★★★)
Pourquoi veut-on empêcher David et Gail de visiter une épave sombrée en 1943?
L'île sanglante (1201★★★)
Un cauchemar situé dans le fameux Triangle des Bermudes.

BLIER Bertrand
Les valseuses (543★★★★)
Plutôt crever que se passer de filles et de bagnoles.
Beau père (1333★★)
Il reste seul avec une belle-fille de 14 ans, amoureuse de lui.

BRANDNER Gary
La féline (1353★★★★)
On connaît les loups-garous mais une femme peut-elle se transformer en léopard?

CAIDIN Martin
Nimitz, retour vers l'enfer (1128★★★)
Le super porte-avions Nimitz glisse dans une faille du temps. De 1980, il se retrouve à la veille de Pearl Harbor.

CHAYEFSKY Paddy
Au delà du réel (1232★★★)
Une terrifiante plongée dans la mémoire génétique de l'humanité. Illustré.

CLARKE Arthur C.
2001 - L'odyssée de l'espace (349★★)
Ce voyage fantastique aux confins du cosmos a suscité un film célèbre.

CONCHON, NOLI et CHANEL
La Banquière (1154★★★)
Devenue vedette de la Finance, le Pouvoir et l'Argent vont chercher à l'abattre.

COOK Robin
Sphinx (1219★★★★)
La malédiction des pharaons menace la vie et l'amour d'Erica. Illustré.

CORMAN Avery
Kramer contre Kramer (1044★★★)
Abandonné par sa femme, un homme reste seul avec son tout petit garçon.

COVER, SEMPLE Jr et ALLIN
Flash Gordon (1195★★★)
L'épopée immortelle de Flash Gordon sur la planète Mongo. Inédit.

DOCTOROW E.L.
Ragtime (825★★★)
Un tableau endiablé et féroce de la réalité américaine du début du siècle.

FOSTER Alan Dean
Alien (1115★★★)
Avec la créature de l'Extérieur, c'est la mort qui pénètre dans l'astronef.
Le trou noir (1129★★★)
Un maelström d'énergie les entraînerait au delà de l'univers connu.
Le choc des Titans (1210★★★★)
Un combat titanesque où s'affrontent les dieux de l'Olympe. Inédit, illustré.
Outland... loin de la terre (1220★★)
Sur l'astéroïde Io, les crises de folie meurtrière et les suicides sont quotidiens. Inédit. Illustré.

GROSSBACH Robert
Georgia (1395★★★)
Quatre amis, la vie, l'amour, l'Amérique des années 60.

GANN Ernest K.
Massada (1303★★★★)
L'héroïque résistance des Hébreux face aux légions romaines.

HALEY Alex
Racines (2 t. 968★★★★ et 969★★★★)
Ce triomphe mondial de la littérature et de la TV fait revivre le drame des esclaves noirs en Amérique.

ISHERWOOD Christopher
Adieu à Berlin (1213★★★)
Ce livre a inspiré le célèbre film Cabaret.

JONES John G.
Amityville II (1343★★★)
L'horeur semblait avoir enfin quitté la maison maudite ; et pourtant... Inédit.

KING Stephen
Shining (1197★★★★)
La lutte hallucinante d'un enfant médium contre les forces maléfiques.

RAINTREE Lee
Dallas (1324★★★★)
Dallas, l'histoire de la famille Ewing, au Texas, célèbre au petit écran.
Les maîtres de Dallas (1387★★★★)
Amours, passions, déchaînements, tout le petit monde du feuilleton "Dallas".

RODDENBERRY Gene
Star Trek (1071★★)
Un vaisseau terrien seul face à l'envahisseur venu des étoiles.

SAUTET Claude
Un mauvais fils (1147★★★)
Emouvante quête d'amour pour un jeune drogué repenti. Inédit, illustré.

SEARLS Hank
Les dents de la mer - 2e partie (963★★★)
Le mâle tué, sa gigantesque femelle vient rôder à Amity.

SEGAL Erich
Love Story (412★)
Le roman qui a changé l'image de l'amour.
Oliver's story (1059★★)
Jenny est morte mais Oliver doit réapprendre à vivre.

SPIELBERG Steven
Rencontres du troisième type (947★★)
Le premier contact avec des visiteurs venus des étoiles.

STRIEBER Whitley
Wolfen (1315★★★★)
Des êtres mi-hommes mi-loups guettent leurs proies dans rues de New York. Inédit, illustré.

YARBRO Chelsea Quinn
Réincarnations (1159★★★)
La raison chancelle lorsque les morts se mettent à marcher. Inédit, illustré.

Achevé d'imprimer sur les presses de l'imprimerie Brodard et Taupin
7, Bd Romain-Rolland, Montrouge. Usine de La Flèche,
le 25 mai 1983
1034-5 Dépôt Légal novembre 1982. ISBN : 2 - 277 - 21387 - X
Imprimé en France

Editions J'ai Lu
31, rue de Tournon, 75006 Paris
diffusion France et étranger : Flammarion